海外小説の誘惑

［改訳］

交換教授

二つのキャンパスの物語

デイヴィッド・ロッジ

高儀進＝訳

白水 *u* ブックス

レニーとプリシラ、スタンリーとエイドリアン
その他アメリカ西海岸の多くの友人に

この小説に描かれている土地や公的事件のいくつかは実際の土地や事件にいくらか似てはいるけれども、登場人物は、個人としてであれ公共機関の一員としてであれ、完全に想像の産物である。ラミッジとユーフォーリアは喜劇の世界の地図にある場所である。われわれが立っている世界に似ている（完全に照応はしないが）この喜劇の世界には、想像から生まれた架空の人間が住んでいる。

目次

1 飛行

一九六九年の元日、北極の遥か上空で、英文学の二人の教授が互いに接近しつつあった。速度は、双方合わせて毎時千二百マイルである。二人は、稀薄で冷たい空気からは二機のボーイング707の気密室によって、また、衝突の危険からは国際協定で慎重に定められた空中回廊によって守られていた。二人は顔を合わせたことはなかったけれども、相手の名前だけは知っていた。そう、これから半年間、互いにポストを交換しようとしていたのである。もっとゆっくりした乗り物の時代であったなら、二人のそれぞれの旅路が交差した際、ある興味深い人間的な身振り《ジェスチャー》が見られたかもしれない。たとえば、大西洋の真ん中で擦れ違う二隻の遠洋定期船《オーシャン・ライナー》の甲板から、望遠鏡の焦点を互いの姿に偶然同時に合わせ、空いているほうの手を振り合ったであろう。あるいは、このほうがありそうな話であるが、イギリスのハンプシャー州かアメリカの中西部のどこかの駅で並んで停まった二台の列車のコンパートメントの窓越しに、互いに相手がどういう人物か分かったことを示す、ちょっとしたパントマイムが演じられ、自意識の強いほうが、やっと列車が動き出したと思ってほっとした途端、最初に発車したのは相手の列車だと悟る……ところが、そういうことは何も起こらなかったのである。二人の男は飛行機の中にいたので（一人は退屈し、もう一人は窓の外を見て怯えていた）――あるいはともかくも、二機の飛行機は互いに肉眼では見えないくらいに離れていたので、彼らの航路が、回転する世界の静止点（T・S・エリオットの『四つの四重奏』の詩句）で交わったということは、この「デュープレックス」の年代記の語り手以外の誰にも気づかれずに終わったのである。

「デュープレックス」という言葉は「二重の」という一般的な意味を持っているだけではなく、「メッセージが正反対の方向に同時に送られる方式」（『オックスフォード英語辞典』）を指す電信用語でもある。この二人の英文学の教授（たまたま両者とも四十歳）のどちらも、空中を毎時六百マイルの速度で突進してゆく時に、情緒、精神的態度、価値観をひっくるめた無限に伸びる臍《へそ》の緒――ほとんど目に見えなくなるまでどんどん伸びてゆくが、決して切れることのない臍の緒――によって、母国、すなわち仕事と家庭のある場所に結びつけられていると想像して頂きたい。さらにまた、二人が万年氷の上で行き交った際、二機のボーイングのパイロットが運航規則と技術的妥当性とを無視して、一番《ひとつがい》の交尾中の鶫《つぐみ》よろしく、ふざけた一連の曲芸飛行――十文字飛行、急降下、急上昇、宙返り――をし、その結果、パイロットがふたたび真面目になって、公認された運航方法に戻る前に、上述の二本の臍の緒が完全にこんがらがってしまったと想像して頂きたい。そうなると、二人の男が相手の国を訪れ、仕事をしたり快楽に耽ったりする場合、彼らが生まれ故郷にどんな振動を伝えようと、それは必ず相手にも感じられる。なおかつ、その振動は、送信者本人のもとに戻ってくるだろう（その際、その振動は相手の反応によって微妙な影響を受ける）――ところが、その振動は相手の情報伝達コード、すなわち相手の臍の緒（その根元は、当然ながら、送信者が到着したばかりの相手の国にある）を通って戻ってくることさえあるかもしれないのだ。それゆえ、間もなく臍の緒の全回路は、A教授とB教授のあいだを往復する振動で、ぶうんという唸りを発する。その振動は、今度はこの線、次はあの線で伝えられるかと思うと、時には、一つの線を通って行く途中で別の線に移るといったこともある。言い換えれば、自分たちの立場を半年のあいだ交換する二人の男が、それぞれの運命に影響を与え合い、かつ、二つの環境と、二人の人間の性格と、これから取り組まねばならぬすべてのことに対する二人の態度にはさまざま相違があるにもかかわらず、いくつかの面で実際に互いの経験を反映し合うとしても驚くには当たらないだろう。

われわれは、物語を読んだり書いたりする特権的な高い場所（それは、どんなジェット機よりも高い場所である）にいるので、こうした相違の一つをひと目で認めることができる。ぎごちなく上体を突っ張らせて坐り、オレンジジュースを配ってくれるスチュワーデスに過度の謝意を表している様子から、西へ飛んでいるフィリップ・スワローは飛行機旅行に不慣れであることが一目瞭然だ。一方、東に向かう飛行機の座席にだらしない格好で坐り、火の消えた葉巻（スチュワーデスが消させたのである）をくちゃくちゃ噛み、バーボンウイスキーの入ったプラスチックのタンブラーの中で溶けつつある、もともとちょっぴりとしかなかった氷をぐっと睨みつけているモリス・ザップにとっては、飛行機の長旅は、退屈するほどお馴染みの経験なのだ。

実を言うと、フィリップ・スワローは以前にも飛行機に乗ったことがある。しかし、それはごく稀で、それもひどく長い間隔を置いてのことだったので、飛行機に乗るたびに決まって同じ精神的苦痛を覚える。つまり、恐怖感と安堵感が交互に心の中に湧き、全身は、執拗にして人を疲弊させるリズムで緊張したり弛緩したりする。地上にいて旅行の支度をしている時は、飛行機に乗るのだと考えて心が弾む——いよいよこれから飛行機という揺り籠の中に入って、蒼穹の遥か高みへと飛翔するのだ。そして飛行機は、遠くから眺めると、空そのものから彫られて出来たものの如く、蒼穹を悠然と事もなげに進んでいるように見える。ところが、空港に到着し、甲高いジェットエンジンの悲鳴を耳にして竦《すく》んでしまうと、この信頼感はやや薄らぎはじめる。空を飛ぶ飛行機は非常に小さく見える。滑走路にある飛行機は非常に大きく見える。したがって間近で見れば飛行機はなお一層大きく見えるはずである——だが、実際にはそうではない。たとえば、待合室の窓の外のすぐそばにある、彼の乗る飛行機は、それに乗ろうとしている者全員を収容することができるほど大きくは見えない。この印象は、トンネルのような搭乗橋《ボーディング・ブリッジ》を通り、ねじ曲げられた四肢が充満している窮屈な円筒の機内に入ると、果たして正しかったことが証明される。けれども、ほかの乗客と一緒に座席に落ち着くと、幸福感が蘇るのを覚える。座席はびっくりするほど快適で、このまま動かずにいても結構という気分になるが、通路を歩こうと思えばいつでも自由に歩けるのも心強い。気持ちを和やかにするような音楽が流れている。照明が安らぎを与える。スチュワーデスが、朝刊をどうぞと言う。手荷物は機内のどこかに安全に仕舞われている。仮にそうでないとしても、自分の責任ではない。これは大事なことである。飛行機に乗るというのが、結局のところ、旅の唯一の手段なのだ。

だが、飛行機が滑走路に向かってゆっくりと走り出すと、彼は、静かに上下に揺れる翼を窓越しに見やるという過ちを犯す。翼のパネルとリベットが、痛いほどはっきりと見える。ペンキ塗りのマークは剝げかかり、エンジンカバーには縞状に煤が付着している。自分は結局のところ、人間の手で作られた、故障もし、次第に朽ちてもゆく一個の機械に命を託しているのだということが、身に沁みて感じられる。といったような状態が、彼の場合、飛行機が無事離陸して空に昇ったあとでさえ続く——信頼感と愉悦感が、発作的な恐怖感と虚脱感によって間歇《かんけつ》的に中断されるのである。

ほかの乗客の平然とした態度は、常に彼に驚異の念を与える。彼は、彼らの仕草を注意深く観察する。フィリップ・スワローにとって飛行機に乗るというのは、芝居をするのと本質的に変わらないのであり、彼は飛行機に乗るということに対し、完璧な演技力をそなえた本職の役者に立ち交じり、なんとか負けまいとする素人の大根役者のような気持ちで臨む。打ち明けた話、彼は人生の難問のほとんどすべてに対し、それと同じ気持ちで臨むのである。彼は、人の真似をしようとする男なのだ——自信に欠け、他人を喜ばせるのに熱心で、ひどく暗示にかかりやすい。

モリス・ザップのほうは、飛行機に乗っているあいだそんな不安に苦しめられることはない、と考えるのは自然ではあるが正しくはない。彼はこれまでに、会議に出席するためやら講演に行くためやら密会するためやらで、アメリカ合衆国のほぼすべての州に飛んだので、国内の航空路に関する限り年季の入ったベテランなのだが、飛行機というものは時おり墜落するという事実を見過ごしてはいなかったのである。彼は宇宙と宇宙を統《す》べる意志とに不信の念を抱いていて、宇宙を統べる意志をインプロヴィデンス（「先見の明の欠如」および「浪費」の意）と呼んでいたので（「一体君はなぜあれを」と彼は太平洋上の星の煌《きらめ》く夜空を指しながら言うだろう、「プロヴィデンス（「神の摂理」のほかに「倹約」の意がある）に帰することができるのかね？　そこら中の無駄を見てみたまえ！」）、機内に入る際はほとんどいつも、自分はアメリカのテレビの放送網で伝えられる「今週の飛行機事故」に大きく扱われることになるのではないかと、そのせわしなく働く頭脳の一部で考える。たいていの場合、そうした病的な考えは、飛行機旅行の初めと終わりにのみ浮かぶ。というのも、すべての飛行機事故の八〇パーセントは離陸か着陸の際に起こるということを、どこかで読んだからだ――その統計に彼は驚きはしなかった。彼の乗った飛行機がエセフ空港の上空で一時間以上旋回待機させられたことは、これまでに何度もあった。そういった時、五十機の飛行機が空港の上を旋回し、さらに五十機が九十二秒間隔で離陸する。その離れ業は一台のコンピューターで制御されているので、ヒューズが一つ飛んだだけで、空はまるで、互いに競争している航空会社同士がついに公然と戦争を始め、相手のハードウェアを破壊するために、引退したカミカゼ・パイロットを雇ったと思わせる様相を呈するだろう。ＴＷＡのボーイングはパンナムのボーイングに激突し、アメリカン・エアラインズのＤＣ８はユナイテッドのＤＣ８をぶち壊し、ユナイテッドの謳い文句「親しき空」（へっ！）から追い落とし、ライバル関係にある、近距離定期往復便専門の各航空会社の飛行機は正面衝突し、ために雲間から、翼、胴体、エンジン、乗客、化学《ケミカル》トイレット、スチュワーデス、メニュー、プラスチック製のナイフとフォークが降ってくる（モリス・ザップは、時おり、終末論的想像を逞《たくま》しゅうした。今日、そうしたことのない者が、アメリカに果たしているだろうか？）。これは、まさしく産業公害だ。

ザップは、ニューヨーク経由で「二段階」の旅をするのを避けて北極経由ロンドン直行便を選び、そうすることで、そんな修羅場に巻き込まれる危険を五〇パーセント減らしたと計算している。しかし、チャーター便で旅をしているという事実が、この心和む考えを相殺している。チャーター便の飛行機は（このことも、どこかで読んだ）、定期便の飛行機より墜落する率が数倍高い。というのも、彼の推測では、機体は、まず大手の航空会社から安物専門の業者に買い取られ、それから、さらにひどい安物を扱う何人もの業者に次々に売られていった、とっくに盛りを過ぎた代物であり（たとえば、この飛行機はオルビスという名の会社のものだった。いんちき臭いラテン名は人になんの信頼感も抱かせず、紫外線写真を撮ってみれば、機体の新しいペンキの下から、重ねて書かれた十四の異なった航空会社の標章が現われるのは間違いないと彼は思っていた）、それを操縦するのは、とうの昔から下り坂のパイロットで、彼らはアルコール依存症患者か精神分裂病者、あるいは、緊急着陸や、着氷をもたらす暴風雨を経験したり、棒状ダイナマイトや十セント均一の店で買ったピストルを振り回す、気の狂ったアラブ人かホームシックに罹ったキューバ人によるハイジャックに遭ったりして、哀れにも指の震えが止まらなくなった者だからだ。そのうえ、彼にとって、これが最初の洋上の飛行機旅行なのであり（そう、モリス・ザップは、これまで北米大陸の庇護のもとを離れたことは一度もないのだ。これは、彼の大学の教員のあいだでは稀有な、誇るべき記録である)、かつ、彼は泳げない。飛行機が離陸してから間もなく、空気を吹き込んでふくらませる救命胴衣の使い方についてスチュワーデスが見慣れぬ儀式めいた身振りで説明を始めると、動揺した。帆布とゴムで出来たその妙な代物は呪物崇拝者《フェティシスト》にとっての夢ではあれ、緊急時にちゃんと身につけられそうもなかった。彼にとっては、それを着用するのは、実演中のスチュワーデスのガードルを着用するのに等しかった。救命胴衣があるはずの座席の下をまさぐってみたが、救命胴衣がどこにあるかは分からなかった。隣席に坐っているトンボ眼鏡をかけた金髪の女の前でみっともない真似をしたくないというだけで、四つん這いになって徹底的に探してみるのをあきらめた。そこで、ゴリラの腕のように長い腕を座席の端にだらりと垂らし、チューインガムや鼻糞をそっとくっつける際のやり方で、目立たぬように座席の裏を撫でるだけで我慢したのである。一度だけ、ぐっといっぱいに腕を伸ばしてみると、これかなと思うものに手が触れた。だが、それは隣の女の脚であるのが分かった。その脚は、憤然として引っ込められた。彼は、脚を引っ込めた女のほうを向いたが、謝るためではなく(モリス・ザップは、謝るような男ではない)、有名な「ザップの一瞥」を与えるためだった。それは、二十ヤード先の大学学長からブラックパンサーに至るまでのどんな人間をも、間違いなくぴたりと立ち止まらせることになっていたが、彼の目の前には、向こうを見通すことのできない金髪のカーテンがあるばかりだった。

やがて彼は、いま、自分の尻の下にある海はいずれにせよ固く凍っているのだと考えて、救命胴衣を探すのを思いとどまる。といって、それでほっとしたわけではない。実を言うと、今回の飛行機旅行はモリス・J・ザップにとって、もっとも楽しい飛行機旅行ではないのだ（ところで、彼が自分のミドルネームを尋ねる女たちに「ジホウヴァ（「エホバ」の英語読み）」とぼそりと言うと、いつも効果覿面《てきめん》だった。女は誰でも神に犯されたがっているのであり、それがすべての宗教の起源なのだ――「神話を見たまえ。レダと白鳥、イシス（エジプト神話の豊穣の女神）とオシリス（エジプト神話の冥界の神）、マリアと聖霊を」――大学院の演習でザップは、かく語り、年中一緒にいる二人の強情な尼僧の大学院生を「ザップの一瞥」で椅子に釘付けにした）。この飛行機は何か妙だな、と彼は心の中で言う――航空会社の怪しげな名前、見つからない救命胴衣、下方の何兆トンもの氷、目の前のバーボンウイスキーの中で溶けつつあるちっぽけな角氷だけではない――何か妙なものがほかにある。自分にはまだ見当のつかない何かが。モリス・ザップがこの問題に取り組んでいるあいだ、われわれはここでひと休みして、彼とフィリップ・スワローが同時刻（何時かは、はっきりしない。もう、この頃には誰の時計も狂ってしまっているのだから）に北極上空にやってきた経緯について、少しばかり説明するとしよう。

ユーフォーリア州立大学（俗にユーフォリック・ステートと呼ばれる）とラミッジ大学のあいだには、毎学年の後半、客員教員《ヴィジティング・ティーチャー》を交換する制度が古くからあった。性格が非常に異なり、距離的にも非常に隔たっているこの二つの大学が、どうしてこんなふうに結びつくようになったかは容易に説明できる。両大学の設計者が、何を建物の目玉にするかについて、それぞれ別個に、たまたま同じ考えを抱いたのである。すなわち、ピサの斜塔にそっくりなものを造ろうという考えを。それは、ユーフォリック・ステートでは白い石で本物の二倍の大きさに造られ、ラミッジ大学では赤煉瓦で原寸大に造られたが、両方とも垂直に復元された。交換教員制度は、この偶然の符合を記念するために設けられたのである。

当初の協定では、交換教員は身分と勤続年数に応じ、受け入れ側の大学の基準で算出した月給をもらうことになっていたのだが、ラミッジ大学から月々支払われる俸給で数日以上生き延びられるアメリカ人などはいなかったので、ユーフォリック・ステートは、派遣した教員に俸給の不足分を支払う一方、同大学に来るイギリスの教員には、彼らの想像を絶するような月給を払い、誰彼の区別なしに客員教授の肩書きを与えた。交換教員制度がイギリス側の教員に有利な傾きがあったのは、この面においてばかりではない。アメリカの西海岸にあり、カリフォルニアの北部と南部の中間に位置する、あの小さいが人口稠密《ちゅうみつ》な州、ユーフォーリアには、山と湖と川、杉林、亜麻色の浜辺、そして、比類のないほど美しい湾がある。プロティノス市に建つユーフォーリア州立大学は、その湾の向こうの、華やかで魅惑的なエセフ市に面している――ユーフォーリアは、各国をよく知っている多くの人に、世界でもっとも快適な環境の一つだと見なされている。しかしラミッジについては、同市の長老でさえも、そうは言うまい。ラミッジは、イングランド中部にだらしなく広がる、大きい、ぶざまな工業都市で、三本の自動車専用道路と二十六本の鉄道線路と六つの淀んだ運河が交わるところにある。

さて、ユーフォリック・ステートは、その潤沢な資金を徹底的に利用してアメリカの有名大学の一つになり、見つかり次第、一流の学者を高給で迎え、実験室、図書館、研究助成金、容姿端麗で、すらりとした脚の秘書を惜しみなくどんどん提供して、彼らの忠誠心を不動のものにした。この年、一九六九年には、ユーフォリック・ステートは学問の中心地としてその頂点に達し、すでに衰退期にあったと言ってよかっただろう――それは、過激派の学生たちによる授業妨害のテンポが速まったためでもあり、元映画俳優で右翼の州知事ロナルド・ダックが、それに対抗してかけた圧力のためでもあった。だが、大学の上級教員の質はきわめて高く、長年にわたって蓄えられた資力は厖大《ぼうだい》なものだったので、大学の地位が根底からおびやかされるのは、まだまだずっと先の話だろう。要するに、ユーフォリック・ステートという名は、世界中の大学の教員休憩室《シニア・コモン・ルーム》では依然として神通力を失っていなかったのである。一方、ラミッジ大学は、これまで終始一貫して中程度の規模と知名度の存在でしかなく、最近では、この種のおおかたのイギリスの大学（すなわち、地方都市の赤煉瓦大学《レッド・ブリック》）がたどっている屈辱的運命を、やはりたどっていた――古いというのが主な理由で高く評価されている二つの大学と、五十年間孜々《しし》として競ってきて、やっと追いついたと思った途端、新しいというのが主な理由で高く評価されている一群の大学に、人気の点でも名声の点でも、ぐいぐいと追い抜かれてしまったのだ。したがって、そのムードは険悪で沈滞していた。それは、ブルジョワ革命を一度も経験することなく、貴族の支配下から、いきなりプロレタリアの支配下に置かれた社会の中産階級のムードに、かなり似ていたと言えよう。

こうしたもろもろの理由から、ラミッジ大学の上級教員は、同大学を代表してユーフォリック・ステートに赴く栄誉を担おうと熱心に競い合った。ところがユーフォリック・ステートでは、実のところ、教員の誰かにラミッジ行きを承諾させるのに骨を折ることが時おりあったのである。エリート集団であるユーフォリック・ステートの教員は、人が帽子をひょいと手にするのと同じくらい簡単に研究助成金や奨励金を手にしたので、教えるためにヨーロッパに行こうなどとはしなかった。ましてや、彼らのほとんどが名前さえ聞いたことのないラミッジ大学で教えるためなぞに。それゆえ、ラミッジ大学に来るアメリカの交換教員は若くて無名（あるいは若くないが無名）で、この制度を利用する以外にイギリスに来る方途のない、根っからのイギリス贔屓に傾きがちだった。地元の産業界の援助があるおかげでラミッジ大学が他の追随を許さぬいくつかの秘教的学問の一つを専門にする者も、ごく稀にはいたけれども。そうした学問とは、家庭用電気器具のテクノロジー、タイヤの科学およびカカオ豆の生化学である。

ところが、フィリップ・スワローとモリス・ザップの場合は、通常のパターンの逆だった。ザップは著名だが、スワローはそうではなかった。ザップは、まだ大学院の学生だった頃にＰＭＬＡ（世界的に権威のある、アメリカの語学・文学の学術誌）に論文をいくつか発表した。そして、大学院卒業後、ただちにユーフォリック・ステートに招聘され、人から羨ましがられた。ザップは、俸給の倍増をねばり強く要求し、その要求を通した。三十歳になるまでに、五冊のぞっとするほど犀利《さいり》な著書（うち四冊はジェイン・オースティンに関するもの）をおおやけにし、やはり三十歳という異例の若さで正教授の地位を獲得した。スワローは、自分の学科以外ではまったくと言っていいほど知られていず、数篇の論文と書評以外には何も発表せず、講師としての俸給ランクを毎年の標準的な定期昇給でゆっくりと上がり、いまや講師の俸給としては頭打ちのところに来ていたが、昇進の見込みはほとんどなかった。といって、フィリップ・スワローの知力や能力に欠けるところがあったというわけではない。ただ彼は、意志と野心、すなわち、ザップがふんだんに持っていたところの、プロの殺し屋の本能に欠けていたのである。

この点で二人は、自分たちが経てきた教育のシステムを、共に代表していた。アメリカでは、学士号を取るのはそうむずかしくない。学生は誰の干渉も受けずに自分の好きなことをする時間がたっぷりあり、自分の都合のよい時に必要な単位を取っておく。カンニングは簡単で、最終結果について不安を抱いたり、思い煩ったりすることはあまりない。したがって彼ら（あるいは彼女たち）は、思春期後半の人間を惹きつける通常のものに注意を集中することができる――スポーツ、アルコール、娯楽、異性に。本当の意味でのプレッシャーがかかってくるのは、大学院においてである。博士号という賞をもらうのにふさわしいと見なされるまで、学生は一連の厳しいコースと厳密な評価によって研磨され、鍛えられる。博士号をもらう頃には、彼らはあまりに多くの時間と金を投資しているので、学者以外のいかなる職業も考えられなくなっていて、学者として成功し損なうのは耐えられない。要するに彼らは、ウォール街と同じくらい自由企業精神の横溢している専門職に就く用意が、すっかり整ったわけである。その職業においては、各学者兼教員は雇い主と個々に契約を結ぶのだが、その際、自分の能力を、もっとも高く買ってくれる者に自由に売ることができる。

イギリスのシステムのもとでは、競争はずっと早く始まり、早く終わる。イギリスの教育のルールでは、人間トランプは四回掻き混ぜられ、切られる――十一の時、十六の時、十八の時、二十の時。

そして、そのたびに人間トランプのいちばん上に来る者は幸いなるかな、である。とりわけ最後の時に（イギリスの大学は通常三年制）。これは大学で最終試験《ファイナル》と呼ばれるが、まさにこの呼び名は、あとには重要なことは何も起こらないのを暗に語っている。イギリスの大学院の学生は孤独でわびしい人間であり、自分が何をしているのか、誰を喜ばせようとしているのか、よく分からない――オックスフォード大学のボドリアン図書館や大英博物館周辺の喫茶店で、第一次世界大戦の総攻撃《ビッグ・プッシュ》以来、なにごとも現実ではなくなってしまった戦争神経症の老兵のような、虚ろな眼差しをしているのがイギリスの大学院の学生なのである。それでも、なんとかうまく大学の教員に採用される限り、目先だけのことを考えれば、これは大きなハンディキャップではない。イギリスの大学では、終身在職権は事実上、自動的に与えられ、誰もが同じ基準で俸給をもらうのだから。だが、ある年齢に達すると、つまり、昇進と教授の椅子が頭を占めるようになると、彼らは理解力が新鮮かつ明晰で、一つのはっきりとした目標に向けられていた頃を、痛恨の思いを込めて懐かしく思い返すかもしれない。

　フィリップ・スワローは、まさしくそういった具合にイギリスの教育システムによって作られ、かつ駄目にされた人間なのだ。彼は試験を受けるのが好きで、いつも成績が良かった。大学の最終試験は、多くの面で彼の人生の最高の瞬間だった。彼はまた、試験を受けている夢をよく見たが、それは幸福な夢だった。目を覚ますと、あの暑い、遥か昔の六月に、指示どおり選んで解答したすべての科目の試験問題が、苦もなく思い出せた。彼は最終試験に先立つ数ヵ月間、入念に準備し、蒸留した知識で頭を一滴、一滴満たしていき、ついに一日目の試験（「古代英語指定テキスト」）の前夜には、頭は蒸留した知識で溢れんばかりだった。それからの十日間、彼は毎朝、この貴重な「壺」を試験場に運び、罫の引かれた四つ折判の答案用紙に、中身を決まっただけ注いだ。日に日に中身の量は減ってゆき、ついに十日目、壺は空になり、カップは干され、食器棚はすっからかんになった（「食器棚はすっからかん」はイギリスの童謡「ハバードおばさん」の一句）。その後の数年間、彼は頭をふたたび知識で満たそうと努めたが、もはや以前のようにはいかなかった。目的意識が欠落していたのである――パスするために知識を蓄えようという気を起こさせる「最後の審判」がなかったのだ。その結果、知識は、獲得するそばから漏れ出てしまう傾きがあった。

フィリップ・スワローは、さまざまな形式の文学を、すべて心から愛する男だった。ヴァージニア・ウルフも『ベオウルフ』も、『ガートン婆さんの縫い針』（十六世紀のイギリスの韻文の喜劇）も『ゴドーを待ちながら』も等しく楽しみ、崇高な文章の範例が手近にない半端な時間には、コーンフレークの箱の裏や、汽車の切符の裏に小さい活字で印刷されている注意書きや、切手の綴り《スタンプ・ブック》の広告文を注意深く読んだ。しかしながら、このように何に対しても無差別に熱中してしまう性格が災いして、自分自身のものとして深める「分野」を決めることができなかった。最初、ジェイン・オースティンを研究したが、それ以後は、中世の説教、エリザベス朝のソネット集、王政復古期の英雄悲劇、十八世紀の俗謡、ウィリアム・ゴドウィン（一八三六年に没したイギリスの思想家・小説家）の小説、エリザベス・バレット・ブラウニング（十九世紀のイギリスの女流詩人）の詩、ジョージ・バーナード・ショーの劇に見られる不条理劇の予兆といった、多種多様なテーマに注意が向いた。そのいずれの研究も完了しなかった。事実、たいていは、あるテーマについて準備的な文献目録を作り上げる前に、彼の注意はまったく別の何かに対して新たに湧いてきた興味、あるいは再燃した興味のために、ほかに逸らされてしまうのだった。彼は図書館の「英文学」の棚のあいだをあちこちと、玩具屋の中の子供のように走り回った——一つのものを選んでしまうとほかのものが駄目になるのがひどくいやだったので、結局は何も手にしなかった。

フィリップが卓越した人物として認められていた領域が、一つだけあった。そのことは、彼の学科内でしか知られていなかったけれども。彼は学生の成績を評価する際、比類のない優れた手腕を発揮したのである。慎重で、綿密で、厳しいけれど公正だった。彼くらいの自信をもって「B＋もしくはB＋?＋」といった微妙な点をつけ、かつ、それを彼ほどにしっかりした根拠と確信をもって正当化することができる者は誰もいなかった。試験問題の草案が妥当かどうかを検討する学科会議で、彼は同僚から大いに恐れられていた。曖昧な指示、前年度の問題との重複、受験者に同じような答えを二度書かせてしまうことになるような、うっかりしたミスを見つける鋭い目を持っていたからだ。彼自身の試験問題は芸術品だった。彼はそれを何時間もかけていとおしむようにして作り、修正して磨き上げ、その一語一語を吟味し、「……かまたは……か」を巧みに使いこなし、広く知られた著者についての難問と、ほとんど知られていない著者についてのやさしい問題とのバランスを巧みにとり、そうした問題について受験者に、考え、説明し、評釈を加え、分析し、受験者自身の感想を記し、批評的評価を下すことを求めた。あるいは（これはよんどころない時の最後の手段だったが）、自分ででっち上げた秀逸な警句《エピグラム》を、匿名の批評家からの引用として出題し、それについて論ずることを求めた。

ある時、フィリップの同僚の一人が、君は自分の試験問題を一冊の本にして出版すべきだと言った。同僚はからかってそう言ったのだが、フィリップは、そのアイディアにかなり乗り気になった——それは、自分の専門の業績の貧困を帳消しにする、願ってもないことではないか、と考えて数時間、頭がくらくらした。目の前に、完全に革新的な形の批評的労作が、ありありと浮かんだ。それはすべて質問から成り、簡潔に、かつ包括的に英文学を概観したもので、各質問は余白をたっぷり残して優雅に印刷されている。それらは、凝縮と雄弁と深い思想の奇蹟とも言える質問、熟読玩味すべき質問、沈思黙考すべき質問、すなわち俳句のように意味深長で謎めいていて、格言のようにいつまでも記憶に残る質問となろう。いわば、それ自体に答えの萌芽が幽《かす》かに、玄妙に暗示されている質問となろう。フィリップ・スワロー著『文学問答集』。パスカルの『瞑想録《パンセ》』か、はたまたヴィットゲンシュタインの『哲学探究』に比肩すべきもの……

だが、この計画も、もっと本格的な研究計画同様、一向に進展しなかった。一方、ラミッジ大学の学生が、因習的試験制度の撤廃を叫びはじめたので、彼の唯一の特技も無用の長物と化する危険に晒されていた。みずから選びとってというより、輝かしい第一級《ファースト》の成績で卒業した余勢を駆って十五年前に入ったこの道が、果たして自分にぴったり合っているのかどうか、彼は近頃、時おり疑問に思うようになった。

彼は自動的に大学院の奨学生に選ばれたのだが、教授に示唆されたとおり、ジェイン・オースティンの少女時代の作品を修士論文のテーマにした。二年近く経っても論文は依然として完成には程遠かったので、環境が変わればいいのではないかと考え、暇な折、アメリカの大学の特別研究員とラミッジ大学の助講師《アシスタント・レクチャラー》（イギリスの大学教員は、教授、准教授、上級講師、講師、助講師の五階級から成る）のポストに応募してみた。大いに驚いたことに、両方ともうまくいった（またしても第一《ファースト》級の成績が物を言ったのである）。どちらかを選ばねばならないということにならぬよう、寛大にもラミッジ大学は正式採用を一年延ばしてくれた。彼はその時にはもう、それほどアメリカに行きたくなくなっていた。というのも、オーガスタン・エイジ（十八世紀のイギリスの新古典主義隆盛の時期）の田園詩に取り組んでいたヒラリー・ブルームという大学院生に、思慕の念を寄せるようになっていたからだ。しかし、特別研究員になるという機会は、軽々しく放棄できるものではないように思われた。

そこで彼はハーヴァード大学に行き、数ヵ月ひどく惨めな思いをした。論文の完成を目指して独りで勉強していたため、友人がほとんどいなかった。車がなかったため（あったとしても運転できなかったが）、自由に動き回るのは無理だった。臆病だったうえに、ヒラリー・ブルームに淡くぼんやりとした忠誠心を捧げていたので、ラドクリフ・カレッジ（ハーヴァード大学と合併した女子のカレッジ）の威嚇的な女子学生とデートができなかった。そこで彼は、ケンブリッジ（ハーヴァード大学の所在地）とその周辺を一人で長時間散歩するようになった。その際、パトロールカーに跡をつけられた。警官は、無目的な散歩などというのは、そもそも怪しいと睨んだのである。彼は、転ばぬ先の杖というわけで、国民健康保険の庇護のもとを離れる前に虫歯に詰め物をしてもらったのだが、それが全部取れてしまった。人を小馬鹿にしたようなボストンの歯医者は、千ドルかけてすぐに治療する必要があると言った。その金額は奨学金の全額のほぼ三分の一だったので、フィリップは、特別研究員の地位を放り出して堂々とイギリスに帰る立派な口実が出来たと思った。ところが、特別研究員奨学基金側は、その底なしの基金から治療費を全額出そうと即座に申し出たのである。そこで彼はイギリスに帰る代わりに、ヒラリー・ブルームに求婚の手紙を書いた。オーガスタン・エイジの田園詩にうんざりしはじめていたヒラリーは、借りた本を図書館に返し、C&A（廉価が売り物の婦人服店）で吊しの結婚衣裳を買い、大急ぎで飛行場に駆けつけ、彼のもとに飛んで行った。二人の結婚式は、ボストンの監督教会の牧師によって執り行われた。フィリップが求婚してから、ちょうど三週間目である。

特別研究員奨学金の条件の一つに、奨学金をもらう者は合衆国を広く旅行しなければならない、というのがあった。そして特別研究員は、その目的のためにレンタカーを自由に使ってよいことになっていた。ハネムーンかたがたニューイングランドの冬の厳しさから逃れるため、若いカップルはすぐに旅行に出ることにした。二人は、おそろしく大きな新品のシボレー・インパラでフロリダを目指し、南に向かった。ハンドルを握ったのはヒラリーである。二人は時おりハイウェーの端に車を停め、びっくりするほど広々とした後部座席で激しく愛を営んだ。フロリダに着いてから二人は、大変にゆったりした旅程を組んで南部の諸州を横断してユーフォーリア州に達し、エセフ市の丘の頂上にあるアパートの屋根裏部屋に落ち着き、ひと夏を送った。ダブルベッドから、ユーフォリック・ステートのキャンパスのあるプロティノス市の、青葉の茂った斜面が湾の向こうにじかに見渡せた。

この長いハネムーンが契機になって、フィリップ・スワローは、本当の意味でアメリカを体験することになったのである。彼は、思いもかけなかったことだが、官能的歓びに対する欲求が自分の中にあるのに気づいた。それは、長いあいだ抑圧されていたのだ。そして、その欲求を、ヒラリーと一緒にダブルベッドの中で満たしたばかりではなく、シャワー、よく冷えたビール、スーパーマーケット、戸外の温泉プール、さまざまな味のアイスクリームといった、アメリカ独自の生活が与えてくれる快適なものでも満たした。太陽は照り輝き、フィリップはリラックスし、自信に満ち溢れ、幸福だった。彼は運転を習い、ローラーコースターのようなエセフの丘陵を、ラジオのボリュームをいっぱいに上げ、生粋のアメリカ人然と、これ見よがしに、威風堂々たるインパラに乗って猛烈な勢いで何度も登ったり降りたりした。彼は当時、ビート族がジャズを演奏しながら詩を朗読していたサウス・ストランドの地下室や、時事諷刺が売り物のナイトクラブに足繁く通い、自分は時代精神《ツァイトガイスト》に触れているのだと感じてぞくぞくした。ほとんど努力することもなく、修士論文さえ書き上げてしまった。それは、彼のやり遂げた最後の大仕事だった。

九月に二人が船でイギリスに帰った時、ヒラリーは妊娠四ヵ月目だった。船がサウサンプトンの埠頭に着いた朝、篠突く雨が降っていた。フィリップは風邪をひき、治るまで一年近くもかかってしまった。二人はラミッジで六ヵ月間、じめじめして隙間風の入る家具付きフラットを借り、赤ん坊が生まれてからは、狭くてじめじめして隙間風の入る棟割住宅《テラス・ハウス》に移り、三年後、二番目の子供が生まれ、さらにもう一人生まれることになった時、広くてじめじめして隙間風の入るヴィクトリア朝の郊外住宅に移った。ヒラリーは子供がいるために働きに出られず、フィリップの給料は少なかった。生活のあらゆる面で、ごくつまらないものでも不如意だった。当時は、たいていの者がスワロー家と同じような生活をしていたので、フィリップは、アメリカでの豊かな生活の味を知らなかったら、たぶん不平を言わなかっただろう。ユーフォーリア時代の日に焼け、自信に満ち、楽しげな自分自身とヒラリーのスナップ写真を時おりふと目にすると、彼は薄くなりつつある髪を掻き上げ、写真の自分と妻の姿を、羨望の念の混ざった感嘆の気持ちで、じっと眺めやるのだった。まるでその二人が、実際には一度も会ったことのない、金持ちの遠い親戚ででもあるかのように。

だからこそ、いま、オレンジジュースを啜りながらBOACのボーイングに乗っているフィリップ・スワローの目に、輝きが見られるのである。そう、機長がたったいま、スピーカーを通し、宥めすかすような調子で「ほんのちょっとした乱気流」と言ったもののために機体が心底《しんそこ》ぞっとするような具合にガタガタ揺れ、左右に傾いているにもかかわらず、彼はこの機内以外の場所にいたいとは金輪際思わないだろう。彼は、合衆国の最近の歴史を新聞でたどったものの、また、合衆国はかつてないほどに暴力的でメロドラマチックな国になってしまい、人種とイデオロギーの根深い対立によって引き裂かれ、政治的目的の暗殺、大学紛争、機能の麻痺した都市、穢《けが》れて荒廃した田園によって精神的に傷ついていることを頭では十分に承知してはいるものの、感情的には、合衆国は彼にとって依然として一種のパラダイス、自分がかつて幸福で自由な日々を送った国、また、ふたたびそうした日々を送るかもしれない国なのだ。彼は単純に子供っぽく胸を弾ませながら期待しているのである――陽光を、飲み物に入っている氷を、飲み物自体を、パーティーを、安いタバコと千変万化の味のアイスクリームを。そして、「教授」と呼ばれることを、名前も知らぬ電話交換手に発音を褒められることを、ただ単にイギリス人であるというだけで関心の的になることを。さらにまた、何年も使わぬうちにちょっとばかり錆びついてしまった、アメリカの慣用句《イディオム》を駆使する力を発揮することを。

留学から帰ったフィリップは、覚え立てのアメリカ語法を間もなく使わなくなってしまった。アメリカ語法を口にすると、ラミッジ大学の学生と同僚に怪訝《けげん》な顔で、あるいはいやな顔でじろりと見られたからだ。ところが十年経つと、アメリカ語法（洗練されたものであれ卑俗なものであれ）を少し使うことは、イギリスのアカデミックなサークルで受け入れられるようになった――それどころか、流行にさえなった。しかし彼は（それが彼の運命なのだが）、話し方を変えるには時すでに遅かった。イギリス英語の伝統を保持しようと努める、イギリスの典型的な大学教員の話し方を。けれども、アメリカのイディオムは、依然として彼にはひそやかで捉えがたい魅力を秘めていた。それは、戦時中に少年時代を送った名残だろうか――ハリウッド映画と、ぼろぼろになった『サタデー・イヴニング・ポスト』（一七二八年創刊のアメリカの大衆誌）のせいで、アメリカ英語と、配給制度のために手に入らなかった旨いものとのあいだに深い精神的なつながりが、人の一生において決定的に重要な意味を持つ、あの数年間に出来上がってしまったのだろうか。たぶん、そうだろう。だが、アメリカ英語には、分析しにくいのだが、純粋に審美的な魅力、つまり、イギリス英語とは違う強勢《アクセント》から生ずる精妙な音楽、小粋な短縮形、風変わりな味の重複した言い方、生き生きした比喩的用法といったものがあるのだ。イギリスの岸辺が遠のき、アメリカの岸辺がぐんぐん迫ってくるいま、彼はアメリカ英語のそうした魅力に改めて思いを致すのである。思いがけなく巨額な遺産の受贈者になった老嬢が、すぐさまパリに向け南に行き、ゴールデン・アロー号のコンパートメントの座席に身を乗り出すようにして坐り、学校の授業やレストランのメニューや遥か昔のブーローニュへの日帰り旅行で覚えたフランス語の片言を熱心に復習するように、フィリップ・スワローも、ボーイングの座席にベルトで縛りつけられながら（乱気流のため）、半ば忘れてしまったアメリカ英語の抑揚と言い回しのいくつかを舌の上で試す。唇が動いているのは分かるけれども、声はジェットエンジンのぶうんという音に一切掻き消されてしまっている。「cigarettes（イギリス英語では強勢は三番目のシラブル re にある）……primarily（「第一に」。イギリス英語では強勢は最初のシラブル pri にある）……Swiss on Rye to go（「持ち帰り用ライ麦パンのスイス・チーズ・サンドイッチ」。イギリス英語では「to go」ではなく「to take away」）……have it checked out（「調べさせる」。イギリス英語では「have it inves-tigated」）……that's the way the cookie crumbles（「人生はそうしたもの」）……」

フィリップ・スワローは老嬢などではなく、三児の父であり一人の女の夫ではあるものの、今回は一人旅だ。このように足手まといがないというのは、めったにない素晴らしいことなのだ——仮に目的地が外モンゴルだとしても、気分を明るくすることなのだ。はっきりとそれを認めてしまうのは、疚《やま》しい気がするけれども。たとえばいま、スチュワーデスが彼の前に食事を出す。何食と呼んでいいのか曖昧だが（昼食とも考えられるし夕食とも考えられるが、回転する地球の上方四マイルにあっては、誰もそんなことを知りもしないし気にもしない）、いかにも旨そうだ——プラスチックのトレーの仕切りにそれぞれ小綺麗に収まっているスモークサーモン、チキン付きライス、ピーチ・パフェ、セロファンで包んだチーズ付きビスケット、使い捨てのナイフとフォーク、人形の家にでもあるような一人用の塩入れと胡椒入れ。彼はなんでもゆっくりと味わって食べ、コーヒーをおかわりし、免税の贅沢なほど長いタバコの箱を開ける。ほかのことは何も起こらない。子供のためにチキンを切ってやる必要も、このスモークサーモンは大丈夫、食べられると保証してやる必要もない。隣のトレーが不意に宙に舞ったり、大きな音を立てて床に滑り落ちたりはしない。コーヒーカップが口元からさっと捥《も》ぎ取られ、焼けるように熱い中身が股間にこぼれることはない。スーツには、バター付きのビスケットの屑、ピーチ・パフェの染み、マヨネーズの雫といった食事の記念はまったく残らない。宇宙の無重力状態や引力の小さな月面での歩行は、こんな具合に違いない、と彼は思う――そして、めったに経験したことのないくらいの昂揚感と解放感を覚える。日常の肉体的仕事に通常要求される労力が、不意にさほど必要ではなくなってしまったのだ。それに、こうしたことは今日だけの話ではなく、まる半年続くのだ。彼は、そう沁々《しみじみ》と思って後ろめたい喜びを感じる。後ろめたいのは、ヒラリーを置き去りにしたという自責の念をすっかり払拭することができないからだ。ヒラリーは、まさにこの瞬間、スワロー家の若き三人の乱暴なテーブルマナーに厳しく監視の目を光らせているかもしれない。

みずから求めて妻を置き去りにしたのではないと考えるのは、彼にとっていまの場合、慰めになる。

フィリップ・スワローは、ラミッジ大学とユーフォーリア大学間の交換教員制度を利用してみようと思ったことは一度もなかった。みずからの学者としての資格についてなんの幻想も抱いていなかったためでもあるし、自分はそんな冒険を企てるには、あまりに重い責任を家庭に対して負っていて身動きできないと、ずっと以前から考えるようになっていたためでもある。現に学科主任のゴードン・マスターズに、ユーフォーリア州立大学交換教員に応募しようと考えたことは一度もないのかと尋ねられると、フィリップはこう言った。

「いや、本当にないんだ、ゴードン。いまの段階で子供の教育の妨げになるようなことをするのは、フェアじゃないのさ――ロバートは来年イレブン・プラス（十一歳で受ける、中等学校進学適性試験。現在は廃止）を受けるし、アマンダがO《オー》レベル（十六歳で受ける、一般教育証書普通級）の試験の真っ最中っていうのも遠い話じゃないからね」

「むむむむむ、あー、とり（一人）なら？」とマスターズは言った。文章の初めのほうを飲み込んでしまうという、この習慣のせいで、マスターズと話すのは神経に応えた。銃身に沿って狙いを定めるかのように片目をつぶって人を見る彼の癖もそうだったが。彼は実際、熱心な狩猟家で、学科主任室の壁に懸かっている、黙って牙を剥き出したいくつもの剝製が、彼の射撃の腕前を十分に立証している。絞め殺されるような声で話し出すマスターズの癖は、軍隊時代についたものではないかとフィリップは推測した。軍隊では、たいていの発話において、何かを命令する最後の言葉だけが重要なのだ。フィリップは長年の修練で、マスターズの言わんとすることの趣旨が、かなり正確につかめた。

そこで、自信をもって答えた。

「いや、駄目さ。ヒラリー一人に何もかも任せておくわけにはいかない。六ヵ月もね」

「むむむむむむむ、あ、あー、だろうな」とマスターズは、体重を支える足を交互に落ち着かなげに替えて、ある種の失望感あるいは苛立ちを露わにした。「むむむむむむむむむむむむ、あー、かい（機会）だがね」

全神経を集中させてマスターズの断片的な言葉をつなぎ合わせた結果フィリップは、今年の交換教員に推薦された者が、オーストラリアの大学の教授の椅子を提供されたため、瀬戸際になって辞退したということを徐々に理解した。交換教員制度を扱っている委員会は、その者に代わる人間を大分急いで探していて、マスターズ（同委員会の委員長）が、フィリップに一つ応募してみようという気があるなら、ひと肌脱ぐつもりであるように思われた。「むむむむむ、あ、あー、がえて（考えて）みてくれたまえ」とマスターズは話を締め括った。

フィリップは、じっくりと考えてみた。一日中。夕食後、皿洗いを手伝いながら、わざとさりげない調子で、件《くだん》の話をヒラリーにした。

「お受けすべきよ」と、彼女はちょっと考え込んでから言った。「あなたは息抜きが必要よ。気分転換が。このままだとマンネリだわ」

フィリップも、それは否定できなかった。「でも、子供たちはどうなる？ ロバートのイレブン・プラスは？」と彼は、水の滴る皿を両手で持ちながら言った。まるで、その皿が自分の希望そのものであるかのように大事そうに。

ヒラリーは、前よりも長く考え込んだ。「一人で行きなさいよ」と、やがて言った。「わたしは、ここに子供たちと一緒にいるわ」

「いや、そいつはフェアじゃない」と彼は異議を唱えた。「そんなことは、とてもできない」

「なんとかやれるわ」と、彼女は皿を受け取りながら言った。「ともかく、こんな急な話じゃ、わたしたち全員が行くなんて、どだい無理よ。たとえば、この家《うち》はどうするの？　冬場に空き家にしておくわけにはいかないわ。それに飛行機代だって……」

「確かに」とフィリップは皿を洗う水を替え、洗剤の泡を勢いよく掻き回しながら言った。「仮に一人で行けば大いに金が浮くだろうな。セントラルヒーティングの費用も出ると思うよ」

寒くてじめじめした、部屋数の多い家にセントラルヒーティングを備え付けるというのが、長年のスワロー家の叶わぬ夢だった。「お行きなさいよ、あなた」とヒラリーは、健気《けなげ》な微笑を浮かべて言った。「このチャンスを逃してはいけないわ。ゴードンがまたあの委員会の委員長になるとは限らないもの」

「やつが僕のことを考えてくれたのは、実に嬉しい話だ。本当に」

「あの人は正当に評価してくれないって、あなたはいつも不平を言ってたわね」

「分かってるよ。やつに悪いことをしたような気がするな」

実のところ、ゴードン・マスターズがユーフォーリア州立大学交換教員にフィリップを推そうと決めたのは、フィリップよりかなり若い英文学科の教員に上級講師《シニア・レクチャラー》の椅子を与えたかったからだった。その教員は非常に多くの業績を挙げている言語学者で、いくつもの新しい大学から誘いを受けていた。フィリップの留守中にその教員を上級講師にしてしまえば、それほど気まずい思いをしなくて済むとマスターズは考えたのだ。もちろん、フィリップはその間《かん》の事情は知るよしもなかった。もっとも、フィリップより世慣れた「政治家」なら感づいただろうが。

「君は本当にいいのかい?」と彼はヒラリーに訊いた。そして、出発の当日まで、少なくとも日に一回はそう訊いた。妻がラミッジ駅に見送りに来た際にも、またまたその質問を発した。「君は本当にいいのかい?」

「あなたったら、あと何度訊くの? もちろん、わたしたちみんな、あなたがいなくなって淋しい思いはするけど……あなたも、わたしたちのことを恋しく思ってくだされぱいいのだけれど」と、彼女はやんわりとからかった。

「そうともさ、もちろんだとも」

だが、それが彼の後ろめたさの原因だった。彼は、自分が家族を恋しがるなどとは本心から思ってはいなかった。子供たちに悪意を抱いているわけではなかったけれども、六ヵ月間身近に子供たちがいなくとも、大丈夫、なんの支障もなくやっていけると思っていた。そう、ヒラリーについて言えば、これだけの年月が経ったいまとなっては、彼女を存在論的に彼女の子供と分けて考えるのはむずかしかった。彼の視界にあっては、彼女は、アマンダとロバートとマシューに関する情報、警告、依頼、義務の伝達者として主に存在していた。もし彼女がアメリカに行き、彼が家に残って子供の面倒を見たなら、確かに彼は彼女がいなくて辛いと思ったことだろう。しかし、子供がいないとなると、なぜ妻というものが必要なのかという理由を、なんであれすぐにはっきりと示すことはできないだろう。

もちろん、セックスの問題があった。だが近頃、スワロー夫妻の結婚生活においては、セックスは次第に小さな役割しか演じなくなった。長きにわたったアメリカでのハネムーンのあとでは、セックスはそれまでとまったく同じというわけではなかった(いまでもまったく同じというものが何かあろうか?)。たとえばアメリカでは、ヒラリーはクライマックスに達すると、よく甲高い叫び声を発した。フィリップには、それがきわめて刺激的だった。ところが、ラミッジに着いた最初の夜、ぶざまに改造された古い家のフラットでベッドを整えていると、誰とも分からぬ人物が隣室で軽く、しかしはっきりと聞きとれるように咳《しわぶ》いた。やがて二人はもっとちゃんと防音された住まいに移ったが、それからというもの、ヒラリーはオルガスムスに達した際(そんなものをオルガスムスと呼べるならの話だが)、シュッというような溜め息以上にドラマチックな声は一切出さなくなった。それは、エアベッドから漏れる空気の音にかなり似ていた。

ラミッジでの結婚生活を通じ、ヒラリーは体を求められて拒んだことがなかった代わりに、自分から積極的に誘うということもなかった。彼女は彼の抱擁に、彼の朝食を用意したり、ワイシャツにアイロンをかけたりする際に見せる、落ち着いて、ややうわの空の愛想のよさで応じた。年を経るにしたがい、結婚生活の肉体的な面に対するフィリップ自身の関心は衰えていったが、これは至極当たり前のことなのだと、彼は自分で納得した。

六〇年代中頃に突如として起こった性革命が、彼を少しく動揺させたのは本当である。彼が大学に入って以来取っていた日曜新聞、つまり、書評や政治家の回想録からの抜粋で埋まっている、びっしりと活字の印刷された真面目な新聞に、不意にやたら乳首とか性交後《アプレ・セックス》のレジャーウェアーとかのカラー写真が登場する事態になったのである。彼の演習の女子学生は、急に娼婦のような服装をしはじめ、あまりに短いスカートをはくようになったので、彼女たちの名前が浮かんでこない時でも、パンティーの色で誰であるかが分かった。子供たちに肩越しにちらりと見られてしまうおそれがあるので、家で最近の小説を読むのが具合悪くなった。映画もテレビも同一のメッセージを伝えていた――他人は彼よりも頻繁に、かつ、もっと変化に富んだやり方で性交をしている、というメッセージを。

でも、本当なのだろうか？　姦通は現実においてよりも小説においてのほうが盛んだというのは誰でも知っているが、オルガスムスについても同じことが言えるのは間違いない。彼は、教員休憩室で同僚の顔を眺め渡して安心した。「欲望の満たされし表情」（ウィリアム・ブレイクの詩の一句）など、どこにも見られなかったのだ。もちろん、学生というものがいる――彼らが大いにセックスに励むというのは周知のことだ。個人指導教員《チューター》としての彼には、概してその不利な点が目についた。過度のセックスで学生たちは疲労困憊し、勉強に身が入らなくなる。女子学生は妊娠して試験に欠席したり、ピルを服用し、その副作用に苦しんだりする。しかし彼は、学生たちが動き回っているスリリングな可能性に満ちた世界、四肢が露わになり、駅の書籍新聞雑誌売場にはセックスの手引書が並び、舞台やスクリーンではエロチックな音楽が流れ、ヌードが正面から見られる世界を羨んだ。それに比べて彼自身の思春期は、貧弱で窮屈なものだった。性的好奇心と欲望を満たすことだけについて言えば、当時は、ややきわどいペンギン・クラシックスと、学生のダンスパーティーの最後のワルツしかなかった。最後のワルツの段になると、明かりが仄暗くなる。そこで、すべすべした何ヤード分かのタフタで身を包んだパートナーを抱き寄せると、彼女のガーターベルトが浅浮彫り《バ・レリーフ》のように自分の腿に感じられることもあったのである。

彼が心《しん》から若者たちが羨ましいと思った点――それは、彼らのダンスの仕方だった。もっとも彼は、このことを誰にも打ち明けはしなかったけれども。子供を楽しませてやろうという口実のもとに、馬鹿らしくて笑ってしまうという気持ちにぴったりした表情を慎重に浮かべながら「トップ・オブ・ザ・ポップス」といったようなテレビ番組を観て、愉悦感と悔恨の念の混ざった胸苦しさを覚えた。あの煌くような腿とぴくぴく動く尻、だらりと下がる頭と弾む乳房は、なんと魅力的なんだろう！　それらすべては、なんとうっとりするほどに無心で開放的なんだろう！　そして、振り返ってみれば、自分の青春時代のダンス、つまり、ひどく苦手にした、あのぎくしゃくしてロボットじみた動きのフォックストロットとクイックステップは、なんと限りなく物悲しいんだろう。この新しいダンスは簡単に見えた。ステップを間違える心配も、パートナーの足を踏みつける心配も、下手にリードして彼女を、自分たちと同じロボットのカップルに、遊園地の電動自動車よろしくぶつける心配もない。このダンスは簡単に違いない、自分にもできる、と彼は確信したが、もちろん、いまとなっては時すでに遅かった。髪を前方に梳《す》いたり、ペイズリー織りのシャツを着たり、ヒラリーを説き伏せて新しい性交体位を試みたりするのが時すでに遅いように。

　要するに、フィリップ・スワローが官能の面で恵まれていないと感じたとしても、その感情の本質は挽歌以外のなにものでもなかった。狂喜乱舞する大群衆の中に飛び込む時間が自分にまだ残されていようとは、思ってもいなかった。また、ラミッジ大学英文学科の廊下に群がる妙齢の若い女の一人と一緒にヒラリーを裏切るなどということも思ってもいなかった。つまり、きわめてイギリス的である彼の意識的自我は、そんな考えを決して抱かなかったのである。無意識の自我は、あるいはそんな具合ではなかったかもしれないが。おそらく、いまの歓喜の気持ちのずっとずっと深い根元のところに、性的冒険に対する期待感があるのだろう。だがしかし、仮にそうだとしても、そんな噂は自意識までは届かなかった。この瞬間、心にあったもっとも放埒な目論見は、ベッドの中でタバコをくゆらし、新聞を読み、テレビを観て今度の日曜日を過ごしてやろうというようなものなのである。

　至上の幸福！　一家そろっての朝食のために起きたり、車を洗ったり、芝生を刈ったりといった世俗的なイギリスの安息日のもろもろの義務を果たす必要がない。とりわけ、日曜日の午後の散歩に出掛ける必要がない。日曜日の昼食で満腹の体を肘掛椅子からよいしょと起こし、ヒラリーが不平たらたらの子供たちを呼び集めて着替えさせるのを手伝い、ドライブの目的地として、これまで行ったことのないくだらぬ場所をなんとか選ぼうとしたり、近くの公園にとぼとぼ歩いて行ったりする必要がない。そうした公園では、少人数の人の群れが、ゴミと枯葉の渦巻く只中を、砂混じりの風に吹かれながら地獄のさまよえる魂さながらに物憂げに逍遥し、ぎしぎし軋るブランコや人気《ひとけ》のないサッカー競技場や淀んだ池や人造湖の脇を通り過ぎる。人造湖には、安息日厳守の法令により、ボートが鎖で留められている。それはまるで、逃げ出すのは叶わぬのを強調しているかのようだ。ラミッジ・スタイルの「存在に対する吐き気《ラ・ノーゼ》」。そう、もうそんなものとは六ヵ月間、おさらばなのだ。

フィリップは紙巻タバコを揉み消し、もう一本に火を点ける。機内では葉巻は許されていない。

彼は腕時計で時間を確認する。もう、目的地までの距離の半分以上を飛んだわけだ。キャビン全体がざわついてくる。彼はどんな合図《キュー》も見逃すまいと、注意深くあたりを見回す。乗客たちは小さなプラスチックのイヤホーンを耳につけている。それは、乗客たちが搭乗した時から、透明な包みに入れて各座席に置かれていたものだ。ツーリストクラスの席の前方で、スチュワーデスが長い筒状のものをいじっている。なんと楽しいことだろう。一同はフィルムを、というより、アメリカ英語を使えば、ムービーを、これから観るのだ。これは有料である。フィリップは喜んで代金を払う。通路の向かい側の皺くちゃの老婆が、彼にイヤホーンをどうやってプラグに差し込むのかを教える。すると、すでにそれが三つのチャンネルで聴覚的娯楽を提供していることに、彼は気づく――バルトークとバックグラウンドミュージックと、子供向けのくだらぬお喋りだ。彼はバルトークを選ぶよう文化的に条件づけられているのだが、数分後、バックグラウンドミュージックに切り換える。クールで漣《さざなみ》のような音楽だが、なんの歌の編曲だろう、「ジーズ・フーリッシュ・シングズ」だろうか……?

一方、もう一機のボーイングに話を戻すと、モリス・ザップは、たったいま、この飛行機はなんだか変だと感じていた原因を発見したばかりである。彼は機内の端から端まで歩いてトイレットに行き、しばらくして、そこでの用事がまさに済もうという時になって、ある種の喜劇映画のギャグのおかしさにあとになって気づくように、それを発見したのである。帰りしなに、最前部の自分の座席に着くまで、どの座席も残らずそっと仔細に調べ、おのが疑念を裏付ける。彼はドシンと深く座席に腰を下ろし、一所懸命に考え事をする時の癖で、脚を組み、右の靴の底と手指の爪で、複雑な打楽器ソロを演奏する。

この飛行機の自分以外の乗客は全員女だ。

これを、どう解釈したらいいのか？　偶然こんな割合になる確率は天文学的なものに違いない。またしても、あのインプロヴィデンスの仕業だ。もし緊急事態が発生し、女子供優先ということで、自分は百五十六番目に救命ボートに乗せられるとしたら、一体どういうことになるのだろう？

「失礼ですけど」

それは、眼鏡をかけた金髪の隣席の女だ。女は雑誌を膝に広げ、読みさしのところをマークしておくかのように、人差し指でページを強く押している。

「エチケットの問題についてご意見を伺ってもよろしいかしら？」

彼は雑誌を横目で見ながら、にやりとする。「『ランパーツ』（一九六〇年代に出た、アメリカの急進的雑誌）にエチケット欄があるなんて言わんでしょうな？」

「女の人は男の人のズボンの前が開いているのを見たら、教えてあげるべきでしょうか?」

「無論ですとも」

「あなたのは開いてますけど、ミスター」と女は言って『ランパーツ』をふたたび読みはじめるが、モリスが慌ててズボンの前を閉めると、雑誌を高く翳《かざ》して顔を隠す。

「ところでねえ」と彼は、何気ない口調で話を続ける(モリス・ザップは、自分にとって社会的に不利な状況がしっかり固まってしまうのを黙認してよいとは思っていないのだ)。「ところでねえ、この飛行機がなんだか妙だってことに気づかなかった?」

「妙ですって?」

「乗客について」

雑誌が下ろされ、ふくれ上がった眼鏡が、ゆっくりと彼のほうに向けられる。「男はあなただけ、と思うわ」

「君も気づいたのか!」と彼は叫ぶ。「たったいま、僕は悟ったんだ。眉間をガンとやられたみたいだ。手洗いにいた時だった……だから……いや、教えてくれてありがとう」。彼は股間を指差す。

「どういたしまして」と女は言う。「でも、どうしてこのチャーター便にお乗りになったの?」

「僕の教えている女子学生が切符を譲ってくれたんだ」

「それですっかり分かったわ」と若い女は言う。「あなたに堕胎の必要があるはずがないって思ってたのよ」

ガラガラドシ――――ン！　何もかもが凄《すさ》まじい音を立ててモリス・ザップの膝に落ちる。彼は座席越しに振り返って盗み見る。各人各様の格好をした百五十五人の女――ある者は眠り、ある者は編み物をし、ある者は窓の外をじっと見ているが、誰もが（彼は、そのことにいま気づく）不自然なほどに黙りこくり、思いに耽り、暗鬱な顔をしている。いくつかの目が彼の目と合う。彼は、その殺気を含んだ眼光に怯《ひる》む。彼は吐き気がするような表情で金髪の女のほうに向き直り、弱々しく親指を肩越しに突き出し、しゃがれ声で囁く。「つまり、あの女たちはみんな……？」

彼女は、うなずく。

「これはしたり！」（ザップは、手持ちの罵詈雑言や卑猥な言葉が日常酷使され、擦り切れてしまっているので、きわめて緊迫した場合には、そういった古風で趣のある上品な呪いの言葉に頼る傾きがある。）

「お訊きしてもよろしいかしら？」と金髪の女は言う。「関心があるの。パッケージごとお買いになったの――往復旅費と手術代と、五日間の個室での看護と、ストラットフォード・アポン・エイヴォン旅行を含めて？」

「ストラットフォード・アポン・エイヴォンがなんで関係があるのさ、一体全体？」

「手術のあと、あそこに行けば元気になるわけ。劇を観ることになってるの」

「『終わりよければすべてよし』を？」と彼は素早く、ぴしゃりと言う。だが、その冗談は心の奥の不安を隠している。もちろん彼は、堕胎手術を合法的に受けるのがむずかしい合衆国から、イギリスの新しい、ゆるやかな法律を利用しに行くための、こうしたパッケージツアーのことは聞いている。日常の会話でそれが話題になれば、需要と供給の法則の単純な一例だと言って肩を竦め、イギリス人はついに国際収支の問題を解決したという皮肉を、事のついでに、たぶん言っただろう。モリス・ザップは、取り澄ました道徳家でも反動的な人間でもない。彼は、たびたびの世論調査で、ユーフォーリア州の堕胎禁止法の廃止に賛成する旨を記入した（密通、マスターベーション、姦通、獣姦、フェラチオ、クンニリングスおよび女性上位の性交を禁ずる同州の法律の場合も、彼は同じ態度をとった。ユーフォーリア州に最初に入植したのは、とりわけ偏狭な清教徒の一派だった。彼らのタブーとしたことは同州の法律に化石になって残っていて、もしそれが厳密に守られたら、現在の市民の九〇パーセントは拘置されてしまうだろう）。だが、実際に罪の報いを受けている百五十五人の女と一緒に飛行機の中に閉じ込められているというのは、また別の問題だ。彼女たちの胎内にいる百五十五人の悲運の密航者のことを考えると、彼の湾曲した背骨を、冷たい戦慄がローラースケートのような速さで走る。そして飛行機が、つい先程フィリップ・スワローの通り抜けた乱気流に突入して不意に振動すると、彼の体は恐怖に戦慄《わなな》く。

モリス・ザップは、スウィフトの言う「名目上のキリスト教徒」の二十世紀の対《つい》なのだ——つまり、名目上の無神論者なのだ。自由思想を持ったユダヤ人（有機的に統一された社会にとっては無用とT・Sエリオットが考えた、まさに当の人種）という、あのタフな外見の下には、主《しゅ》に対する古風なユダヤ教的かつキリスト教的な畏怖の念が厳然として存在している。もしアポロの宇宙飛行士が、月の裏側に巨大な字で「わが死の知らせは非常に誇張されている」（本来は、マーク・トウェインが新聞で自分の死亡記事を読んで打った電文）というメッセージが彫られているのを発見したと報告しても、モリス・ザップはさほど驚きはしなかったろう。それは、彼の心のもっとも奥底の不安が的中したことを裏付けただけだったろう。この瞬間、彼は神の報復ということに苦しいほど敏感になっている。堕胎手術のための定期往復便が成層圏を汚染しながら、また、記録天使（人の善悪の行為を記録する天使）に書痙を起こさせながら、自分の鼻先をぶうんと飛んでいるというのに、あのインプロヴィデンス、老ノーボダディー（「誰の父でもない者」。ウィリアム・ブレイクの造語で、神に対する蔑称）が平然としてそのまま空に坐り続けるだろうとは、彼には信じられなかった。とんでもない。近々《ちかぢか》、あのインプロヴィデンスは、こんなふうな飛行機のどれかを、ぴしゃりと叩き潰して空から追い払ってしまうだろう。それが、この飛行機ではないと、誰に言えよう。

ザップは自己憐憫に耽る。なぜおれは、こうした軽率で無情な女たちと一緒に苦しまねばならないのか？　おれは女の子を妊娠させてしまったことが一度だけあるが、彼女を正式の妻にした（彼女とは三年後に別れたけれども、それはまた別の話だ。罪を数え上げておれを責めるにしても、一回に一件にしてもらいたい）。こいつはペテンだ。こいつはみんな、自分の切符を半額以下でおれに売った、あの小娘の仕業だ。おれはその安さに抗し切れなかったが、なんでこの娘はこれほど気前がいいのだろうと、その時いぶかった。たった一週間前に、彼女の成績をCからBに上げるのを断ったばかりだったからだ。彼女はメンスが一回なかったため、大急ぎで堕胎特別便の座席を予約してから妊娠テストをしてみると陰性と出たので、こう考えたのに違いない。どうすればいいか、あたしには分かってるわ、ザップ教授がヨーロッパに行くそうだから、あたしの切符を売りつけてやろう、そうすれば飛行機は雷に打たれてしまうかもしれない。いやはや、これが学問的水準を守ろうとした報いとは結構な話だ。

彼は、隣席の女が自分のほうを興味深げに、しげしげと眺めているのに気づく。「あなたは大学の先生？」と彼女は訊く。

「そう、ユーフォリック・ステートさ」

「ほんと！　何を教えていらっしゃるの？　あたしはユーフォーリア・カレッジで人類学を専攻してるの」

「ユーフォーリア・カレッジ？　そいつはエセフのカトリックの学校だろう？」

「そうよ」

「なら君は、この飛行機に乗って何をしてるのかね？」と彼は叱責するように言う。掻き立てられた道徳的怒りと迷信じみた恐怖のすべては、このいかれた金髪の女に集中する。カトリック教徒でさえも堕胎の楽隊車《バンドワゴン》に飛び乗るとするなら、人類に一体どんな希望があるというのか？

「あたしはアングラのカトリック教徒なの」と彼女は真剣な面持ちで言う。「教義《ドグマ》にしがみついてなんかいないの。あたしって、とっても尖端的なの」

トンボ眼鏡の後ろの彼女の目は澄んでいて、一点の曇りもない。モリス・ザップは、伝道師的熱意が、さっと頭にのぼるのを覚える。ひとつ功徳を施してやろう、この無知な人間に、善と悪の違いを教えてやろう、説得して、邪悪な意図を捨てさせよう。一本の「火の中より取出《とりいだ》したる燃柴《もえぐい》」（旧約聖書の一句で、「改宗者」の意）で大丈夫、無事に着陸できると彼は確信して、真面目な顔で身を乗り出す。

「いいかね、娘さん、父親の気持ちで忠告させてくれたまえ。そんなことをしたら、君は一生、自分を許せないだろう。赤ん坊を産みたまえ。養子に出すんだ——面倒なことなんてない。養子斡旋所は新しいストックを、ひどく欲しがってる。その子の父親も、その子の顔を見たら、君と結婚したいと思うかもしれない——よくあることさ」

「あの人は、そうできないのよ」

「奥さんがいるのかね、え?」モリス・ザップは、おのが同性の堕落ぶりに頭《かぶり》を振る。

「違うの、あの人は神父なの」

ザップは首《こうべ》を垂れ、両手で顔を覆う。

「あなた、大丈夫?」

「つわりで、ちょっと変になっただけさ」と、彼は指のあいだからつぶやくように言う。そして、顔を上げる。「その神父だが、やつは教区の資金から君の旅費を出してるのかね?　やつは特別寄付金でも募ったのかね?」

「あの人は、このことについては何も知らないの」

「妊娠したって言わなかったのかね?」

「あたしか、修道誓願のどっちかを選ばなくちゃならない目に、あの人を遭わせたくないの」

「やつに、まだ破ってない誓願なんかあるのかね？」

「清貧、童貞、服従」と、女は考え込むように言う。「そう、あの人はいまでも清貧だと思うわ」

「なら、この旅行の費用は誰が出してるんだい？」

「あたしは夜、サウス・ストランドで働いてるのよ」

「例のトップレスの店でかい？」

「いいえ、レコード店。本当を言うと、カレッジの一年生の時、トップレスダンサーをしてたの。でも、なんて搾取的なんだろうと思ってやめたわけ」

「ああした店はひどく高いんだろうね？」

「お客じゃなくてあたしを搾取してるって意味よ」と女は、幾分軽蔑したように答える。「そう思ったのはウーマンリブに関心を持ち出した時だったわ」

「ウーマンリブ？　なんだい、そりゃ？」と、その言葉の響きが全然気に入らないモリス・ザップは言う。「聞いたこともない」（一九六九年の元日には、その言葉を耳にした者は、ほとんどいなかったのである。）

「いまに聞くわよ、教授、いまに聞くわよ」

一方、フィリップ・スワローも乗客の一人と話を始めた。

ムービーが終わると（それは西部劇で、かまびすしいサウンドトラックのために彼は頭が痛くなり、最後の撃ち合いの場面は、イヤホーンの切り換えスイッチをバックグラウンドミュージックに合わせて眺めた）、生きる歓び《ジヨワ・ド・ヴィーヴル》の幾分かが失われてしまっているのに気づく。そして、じっと坐っているのにうんざりしはじめ、座席で体をもじもじさせ、これまで試したことのない位置に四肢を置こうと努める。ジェットエンジンのくぐもった騒音は依然として神経に障り、窓の外を眺めると、依然として目がくらむ。備え付けの『タイム』を読もうとするが注意を集中することができない。本当に欲しいのは一杯の旨い紅茶なのだが——腕時計によると午後の中頃だ——通りかかったスチュワーデスに勇を鼓して頼んでみると、あと一時間で朝食をお出ししますと、彼女は突慳貪《つっけんどん》に答える。彼は、すでに一度朝食をとっているので、もう一度朝食をとりたいとは格別思わないが、もちろん、それは時差の問題なのだ。いまユーフォーリアでは、ロンドンより、そう、七、八時間前だ。あるいは後だろうか？　足すのだろうか引くのだろうか？　いまは、自分がイギリスを発った日なのだろうか、あるいは、もうあしたなのだろうか？　あるいは、きのうなのだろうか？　待てよ、太陽は東から昇る、とすると……眉根を寄せて精神を集中させるが、どうしても計算できない。

「いやあ、これは驚き！」

フィリップは、通路に立ち止まった若い男を、ちらっと見上げる。男の外観は異彩を放っている。男は裾の広いスエードのズボンをはき、ピンクと黄色の派手な縞のシャツの上に、房飾りのついたホームスパンの、ぶかぶかで膝まで届く袖無し上着のようなものを羽織っている。波打つ赤っぽい髪を両肩に垂らし、髪より少し濃い色の山賊ひげを生やしている。袖無し上着には、襟のところに十数個のサイケ調の色彩のスローガンバッジが、軍隊のメダルよろしくきちんと三列についている。

「僕のこと、覚えてます、ねえ、スワロー先生？」

「そう……」フィリップは懸命に脳味噌を絞る。どこかで会ったような気が、かすかにする。でも……すると、青年の左目が不意にさっと動き、フィリップをどぎまぎさせる。まるで青年は、翼からエンジンが一つ脱け落ちたのを目撃したかのようだ。すると、フィリップは思い出す。

「ブーンじゃないか！　こいつは驚いた。分からなかったよ……君は、あー、変わったねえ」

ブーンは、嬉しそうにくっくっと笑う。「ファンタスチックね！　まさか先生、ユーフォーリア・ステートに行くんじゃないでしょうね？」

「うーん、そう、実を言うと、そうなんだ」

「最高！　僕もなのね」

「君も？」

「推薦状を書いてくださったのを覚えてない？」

「実に何枚も書かされたっけね、ブーン」

「そうねえ、うん、そいつはフルーツマシンみたいなものね。レバーのやつを年中引っ張ってなきゃいけない。弱音を吐いちゃいけない。すると、大当たり《ビンゴー》！　誰か隣に坐ってる？　坐ってない？　すぐ戻ってくるからね。おしっこしてこなくちゃ。逃げないでね」。ブーンは中断されたトイレットへの旅をふたたび続け、反対側からやってくるスチュワーデスと危うくぶつかりそうになる。彼は両手を使ってしっかりと彼女を支える。「ごめんね、ダーリン」と彼が言うのがフィリップに聞こえる。彼女はブーンに優しくにっこりと微笑みかける。依然として昔のままのブーンだ！

チャールズ・ブーンとの偶然の再会は、普通の状況であれば、フィリップ・スワローの心を楽しませはしなかったろう。この青年は、ラミッジ大学で反抗的で、はた迷惑な学生生活を送ったのち、二年前に卒業した。彼は、フィリップがひそかに（齢《とし》が分かってしまうのだが）「英文学科のテディー・ボーイ（一九五〇年代のイギリスの非行少年）」と呼んでいた範疇《カテゴリー》に入っていた。彼らは、平民出身で頭がよく、伝統的な給費生《スカラシップ・ボーイ》（フィリップ自身のような）とは異なり、自分たちを受け入れてくれた制度の社会的、文化的価値になんの敬意も表さず、卒業する日まで、服装と言動において、これ見よがしのがさつさを失うことはなかった。彼らは顔も洗わず、ひげも剃らず、着たまま寝たことが歴然としている服で、授業に遅刻してきた。教室では、椅子にだらしない格好で坐り、自分でタバコを巻き、吸ったタバコは家具に押しつけて消し、仲間の学生たちの女々しい郊外生活者特有の真面目な勉強ぶりを揶揄《やゆ》し、質問には単音節の方言で答え、F・R・リーヴィス（一九七八年に没したイギリスの文芸批評家）のスタイルで書かれた、当惑するほど意味深長で概して破壊的なレポートを提出した。ラミッジ大学のスタッフは、おそらくみずからの偏見に対する償いとしてであろう（それは過剰な償いなのだが）、毎年、そうした学生を三、四人入学させるのを習いとしていた。例外なく彼らは、紀律上の問題を引き起こした。チャールズ・ブーンは、その記憶さるべき学生時代に、自分が編集長をしていた学生新聞『ランブル』を名誉毀損の訴訟に巻き込み（訴えたのはラミッジ市長夫人で、『ランブル』はかなりの失費をした）、大学の下宿幹旋係長《ロジングズ・ウォードン》を神経衰弱に罹らせて早期に引退させ（彼女はいまもって神経衰弱が治っていない）、酔っ払って「ユニヴァーシティー・チャレンジ」（BBCテレビの大学対抗クイズゲーム）に登場し、新入生歓迎ダンスパーティーの終わりに避妊具を無料で配るキャンペーンをし（これは失敗した）、大学構内の書店で万引きをしたという嫌疑に対し、軽犯罪裁判所でみずからを弁護した（これは成功した）。

ブーンの三年の時のチューターとしてフィリップは、こうしたドラマのいくつかで、小さいが、しかしひどく骨の折れる役割を演じた。十時間に及んだ成績判定会議で（そのうち九時間が、ブーンの答案の論議に費やされた）、ブーンは「第二級上の部の下《アッパー・セカンド》」の成績をもらった——これは、彼を落第させたがった者と、彼に第一級《ファースト》を与えたがった者とが、双方しぶしぶ認めた妥協案だった。フィリップは学位授与式の当日、この男とはもうこれで縁が切れると考えて、胸を躍らせながらブーンと握手をしたが、それは糠《ぬか》喜びだった。ブーンは大学院の奨学金受給生になるのには失敗したが、その後数ヵ月、文学部の廊下に絶えず現われ、自分は研究助手に採用されたのだと他の学生に信じ込ませようとした。彼としては、こうすれば学部当局は当惑してしまい、実際に自分を研究助手にしてくれるのではないかと踏んだのだ。この作戦が失敗に帰すると、ブーンはついにラミッジ大学から姿を消したが、しかし少なくともフィリップは、彼の存在を忘れることを許されなかった。かくかくしかじかのポストに応募しているチャールズ・ブーン氏の性格、知能、適性に関する評価を内密に知りたい、という依頼が来ずに一週間が過ぎることは、まずなかった。最初のうち、そうした依頼は、たいてい、国内国外の教職あるいは大学院の特別研究員のポストについてのものだった。時が経つと、ブーンのポスト探しは、スコアなど無頓着で骰子《さい》を振る男のような、でたらめで向こう見ずの様相を帯びてきた。馬鹿げて高いところを狙うかと思うと、グロテスクなほど低いところを狙った。ある時には文化担当外交官やガーナ・テレビジョンの番組編成局長を目指し、次の時にはウォーソル螺子《ねじ》製造会社の現場監督や、サウスポート市の公衆便所係員を目指した。仮にブーンがこのいずれかのポストに一応就いたとしても、そう長くはもたなかったのは明らかだった。というのも、照会状が、ひきもきらずに続々とフィリップのもとに舞い込んできたからだ。最初のうちフィリップは、正直に答えていた。しばらく経つと、こんな真似をしていたら一生照会状の返事を書く羽目に陥ってしまうということに気づき、かつての教え子の性格と経歴の、あまり名誉ではない面のいくつかを隠しはじめた。ついにフィリップは、どんな目的にも応じられるような、恥ずかしげもなく讃辞を書き連ねた推薦状を英文学科の事務所のファイルに保管してもらい、問い合わせがあるたびに、それで済ますようになった。この推薦状のおかげでブーンは、やっとユーフォリック・ステートの何かの大学院奨学金をもらったのに違いない。今頃になってフィリップは、偽証の報いを受けることになったのである。こうした罪を犯した場合、えてしてそんなことになる。二人とも同時にユーフォリック・ステートに行くというのは、まことに具合が悪かった——彼は、自分がブーンのそもそものスポンサーであることが知られることのないようにと、心の底から願った。ブーンが、自分の担当するコースに登録するのを、なんとしてでも阻止しなければいけない。

こうした懸念にもかかわらず、フィリップは、チャールズ・ブーンと同じ飛行機に乗り合わせているのを知って、まんざら悪い気もしない。それどころか、彼はブーンが戻ってくるのを、熱望に近い気持ちで待っているのだ。それは、空の旅にうんざりしてしまったので、この果てしない飛行が終わるまでの残りの、まだまだ長い時間を過ごす連れが出来たのが嬉しいためだと、彼はみずからに釈明する。だが、本当を言うと、彼は見せびらかしたいのである。結局のところ、彼の冒険の輝かしさは、反射鏡を必要とするのだ。つまり、影の薄いラミッジの一介の講師が、客員教授フィリップ・スワローに、飛行機の切符一枚さえあれば、すぐさまイギリス文化を地球の向こう側に運んでゆく用意のあるアカデミックなジェット族《セット》に変身したことが見てとれる誰かを。自分はもうすでにアメリカの生活を経験しているのだから、今度こそはブーンに頭を下げさせてやろう。ブーンは熱心に忠告と情報を聞きたがるだろう。たとえば、道路を渡る際、まず左を見る、ということに関して。「パブリック・スクール」なる言葉は、イギリスとは反対の意味を持つということに関して（イギリスでは「私立中等学校」、アメリカでは「公立学校」）。「ノック・アップ」なる言葉は、イギリスとは全然別の意味を持つということに関して（イギリスでは「ノックして起こす」、アメリカでは「妊娠させる」の意）。また、アメリカの大学院の授業の厳しさについて話してやって、ブーンを少し脅かしてもやろう。そう、チャールズ・ブーンに言ってやることは山ほどある。

「さあて」とブーンは、フィリップの隣の座席に楽な姿勢で坐りながら言う。「ユーフォーリアの現状について、ひとつ詳しく話すとしますか」

フィリップは、ぽかんと口を開けてブーンを見る。「君はもう、そこに行ったという意味かね？」

ブーンは、びっくりしたような顔をする。「もちろん。いま二年目。クリスマス休暇で家に帰ったところなの」

「ほう」とフィリップは言う。

「きっと何度もイギリスを訪れたことがおありでしょうね、ザップ教授?」と金髪の女が言う。女の名前はメアリー・メイクピースである。

「全然ない」

「ほんと? なら、ただもうわくわくでしょうね。ずうっと何年も英文学を教えてきて、いま、ついに本場を見るってわけですもの」

「それが怖いのさ」とモリス・ザップは言う。

「時間があったら曾《ひい》お祖母さんのお墓に行ってみるつもりなの。ダラム州の村の墓地にあるのよ。牧歌的な感じじゃない?」

「そこに胎児を埋めるつもりかね?」

メアリー・メイクピースは、ふっと横を向き、窓の外を眺める。「悪かった」という言葉がモリスの唇に昇ってくるが、彼はそれをぐっと噛み殺す。「君は事実に直面したくないんだろう、え? 君は歯医者に行くようなもんだと思いたがってるんだ。歯を一本抜いてもらうようなもんだと」

「歯を抜いてもらったことなんて一度もないわ」と彼女は言う。彼も、彼女の言葉を信じる。彼女は、じっと窓の外を眺め続ける。どこまでも、どこまでも波打ちながら続く屋根の断熱材のように水平線の彼方に伸びている雲のほか、見るべきものは何一つないというのに。

「悪かった」と彼は言い、自分でも驚いてしまう。

メアリー・メイクピースは、ふたたび彼のほうに顔を向ける。「なんで苛々なさってるの、ザップ教授？　イギリスに行きたくないんですの？」

「図星さ」

「どうして？　イギリスのどこにいらっしゃるの？」

「ラミッジなるゴミ溜めだ。聞いたことがあるなんてふりをする必要なんかないさ」

「なんでいらっしゃるの？」

「話せば長いことながら、さ」

事実、そのとおりだった。そして、モリス・ザップが今年度のラミッジ大学・ユーフォーリア州立大学交換教員に選ばれたという発表があった時、メアリー・メイクピースがしたのと同じ質問をめぐって、さまざまなグループが額を寄せ合い、臆測を逞《たくま》しゅうした。イギリスに一歩も足を踏み入れたことがないにもかかわらず、ではなく、ないがゆえに、イギリスの文学の権威になれたと常日頃公言しているモリス・ザップが、なぜイギリスに行かねばならぬのか？　人もあろうに、なぜ彼が、例年ヨーロッパに交換教授として出掛けてゆく者の群れに不意に身を投じねばならぬのか？　一層重要な問題だが、小指を曲げただけでグッゲンハイム研究助成金が獲得でき、オックスフォードやロンドンや、お好みならばコート・ダジュールで本を読んで快適な一年を送れるはずの男が、なぜみずからラミッジくんだりで六ヵ月の重労働の懲役刑に服するのか？　ラミッジ。それはどこにあるのか？　どこにあるのか知っていた者は身震いし、眉をひそめた。知らない者は家に帰って百科事典と地図に当たり、狐につままれたような顔で大学に戻り、同僚と話し合った。それが、自分の地位を一層確固としたものにしようというモリスの企てとしたら、どうしてそんなことになるのか、誰も満足に説明できなかった。彼は学生たちの革命運動、ストライキ、抗議、議論、交渉の余地のない要求に、とうとう嫌気が差し、いささかの平安と静寂のためならば、どこにでも、ラミッジにでも行こうという気になったのだ、というのが、もっとも有力な見方だった。だが、実際に本人に会って、この仮説の正しさを確かめようとする勇気のある者は一人もいなかった。というのも、彼が学生の脅しに一歩も怯まないという事実は、彼の毒舌同様、伝説的なものだったからだ。するとついに、モリスは単身でイギリスに行くという話が伝わった。一切がはっきりした——ザップ夫妻は別れるのだ。モリスのイギリス行きをめぐっての風説は次第に影をひそめた。結局は、よくある話で別に変わったところはない、というわけだった。もう一組の夫婦が離婚するだけのことなのだ。

実際は、事はもっと複雑だった。モリスの二番目の妻デジレは離婚したがったが、モリスはそうではなかった。彼が別れたくなかったのはデジレではなく、自分とデジレのあいだに出来た子供のエリザベスとダーシーだった。彼は、この二人の子供を溺愛していた。その他の点では、全然センチメンタルではなかったのだが。デジレが二人の子供を引き取ることになるのは確実で——いかに公正な精神を持った判事でも、双子《ツイン》を引き裂くような真似はすまい——彼は、子供を月に一回、公園か映画に連れ出すだけしかできないだろう。彼は、最初の妻の生んだ娘で、前に一度まさにそうした経験をした。その結果娘は、長じて彼に対し、保険勧誘員に抱く程度の敬意しか抱かなくなった。契約者に特典の景品か何かを配る保険勧誘員よろしく、キャンディーでポケットをいっぱいにし、恥ずかしげで取り入るような笑みを浮かべ、決まった間隔で玄関口に姿を現わす彼は、子供の頃の娘の目には、紛れもなく保険勧誘員に映ったに違いない。そして今度は、一回につき三百ドルの足代がかかるだろう。デジレはニューヨークに移ることを考えているからだ。モリスはニューヨークで生まれ育ったが、故郷に帰りたいという気持ちはまるでなかった。それどころか、あの都会を二度と見なくとも不満はなかったろう。彼が最後にそこを訪れた時の印象では、ゴミが屋上住宅《ペントハウス》の高さに達し、全市民が窒息するのは時間の問題でしかなかった。

そう、彼はあの離婚のごたごたに、またもや巻き込まれたくなかったのである。子供のために、今度だけは離婚を思いとどまってくれないかとデジレに頼んだ。彼女の決心は揺るがなかった。あなたは、ともかくも子供に悪い影響を及ぼしているし、自分はあなたと一緒にいる限り充実した人間になれっこない、というわけだった。

「僕が何をしたっていうんだい？」と彼は、両腕を振って芝居がかった調子で訊いた。

「あなたはわたしを食べるのよ」

「気に入ってたと思ったよ！」（「食べる」(eat)には「クンニリングスをする」の意もある）

「そんな意味じゃないわ。そう言うと思ったわ、ほんとにいやらしい人ね。わたしの言うのは、心理的にってことと。あなたと一緒にいると、ニシキヘビにゆっくりと呑み込まれていくような気がする。わたしという女は、あなたの自我《エゴ》の腹の中で半分消化されて突っ張ってるだけ。外へ出たいのよ。自由になりたいのよ。もう一度人間になりたいのよ」

「いいかね」と彼は言った。「エンカウンターグループみたいな、そんなくだらんお喋りはやめとこう。去年の夏、僕と一緒のところを君が見た、あの女子学生かね？」

「いいえ。でも、あの娘《こ》は離婚の口実としては役に立つわね。学部長のパーティーにわたしを一人残して、自分は家に帰ってベビーシッターと寝たってことは、判事に強い感銘を与えるはずよ」

「言ったろう、あの娘は東部に帰ったって。僕は、あの娘の住所さえ知らないんだ」

「そんなこと、どうでもいいのよ。あなたが自分の大きくって太くって包皮を切り取った一物《プリツク》をどうしようと、わたしは一向にかまわないってことが分からないの？　あなたが女子ホッケー・チームの全員と毎晩やりまくったって、全然痛くも痒くもないのよ。わたしたちは、もうそんなことはどうでもいい齢よ」

「いいかい、二人の理性的な人間らしくこの問題について話し合おうじゃないか」と彼は言って、こうして議論しながらも片目で観ていたテレビ（フットボールの試合を放映していた）を消し、この問題に対して真剣な関心を抱いていることを示した。

くたくたになるほど徹底的に一時間にわたって議論したあと、デジレは妥協案を呑んだ。夫が家から出るという条件で、六ヵ月間、離婚手続きをするのを延ばすことにしたのだ。

「どこに行けって言うんだね？」と彼は低く唸るように言った。

「どこかに貸間を見つけたらいいわ。でなかったら女子学生の誰かと同棲するのよ。申し出はごまんとあるはずよ」

モリス・ザップは、自分が大学の内外で惨めな姿を晒すことになるのを予見して、顔をしかめた。自分の家から叩き出され、キャンパスのコインランドリーでワイシャツを洗濯し、教員クラブでわびしく晩飯を食べる男。

「出て行くとも」と彼は言った。「今学期が終わったら半年休みをとる。クリスマスまで待ってくれ」

「どこに行くつもり？」

「どこかさ」。霊感が閃《ひらめ》き、彼はこう付け加えた。「ヨーロッパだ、たぶん」

「ヨーロッパ？　あなたが？」

彼は、妻をこっそり横目で見つめた。デジレは、ヨーロッパに連れて行ってくれと何年もうるさくせがんだが、そのたびに彼は駄目だと言った。モリス・ザップは、完全に土地に根を下ろした人間という、アメリカの人文科学の教授の中では稀有の存在だった。彼はアメリカが、とりわけユーフォーリアが好きだった。彼の必要としたのは単純なものだった――温暖な気候、立派な図書館、身近で見られる魅力的なたくさんの尻、葉巻と酒をいつも用意し、快適でモダンな一軒の家と二台の車が維持できるだけの金。最初の三つは、いってみればユーフォーリアの天然資源だが、四つ目の金の場合、数年大いに努力したあとで手に入れた。彼は、旅行することによって、なぜ現在の境遇を向上させうるのか分からなかった。ましてや、デジレと子供を引き連れ、とぼとぼとヨーロッパを旅することによって。「旅は見聞を狭める」というのが、ザップの数ある名言の一つだった。そうではあるものの、いよいよとなれば、家庭の平和のために、この主義主張を犠牲にする覚悟が出来ていた。

「みんなで行こうじゃないか」と彼は言った。

彼は、さまざまな感情が彼女の顔を過《よぎ》るのを見守った。ヨーロッパに対する熾烈な憧れと、夫に対する嫌悪感が相争った。嫌悪感がノックアウトで勝った。

「舐めないでよ」と彼女は言い捨てて、部屋から出て行った。

モリスは強い酒をグラスに注ぎ、アレサ・フランクリンのLPをハイファイ装置にかけ、腰を下ろして考えた。こいつは困ったことになった。体面上、ヨーロッパに行かなくちゃならん。でも、こんなに急では話を決めるのはむずかしかろう。彼は、自費で出掛けるだけの余裕はなかった。俸給は相当なものだったが、先妻マーサへの扶養料は言うまでもなく、一家を支え、デジレに結婚前どおりの生活をさせる費用も相当なものだった。といって有給研究休暇をとることもできなかった。二学期間、休んだばかりだったからだ。グッゲンハイムやフルブライトに応募するには遅かった。それに、ヨーロッパの大学はアメリカの大学と違い、おいそれと客員教授を雇わないという考えを、彼は持っていた。

翌朝、彼は学部長に電話をした。

「ビルかい？　ねえ、ヨーロッパに半年行きたいんだ。クリスマスが終わったら、できるだけ早く。

何かうまい話はないだろうか。いま何がある？」

「ヨーロッパのどこだい、モリス？」

「どこでもいい、ビル」

「イギリスでも？」

「イギリスでもいい」

「いやあ、モリス、もう少し早く言ってくれたらなあ。パリにユネスコの素敵な口があったんだが、ちょうど一週間前に、社会学のエド・ウェアリングに決めちまったのさ」

「残念でした惜しいところでした、なんて話は聞かせんでくれよ、ビル。いま、何があるんだい？」

かさこそという紙の音がした。「うん、ラミッジ大学交換教員の口があるけど、君は関心がなかろう、モリス」

「どんなものか、ちょっと教えてくれたまえ」

ビルは、それがどういうものかをモリスに教えてから、こう話を結んだ。「ほらね、こいつは君向きじゃない、モリス」

「そいつを頼む」

ビルは、思いとどまるようにとしばらく説得を続けてから、ラミッジのポストは実はもう、金属学の若い助教授（アメリカの大学では、通例、三年から五年の契約制）に割り振ってしまったと白状した。

「やつには、結局駄目だったと言えばいい。手違いだったと言えばいい」

「そいつはできないよ、モリス。分かってくれよ」

「やつを准教授に抜擢すればいい。やつは文句を言わんだろうよ」

「そうなあ……」ビル・モウザーはためらい、次に溜め息をついた。「ともかくやってみよう、モリス」

「ありがたい、ビル。恩に着るよ」

ビルの声は、人前を憚《はばか》るようなピッチに下がった。「なんで急にヨーロッパにそんなに行きたくなったんだい、モリス？　学生に参っちまったのかい？」

「冗談言うなよ、ビル。そうじゃなくて、変化が必要だと思うんだ、新しい物の見方がね。違った文化の挑戦がね」

ビル・モウザーは、げらげら笑った。

モリスは、ビル・モウザーが自分の言葉を信じなくとも驚きはしなかった。しかし、モリスの答えには、ある種の真実があった。彼はその真実を、一見明らかな嘘ととられるような形でしか、夢にも人に告げようとは思わなかった。

もう何年もモリスは、きわめて健康に恵まれた人間の常として、自信があるというのは当たり前のことと見なし、同僚の多くが見舞われる自己喪失《アイデンティティー・クライシス》の危機を、精神的心気症《ヒポコンドリー》の徴候と考えていた。ところが最近、ふと気づくと、なんと人生の意味について思いに耽っているのだ。これは、一つには成功した結果だった。彼はアメリカの名門中の名門で、しかも、もっとも恵まれた場所にある大学の正教授であり、すでに英文学科の主任を三年務めた（ユーフォリック・ステートでは、学科主任は輪番制だった）。彼は数多くの堂々たる研究を発表した、高い評価を受けている学者だった。いまもらっている俸給を相当に増やすには、正常な精神の持ち主なら一日千ドルでも行かないようなテキサスか、中西部の、ぞっとするような場所に移るか、行政の仕事に転じて、どこかのカレッジの学長の口を見つけるしかなかった。もっとも、アメリカのキャンパスの現状では、学長の職は早々《はやばや》と墓場に行くための通し切符ではあるが。要するに、モリス・ザップは四十歳で、これまで成し遂げなかったことで、これから成し遂げたいことは何一つなかったのである。そして、そのことが気持ちを暗くした。

もちろん、研究というものが、彼にはいつもあった。だが、研究が目的達成の手段ではなくなって以来、研究意欲の幾分かが失われてしまった。自分の研究業績一覧に新しい業績を加えることによって、名声を損なうことはできこそすれ、一層高めることは、もはやできなかった。このことを悟ると、彼は研究の速度を落とし、慎重になった。数年前、大変な意気込みで、野心的な批評的企てに取り掛かった。ジェイン・オースティンの全真作に、それぞれ評釈を加えるというもので、一回に一つの小説を取り上げ、それについて言いうる一切合財を言うというものだった。完全に網羅的であることと、また、取り上げた小説を、考えうる限りあらゆる角度から、つまり、歴史的角度、伝記的角度、修辞学的角度、神話的角度、フロイト的角度、ユング的角度、実存主義的角度、マルクス主義的角度、構造主義的角度、キリスト教寓話的角度、倫理的角度、指数関数的角度、言語学的角度、現象学的角度、原型《アーキタイプ》的角度等々の角度から検証することを目指した。そのため、各評釈が書き上げられると、掛け値のないところ、対象になった小説について言うべきことはこれ以上何もない、ということになるはずだった。彼は、ありったけの忍耐心を働かせて何度も人に説明しなければならなかったのだが、この仕事の目的は、ジェイン・オースティンを人が楽しんだり理解したりするのを助けることにではなく、ましてや小説家自身を讃えることにではなく、問題の小説について今後一切、誰も駄弁を弄さなくなるようにすることにあった。彼の評釈は一般読者ではなく専門家を対象にしたもので、専門家は、ザップの評釈を調べると、自分の書こうとしている本、小論あるいは学位論文はすでに予見されていて、かつ、たいていは論破されているのが分かるだろう。ザップの評釈が出たあとでは、沈黙があるのみだろう。こう考えると、彼は深い満足感を覚えた。そしてファウスト的瞬間、次のように夢見た——ジェイン・オースティンを片付けたら、次にほかのイギリスの主要な小説家、続いて詩人と劇作家を対象に、同じことをどんどんやってやろう（その時には、コンピューターと訓練された大学院生のチームを使うことになろう）、そして、英文学において自由な評釈ができる領域を容赦なく縮めてやろう、すると、英文学界全体に不安が広がり、大勢の同僚は余計な存在になってしまうだろう、英文学関係の定期刊行物は沈黙してしまうだろう、有名な英文学科はゴーストタウンさながらに人気《ひとけ》がなくなってしまうだろう……

もうお分かりだろうが、モリス・ザップは文学の葡萄園で働く仲間の労働者に対して、大した尊敬の念は持ち合わせていなかったのである。彼らは、泥の中の河馬よろしく、健全な常識という大気に鼻孔を突き出すか出さぬかの格好で、相対主義の中にどっぷりと浸かっている、曖昧で気紛れで無責任な連中に彼には見えた。彼らは、自分と正反対の意見の存在を喜んで認める——彼らは、驚くべきことに、時おりみずからの考えを変える。そして、深遠であろうとして惨めな努力をする結果、論文はやたらに限定や条件がついて内容皆無になり、文章は総じて疑問の形をとる。彼らは好んで論文を「これこれしかじかのことについて問題を提起したい」という文句で書きはじめ、問題を提起しただけで、おのが知的義務を果たしたと考えているようだ。こんなやり方を目にするとモリス・ザップは、気が狂いそうになった。どんな大馬鹿だって、と彼は主張した、問題を考えつくことはできる。大人と子供を分かつのは、答えなのだ。自分で提起した問題に答えられないとすれば、それは、その問題にじっくり取り組まなかったか、その問題が本当の問題ではないかのどちらかだ。どちらの場合にせよ、そういう時は口をつぐんでいなくてはならない。この節は、どこかの大馬鹿がうっかりそのへんに置きっぱなしにした、答えのない問題にけつまずかずに英文学研究の中が歩けない——まるで、壊れた埃だらけの家具でいっぱいの屋根裏部屋の雨漏りを修繕する時みたいだ。そう、おれの評釈は、少なくともジェイン・オースティンに関する限り、そんな事態に終止符を打つことになろう。

だが、この仕事は遅々として進まなかった。『分別と多感』の半分も行かぬうちに、各評釈は、それぞれ数巻に及ぶだろうということが早くもはっきりした。彼はこの数年間、時たまの小論文のほか何も発表していなかった。時々、ある問題に取り掛かって数時間じっくり考えたあと、なんだ、これは何年も前に自分がきわめて納得のいくように解決したものじゃないか、と気づくこともあった。時期を同じくして——この仕事を始めた原因なのか結果なのかよく分からなかったが——自分の肉体に不安を覚え出した。レストランで御馳走を食べると消化不良をよく起こし、寝る前にはいつも睡眠薬を飲まねばならず、腹が突き出てき、一回の性行為《セッション》で一度以上オルガスムスに達することが次第にむずかしくなった――あるいは、ビールを飲みながら、同僚にそうこぼした。実を言うと、最近、一度ですらオルガスムスに達する自信がなくなってきた。だからデジレは、去年の夏のベビーシッターの件で腹を立てる理由が、あまりないわけなのだ。モリス・ザップの腰部においては、事態はかつてのようではなくなったのだ。それは、他人はもとより自分自身にも認めたくない、暗い真実であったけれども。彼はまた、キャンパスの雰囲気が、伝統的な学問の価値に次第に敵対的なものになるにつれ、学生の注意を逸らさぬようにするのに苦労するようにもなったことも、おおやけに認めたくなかった。紋切り型の教育を受けた学生にショックを与えて、文学に対する感傷的でうやうやしい態度を捨てさせ、氷のように冷たく知的で厳格な態度をとらせるようにするのが、彼の教え方だった。ところが、文学そのものと、教師としての彼の資質の両方をあからさまに馬鹿にしている学生相手では、その教え方は、ほとんど役に立たなかった。彼の棘《とげ》のある警句は、これまで誰も耳にしたことのない、物柔らかで曖昧模糊とした話し方という、詰め物をした防御服に刺さっても、別にどうということはなかった。その曖昧模糊とした話し方は大変な流行になったので、彼の教えているもっとも優秀な大学院の学生さえ、つまり、心《しん》は一切の妥協を許さぬプロフェッショナルでさえ、そうした話し方に従わねばならぬと感じ、演習で、こうもぞもぞ言う。「そうなんですね、それはジェイムズらしいんですね、あー、そう、彼は現代人でありたいと願ってるんですね、つまり、彼はシンボリズムとかなんとかを持ってるんですね、それと、神は死んだとかなんとかそういったことですね、でも彼はやっぱり知性にコミットしてるみたいだし、そうしたすべてがほんとに何かを意味していると考えてもいるみたいですよね――分かります？」ジェイン・オースティンが新しい世代の人間の心を捉える作家ではないのは確かだった。時おりモリスは、「ナイトリー（『エマ』の登場人物）はサックする」（「サック」は「フェラチオ」の意。アメリカの学生は一九六〇年代後半、ジョンソン大統領などの気に入らぬ政治家を誹謗するために、この言葉をプラカードに用いた）とか、「ファニー・プライス（『マンスフィールド・パーク』の女主人公）はいやな女」と書いたプラカードを持って学生がキャンパスを示威行進する悪夢を見て、寝汗をかいて目を覚ますことがあった――おそらく自分はちょっとばかりくたびれているのだろう。おそらく、転地が結局のところ自分にとっていいのだろう。

　こんなふうにモリス・ザップは、デジレに最後通牒を突きつけられてやむを得ず決心したことに、もっともらしい理由をつけた。しかし、飛行機の中で身重のメアリー・メイクピースの隣に坐っていると、こうした理由はすべて根拠薄弱に思われた。転地は必要ではあるものの、イギリスでは転地にならないのは、かなりはっきりしていた。彼はイギリス人に愛情も敬意も持っていなかった。彼の出会ったイギリス人――国籍離脱者と客員教授――は、たいてい同性愛者のように振る舞ったが、結局は同性愛者ではなかった。それは彼を動揺させた。パーティーでは、彼らは刑務所から出てきたばかりのように、出されたカナッペをむさぼり食い、ジンをがぶ飲みし、初めから終わりまで、イギリスとアメリカの大学制度の違いについて甲高い、囀《さえず》るような声でまくし立て、アメリカの大学制度は大掛かりで相当に面白い商売だと見なしていることをはっきりとさせる。そして彼らは、そこからできるだけ短時間のうちに、できるだけ多い分け前を取る決心を、ひそかにしているのである。彼らが発表するものは味気なくて素人臭く、調査が不十分で、論旨が曖昧で、多くの誤り、間違った引用、間違った出典、不正確な年月日だらけなので、彼らが表題紙《タイトル・ページ》に自分の名前をともかく記すことができるというのは驚くべきことだ。それにもかかわらず彼らは、自分たちのくだらぬ新聞雑誌で、彼までも含めたアメリカの学者を小馬鹿にしたような態度で扱う図々しさを持ち合わせているのだ。

自分はイギリスの生活を楽しまないだろう、と彼は直感した——独りぼっちで退屈するだろう。単なるいやがらせからだったが、デジレを裏切るまいという、ちょっとした仮初《かりそめ》の誓いを立てたため、なおのことそうだろう。それにイギリスは、研究を続けるには、これ以上悪い場所は考えられないくらい悪い場所だ。ひとたびイギリスの流儀という底なしの泥沼に落ち込んでしまうと、神話的原型とか反復的イメージのパターンとか心理的動機とかを、明晰な形で心の中にとどめておくことができなくなってしまうだろう。ジェイン・オースティンを、非常に多くの彼女の読者同様、自分もリアリストと見なすようになってしまうかもしれない。その結果がどういうものかは、彼女に関するあまたの文献に歴然としている。

モリス・ザップの見解によれば、批評の一切の誤謬の根源は、文学を実生活と素朴に混同してしまうことにある。実生活は透明で、文学は不透明なのだ。実生活は開いた系《オープン・システム》で、文学は閉じた系《クローズド・システム》である。実生活は事物から成り、文学は言葉から成る。実生活は、掛け値なく見たとおりのものである。自分の乗っている飛行機が墜落するのではないかと不安になるとしたら、それは死についての不安であり、女をベッドに引き込もうと努力するなら、それはセックスについての努力である。文学は、そこで扱われている表面的な事実を表現しようとしているのでは決してない。もっとも小説の場合、「本当らしさを生むイリュージョン」という暗号を解読するのに、かなりの創意と鑑識力が必要とされるのだが。だからこそ、彼は専門家になるほどに、このジャンルに惹かれてきたのだ（もっとも鈍重な批評家でも、『ハムレット』が、どんなふうに一人の男が叔父を殺すことができたかについて語っているのではなく、『老水夫行』（コールリッジの詩。老水夫が船に飛来した一羽のアホウドリを射殺したため、船が呪いを受けることを歌ったもの）が動物虐待について語っているのではないことは分かるとしても、ジェイン・オースティンの小説は女主人公が自分にふさわしい結婚相手を見つけるまでを書いたものと、いかに多くの者が思っているのかは、驚くほどだ）。文学と実生活という二つの範疇《カテゴリー》を画然と分け損なったために、あらゆる種類の異端的言説とナンセンスが生まれたのだ——たとえば、ある本が「好き」だとか「好きでない」とか、ある作家がほかの作家より好ましいとかいったような勝手気儘な戯言《たわごと》は、そう思っているご本人にしかなんの興味もない、と彼は絶えず学生に言い聞かせていた（この低級で主観的なレベルで話をすれば、ジェイン・オースティンはうんざりするような女だと自分は思っていると公言して、時おり彼は学生の度肝を抜いた）。彼は、素朴なリアリズム理論を徹底的にやっつける必要を、殊《こと》のほか身に沁みて感じていた。というのも、そうした理論が彼のライフワークにとって脅威だったからだ。もし、開いた系（実生活）を閉じた系（文学）に適用するなら、解釈の置換《パーミユテーション》の数は無限なわけであり、評釈の決定版を作るのが不可能になるのは火を見るより明らかだ。彼がイギリスについて知っているあらゆる事柄は、異端的言説がそこで特異な禍々《まがまが》しさを示しつつ蔓延《はびこ》っている、と彼に警告を発した。偉大な作家が実際に歴史的に存在したことを具体的に想起させる数多くのもの——洗礼の記録、記念額《プラーク》の嵌まった家、二番目にいい寝台《セカンド・ベスト・ベッド》（シェイクスピアは遺言で、妻に「セカンド・ベスト・ベッド」を遺した。したがって、彼と妻は不仲だったと考えられている）、復元された書斎、碑銘の彫られた墓石等のガラクタ——によって、それら異端的言説が一層の力を得ているのは疑いない。そう、イギリス滞在中、断じてすまいと彼が心に誓っていた一つのことは、ジェイン・オースティンの墓詣でだった。彼は、この決心を声に出して言ってしまったに違いない。というのも、メアリー・メイクピースが、ひょっとしたらジェイン・オースティンって、あなたの曽《ひい》お祖母さんのお名前なの、と尋ねるからだ。そんなことはあるまいと思う、と彼は言う。

一方、フィリップ・スワローは、いつ飛行が終わるのかと、これまで以上に必死になって考えている——このチャールズ・ブーンは、もう数時間も自分に口をほとんど入れさせずに喋りまくっているんじゃないかな。ユーフォーリア州の一般的な政治状況の一切、とりわけユーフォリック・ステートの政治的状況について。派閥、論争、学生と警官の対立について。ダック知事、バインド学長、ホームズ市長、オキーン郡保安官について。第三世界、ヒッピー、ブラックパンサー、自由主義者の教員について。マリファナ、黒人研究、性的自由、エコロジー、言論の自由、警官の暴力、黒人街《ゲットー》、公正な住宅供給、スクールバス問題、ベトナムについて。ストライキ、放火、デモ、坐り込み《シットイン》、ティーチイン（大学内で行われる討論集会）、ラヴイン（ヒッピーが始めた、戦争反対・人間愛がテーマの集会）、ハプニングについて。フィリップは、ブーンのまくし立てていることを一から十まで理解しようという努力を、とうの昔に放棄してしまっているが、大体の論旨は、ブーンの襟のスローガンバッジから推して、次のように要約できそうに思う。

マリファナを公認せよ
ノーマン・O・ブラウンを大統領にせよ
湾を救え——浄水《メイク・ウォーター》をしよう、戦争はごめん《ノット・ウォー》（「メイク・ウォーター」には「小便をする」の意もある。これはヒッピーのスローガン「メイク・ラヴ（セックスをしよう）、戦争はごめん」をもじったもの）
徴兵カードを燃やし続けよ
現実に欠陥あり——間もなく正常操業《ノーマル・サービス》に戻るだろう
幸福は、ある（ただそれだけで、ある）（チャールズ・シュルツの漫画『ピーナッツ』によく使われた台詞「幸福とは……である」をもじったもの）
神をアメリカに入れるな
葡萄をボイコットせよ（当時、南カリフォルニアの葡萄園で働くメキシコ系アメリカ人は雇い主に搾取されていたため、彼らに同情した者たちが葡萄の不買運動を起こした）
クループをキープせよ
スワッピングは救いだ
トリュフをボイコットせよ（「葡萄をボイコットせよ」のスローガンをもとにしたジョーク。トリュフは貴重品で、一般の店頭に並ぶことは少ないので不買運動は無意味だし、トリュフを見つけるのに豚が使われるので、豚が搾取されているとするのもナンセンス）
くたばれ《ファック》、ダ＊ク！

フィリップは、われ知らず、こうしたスローガンのいくつかに楽しまされる。明らかに、こうしたスローガンバッジは新しい文学的媒体《メディア》で、古典的警句《エピグラム》とイマジストの抒情詩の中間に位するものだ。大学院生が、このジャンルについて論文を書く日も遠くないのは疑いない。ブーンが、もうそうしているのも疑いない。

「君の研究テーマはなんだね、ブーン？」とフィリップは、「ユーフォーリア・ナインティー・ナイン」（九十九人から成る架空の急進的反戦グループ。当時、「シカゴ・シックス」とか「ワシントン・テン」とかの、そうしたグループが実在した）とかいう、権力側から迫害されているグループに関する、複雑な法律的なブーンの話の腰を断固として折る。

「あー？」ブーンは、きょとんとした顔をする。

「君の博士論文さ——修士論文かね？」

「ああ、そう。僕はまだ修士課程なのね。大体が授業なわけ。論文は、ほんのちょっぴり書けばいいの」

「何について？」

「そうね、あー、まだ決めてない。本当のことを言うとね、フィル、仕事の、つまり、アカデミックな仕事の時間があまりないのね」

ブーンは会話の途中で、いつしかフィリップをファーストネームで呼びはじめた。おまけに、フィリップが嫌悪した短縮形で。フィリップは、この馴れ馴れしさに憤然とするが、それをやめさせる手立てが思いつかない。もっとも彼自身は、「チャールズ」と呼んでくれとブーンに言われても応じなかったけれども。

「ほかにどんな仕事をしてるんだね？」と彼は皮肉っぽく訊く。

「そうねえ、ラジオ・ブーン・ショーがあるなあ……」

「チャールズ・ブーン・ショーかね？」とフィリップは、愉快そうに笑いながら尋ねる。

「図星。ご存じ？」

ブーンは笑っていない。厚顔の嘘つきで、絵空事を口にする昔ながらのブーンだ。「いや」とフィリップは言う。「話してくれたまえ」

「そうね、聴取者が電話で参加する深夜番組ね。みんなが僕に電話して、頭にあることを話したり質問したりするのね。時々ゲストを招《よ》ぶの。そうだ、先生にもいつか出演してもらわなきゃ！」

「出演料はもらえるのかね？」

「駄目ね。番組を録音したテープと、僕ら二人がマイクに向かっているところを撮ったカラー写真を無料《ただ》であげる」

「そうなあ……」フィリップは、この具体的な話に虚を突かれた。それは果たして本当なのだろうか？　大学構内のラジオ放送なのだろうか？「その番組は何回放送したのかね？」と彼は訊く。

「この一年、毎晩、というより毎朝ね。真夜中から二時まで」

「毎晩！　君の勉強が進まないのも、もっともだなあ」

「実を言うと、フィル、勉強のほうはどうだって大してかまわないのね。ユーフォリック・ステートに入ってるっていうのは僕にとって都合がいいわけ——兵隊にとられずにこの国にいられるから。でも、これ以上、なんの学位も要らないのね。僕の将来はマスメディアにあるって決めたのね」

「チャールズ・ブーン・ショーに？」

「これは手始めに過ぎないの。ちょうどいま、実験的美術番組を始めようとしてるテレビ局と話し合ってるところ——ほんと言うと、僕、連中の費用で飛んでるのね。いくつかヨーロッパの番組を見てこいっていうわけ。それから『ユーフォリック・タイムズ』があるのね」

「何かね、それは？」

「アングラ新聞。それにコラムを毎週書いてるの。いま、編集長になってくれって言われてるわけ」

「編集長に」

「でも、ライバル紙を発行しようって考えてるのね」

フィリップは、探るようにブーンを見る。ブーンの左目は、不意にさっと左舷に寄る。フィリップは気が楽になる。結局、それは全部嘘っぱちだ。ラジオ番組も、テレビショーも、テレビ局持ちの飛行機代も、新聞のコラムも存在しやしない。それはみんな、ラミッジ大学の研究助手になろうとしたり、外務省に入ろうとしたりした時同様、願望充足の幻想だ。ブーンは確かに変わった——風貌や服装だけではない。態度は一層自信に溢れ、一層リラックスしている。喋り方にしても、ロンドン訛りの母音や声門閉鎖音《グロッタル・ストップ》の幾分かがなくなり、デイヴィッド・フロスト（一九三九年生まれのイギリスのテレビのパーソナリティー）のそれに似ていなくはない。自分はデイヴィッド・フロストを軽蔑していると、フィリップはこれまでずっと思っていたが、いまや、しぶしぶながら、デイヴィッド・フロストを大いに尊敬しなくてはいけないことに気づく。チャールズ・ブーンが似たような仕事を始めて成功を収めつつある、などという考えを一瞬たりとも抱くのが、ひどくおぞましかったからだ。なんともまことしやかな罪のない嘘をつくブーンには、何年親しく付き合っていてもだまされてしまい、彼の左目があらぬ方を見た時に、やっとその嘘が分かるというものだ。そう、これは故郷への第一信の格好の材料になるだろう。「飛行機の中で、ほかならぬ、あの救いがたいチャールズ・ブーンに出くわした――君は、もちろん彼を、二年ばかり前に卒業した英文学科のパロリーズ(『終わりよければすべてよし』の登場人物で、「口先だけの男」の代名詞)を覚えているだろう。彼は最新の〝ギヤ〟(若者向きの流行の服)でめかし込み、髪を肩まで垂らしているが、昔に変わらずほらばかり吹く。僕にひどく横柄な態度をとったよ、もちろん！　だが、やつの嘘はあまりに見え透いているので、怒る気にもなれない」

フィリップの思考の流れとブーンの絶え間ない独白は、あと二十分ほどで着陸しますが、今回の空の旅をお楽しみ頂けたことと思います、という機長のアナウンスで中断される。安全ベルトを着用するようにという指示が、キャビンの前方に点灯する。

「じゃあ、フィル、ぼかあ自分の席に戻ったほうがいいな」とブーンは言う。

「そうだね。君に再会できて嬉しかったよ」

「何か僕にできることがあったら、フィル、電話してよ。僕の電話番号は電話帳に出てるからね」

「ああ、でも、前にアメリカに行ったことがあるからね。いずれにしても、そう言ってくれてありがとう」

ブーンは、礼など言わないでくれといった格好で手を振る。「いつでもね。昼でも夜でも。留守番電話になってるからね」

チャールズ・ブーンは立ち上がり、フィリップの驚いたことに、あたりに気を配りながら立っているスチュワーデスのかたわらを過ぎ、ファーストクラスのキャビンを隠しているカーテンの中へと、誰にも咎められずに入ってゆく。


「もう、イギリスの上空のはずね」とメアリー・メイクピースは、窓の外をじっと見ながら言う。

「雨かい?」とザップは訊く。

「いいえ、よく晴れてるわ。パッチワークのキルトみたいに、小さな畑がはっきり見えるわ」

「雨が降ってなけりゃ、イギリスのはずはない。コースを外れたんだろう」

「あそこに大きな黒っぽい染みがあるわ。大都会よ、きっと」

「たぶんラミッジだろう。大きな黒っぽい染みってのは、ラミッジ臭い」


そしていま、二機のボーイングの機内に、旅客機の着陸に先立つ独特な沈黙が同時に訪れる。エンジンは切られたも同然で、乗客は、それをわがことのように感じて話をやめ、しいんとなる。二機の飛行機は降下しはじめる——巨大な階段を、ずしんずしんと降りるかのように、一見ぎごちなく連続的によろめき、ガタガタ揺れながら。乗客は鼓膜にかかる圧力を和らげようと、ぐっと唾を呑み込み、目を閉じ、パスポートと吐物処理袋《ヴオミット・バッグ》をまさぐる。時間は、ごくゆっくりと過ぎる。各人は、それぞれの思いに耽り、束の間、孤独になる。だが、天と地のあいだで揺れたり傾《かし》いだりしていたのでは、まとまったことを考えるのはむずかしい。フィリップは、自分の乗った列車が出る時にラミッジ駅で健気に微笑んでいたヒラリーと、わびしげに手を振っていた子供たちのこと、ある学生に返し忘れたレポートのこと、空港からプロティノスまでのおよそのタクシー代のことを考える。未来は恐ろしいほど空白に思われ、不意にホームシックの発作に見舞われる。それから、この飛行機は墜落するのだろうか、死ぬのはどんな具合だろうか、神は果たして存在するのだろうか、どこに手荷物の預り証を仕舞ったのだろうかと考える。モリス・ザップは、数日間ロンドンに滞在すべきか、あるいはラミッジにまっすぐ行って、ただちに最悪のものに馴染んでしまうべきか自問自答する。彼は、中庭の隅でこっそり遊んでいて、さようならを言うためにしぶしぶゲームを中断した自分の双子《ツイン》のことや、出発する日の前の晩、デジレが自分と交わるのを拒否したこと（もし交わったなら、それはこの数ヵ月で初めてのことだったろう）に思いを馳せたり、生まれて初めて肉体関係を持った女だった、隣のブロックの魚屋の娘ローズ・フィンケルパールのことや、二番目の女も、やはりかすかに魚の臭いがしたので、どんなに面食らったかということを思い出したり、このチャーター機がなんでイギリスにやってきたのか、空港の何人が気づくだろうと考えたりする。

二機の飛行機は偏揺《かたゆ》れして傾く。郊外の景色が、不意にメアリー・メイクピースの頭の後ろで垂直の壁のようにそそり立ち、それからふたたび沈んでゆく。雲がフィリップ・スワローの飛行機のまわりに渦巻き、雨が窓をさっと叩く。それから、家、丘陵、樹木、格納庫、トラックが、それと分かる大きさになって、掠《かす》めるように飛んでゆく。まるで、長いあいだの別離のあとで再会した旧友のようだ。

ドシン!

ドシン!

正確に同時に、しかし六千マイルを隔てて、二機の飛行機は着陸する。

2　居住

　フィリップ・スワローは、ピタゴラス・ドライブのずっと上のほうにある、二階家のアパートの上半分を借りた。ピタゴラス・ドライブは、ユーフォーリア州のプロティノスの緑の丘を螺旋状に通っている数多くの、名前は古典的だが外観はロマンチックな住宅街の道路の一つだ。家賃はユーフォーリア州の水準からすれば安かった。その家は地滑り地帯《スライド・エリア》と呼ばれるところに建っていたからだ。事実、その家は元の位置からエセフ湾に向かって、すでに十二フィートも滑っていた——そのため家の持ち主は急いで立ち退き、家を、あまりに貧乏か、あまりに命に無頓着かで何も文句を言わない店子《たなこ》に貸したのだ。フィリップは、そのどちらの範疇《カテゴリー》にも入らなかったが、六ヵ月間の賃貸借契約書にサインをし終わるまで、ピタゴラス・ドライブ一〇三七番地の詳しい歴史を知らなかった。この家に入った最初の晩に、一階のアパートを共有していた三人の娘のうち、いちばん綺麗で健康そうなメラニー・バードから、初めてその歴史を聞かされたのである。彼女はその時、地階の共同洗濯機の使い方を彼に親切に説明していた。初め彼は食い物にされたように感じたが、しばらく経つと、この状況を甘んじて受け入れるようになった。このアパートは驚くほど安くはないとしても、それでもやはり安いことに変わりはない。それに、メラニー・バードも言ったように、ユーフォーリアには本当の意味で住むに安全な場所はないのだ。ユーフォーリアのユニークで絵画的な風景は、全州を貫く巨大な断層の産物なのだ。それは十九世紀には大地震を引き起こしたが、この天災は二十世紀末までにもう一度繰り返されるだろうと、地震学者と、土地の至福千年説信者は確信をもって予言していた。科学と迷信が一致した、稀有にして感銘深い一例である。

毎朝、居間のカーテンを引くと、シネラマ映画の冒頭の鮮やかなシーンさながらに、眺望が大きな一枚ガラスの嵌め殺し窓に、いっぱいになる。彼の家の前景および左右には、ユーフォリック・ステートの教員の中でも比較的裕福な者の家と庭がプロティノスの丘の中腹にしがみついていて、絵画的な印象を与える。眼下では、麓の小さな丘が次第になだらかになって湾の岸辺と出会い、そこに、プロティノスの繁華街のまっすぐな通りに囲まれたキャンパスがあり、そのいくつかの白い建物、叢林のある小径、鐘塔と広場、講堂、大競技場と実験室が見える。湾は中景を占め、左右に延びて視界から消える。人の視線は、雄大な景観の上を自然と弧を描くように動く。つまり人の視線は、混雑したショアライン・フリーウェイに沿って移動し、長いエセフ橋（料金徴収所から料金徴収所まで十マイル）を通って、エセフのドラマチックなスカイラインと住宅地の白っぽい丘の前に建つ、黒っぽい繁華街の超高層ビルに向かってぐっと曲がりながら湾を過り、次に、太平洋への出口である吊り橋のシルヴァー・スパン橋の優美な曲線を飛び越え、セコイアメスギの森と、息を呑むほど美しい海岸とで有名なミランダ郡の緑の斜面の上に降りるのである。

この広大なパノラマは、早朝でさえも、一斉に動く、ありとあらゆる種類の乗り物——船、ヨット、乗用車、トラック、列車、飛行機、ヘリコプター、ホバークラフト——で活気づく。それはフィリップに、十歳の誕生日にもらった『子供のためのワンダーブック——現代の乗り物』の派手な表紙を思い出させる。実際、この景観は自然と文明の完全なる結婚だ、ここにおいて、人間の機械技術と自然界のもっとも素晴らしいものが一つに結びついているのが、ひと目で分かるというものだ、と彼は思ったが、この光景に感じられるハーモニーが幻影であるのも知っていた。ちょうど視界から消えてはいるが、左手では、大きな軍事用、産業用のアッシュランド港の上に煙が垂れ籠め、右手では、セント・ゲイブリエルの原油精製所が澄み切った空に煙を吐き出している。朝の太陽のもとでとても可愛らしくウインクする湾は、チャールズ・ブーンやその他何人かの話によると、工場から出る廃棄物と未処理の流出物とで汚染されていて、無節操なゴミの投棄と埋め立てによって徐々に縮小しているのだ。

それにしても、居間の窓という額縁を通し、これだけ離れて眺めていると、この景観は依然としてまことに結構だと、フィリップは後ろめたいような気持ちで思った。

モリス・ザップのほうは、自分の部屋からの景観にそれほど魅了されなかった——目の前にあるじめじめした裏庭、腐りかけた物置と水の滴る洗濯物、ひどく大きくてぶざまな樹木、薄汚い屋根、工場の煙突と教会の尖塔。しかし彼は、ラミッジでの家具付きの部屋探しのごく早い段階で、眺めの良し悪しを部屋を借りる際の判断基準にするという考えを捨ててしまった。人体にふさわしい温度に室温を保つことができ、文化生活を送るのに必要な、基本的とも言える設備があり、見た途端吐き気を催さないような色と模様の組み合わせで内装を施されたところを見つけられたら幸運であるのに、彼はすぐに気づいた。ホテル住まいも考えてはみたが、キャンパス近くのホテルは、どちらかと言えば、個人の家よりひどかった。ついに彼は、アイルランド人の医者とその大家族が所有している、馬鹿でかい古い家の最上階の部屋を借りることにした。オシェイ医師は、老母が使えるようにとその屋根裏部屋を手ずから改造したのだが、こんな人も羨む部屋にモリスが幸運にも入れるのも、この肉親が最近死んだおかげだということを力説した。モリス自身には、それがセールスポイントとも思われなかったけれども、オシェイは、モリスの部屋にまつわるその感傷的な思い出が、自分の家族の懐から引き離されたアメリカ人にとって、少なくとも週にあと五ドル出す価値があると考えているようだった。オシェイ医師は、母が命取りになった最後の発作を起こした際に坐っていた安楽椅子を指差し、弾み具合を実証するためにマットレスの上で跳ねると同時に、ひと月も経たぬ前、愛する親がまさにこのベッドから天に召されたということを、悲しげに溜め息をつきながら、沁々と語ってのけた。

モリスがこのフラットを借りることにしたのは、セントラルヒーティング付きだったからだ——彼としては、こんな恵まれた条件のフラットを見るのは、ラミッジに来て、これが初めてだった。ところが、その暖房装置は電気ラジエーターの一つで、人が寝ている時にもっとも盛んに活動し、人が起きるや否や自動的に止まってしまい、その後は、人がふたたび床に就こうという時まで、凍えるほど寒い部屋に、生ぬるい空気を絶えだえに漏らすだけなのだ。オシェイ医師の説明によると、この装置は、夜間半額割引料金の電気で作動するので、きわめて経済的なのだ。しかし、それでもモリスには、ベッドでひと汗かくには金のかかるやり方に思われた。幸いにも、このフラットには、ひどく古臭いデザインのガスバーナーのようなもの（箱状の容器の中のガスの裸火による簡単な暖房器具）がたっぷりと取り付けられていて、それを一日中全開にしておくことで、部屋をまあまあ我慢できる温度に保つことができた。もっともオシェイは、どうやらそれは行き過ぎだと感じたらしく、モリスの部屋に入る時には、燃えている家に突入する男よろしく、両手を上げて顔を覆った。

ただ単に暖かくしているというのが、ラミッジの最初の数日間のモリス・ザップの最大の関心事だった。彼はロンドン空港からまっすぐ車で来て墓場のようなホテルにチェックインしたが、翌朝、目を覚ますと、口から湯気が出ているのに気づいた。こんなことは室内ではこれまでなかったことなので、咄嗟《とっさ》に、自分は火事だ、と思った。彼は手荷物をオシェイの家に運び、マイクロ冷蔵庫にテレビディナーをいっぱい詰め、ドアに鍵をかけ、すべての火を点け、凍結した部屋を「解凍」するのに二日使った。それから初めて彼は、ラミッジ大学のキャンパスを探索し、英文学科に顔を出す心の準備が出来たのである。

フィリップ・スワローの場合は、自分の仕事場を見たいという気持ちに、いささか逸《はや》っていた。ユーフォーリアで迎えた初めての朝、オレンジジュース、ベーコン、ホットケーキとメープルシロップ（メープルシロップ！　そうした忘れていた感覚を取り戻すというのは、なんと喜ばしいことだろう）という美味の朝食をとったあと、英文学科のあるディーラー・ホールを探すために、ぶらりと外に出た。前日同様、雨が降っていた。そのため、フィリップは最初、がっかりしてしまった――彼の記憶では、ユーフォーリアは絶え間なく陽光を浴びているのだ。ユーフォーリアでは、冬の数ヵ月に雨季があるのを忘れてしまったのだ（あるいは、たぶん、そのことをもともと知らなかったのだろう）。しかしながら、それは小糠雨で、空気は暖かく馨《かぐわ》しかった。芝生は緑で、樹木と灌木はたくさんの葉を付けていた。花と実を付けているものもあった。ユーフォーリアには、本当の冬はない――秋は春と夏と手をつなぎ、一緒になって一年中三人一組のジグを踊り、ために植物界には楽しい混乱が生じる。フィリップは、ジグの陽気なリズムに合わせて自分の脈が打つのを感じた。

彼は、新古典主義《ネオ・クラシシズム》の様式の大きな真四角の建物であるディーラー・ホールを、造作なく見つけた。ところが、中に入ろうとすると、建物をぐるりと囲んでいる学内警官に押しとどめられた。かなりの数の学生と教職員が近くにたむろしていたが、夜間にこの建物に爆弾が仕掛けられたということなので、いま捜査中なのだと、スエードのジャケットの襟に、「クループをキープせよ」というスローガンバッジをつけた長髪の若者がフィリップに教えた。捜査は数時間かかるかもしれないということだった。だが、フィリップが建物から離れようとすると、爆弾は、まったく出し抜けに、建物の高いところで、くぐもった音とともに破裂し、砕けたガラスがチャリンと落ちて一切が幕になった。

本人は、ずっとあとになって知ったのだが、モリス・ザップはラミッジ大学の英文学科に初めて姿を現わした時、悪い印象を与えた。友人のエジプト学科の秘書、ミス・マキントッシュと一緒にコーヒーブレークから戻ってきた英文学科の秘書の若いアリス・スレードは、英文学科の掲示板の前で彼が体を二つに折って咳き込み、ぜいぜい言い、葉巻の灰を床一面に吹き散らしているのに目を留めた。年輩の学生が発作を起こしたのではないかと考えたミス・スレードは、ミス・マキントッシュに、ひと走りして守衛《ポーター》を連れてくるようにと頼んだ。だがミス・マキントッシュは、あの人は笑っているだけじゃないのかしら、という意見をあえて述べた。事実、そのとおりだったのである。その掲示板は、ロバート・ラウシェンバーグの初期の作品を、彼にかすかに思い出させた。画鋲で留めた多彩な紙切れのモンタージュ――レターヘッドの刷り込まれている便箋、メモ用紙、出版社の謹呈スリップ、大学ノートから不器用に引き裂いた紙、裏返しにした封筒と送り状、さらには、セロテープの端がまだくっついている包装紙の一部――それらのどれにも、コース、面会の日時、レポート、本等に関する、教員から学生に宛てた謎めいたメッセージが、鉛筆、万年筆、カラーのボールペンで記されていた。筆跡は千差万別で、判読しにくかった。ここでは、グーテンベルク時代の終焉が問題になっていないのは明らかだった。彼らは、いまだに手稿文化に生きているのだ。いまやモリスは、マクルーハンが何を言わんとしているのかが、前よりもっと深く理解できるように感じた。その掲示板は、触覚的魅力を持っているのだ――それを見ていると、手を伸ばし、その粗く不規則な表面に触りたくなる。情報伝達のシステムとして、それは、彼がここ何年もお目にかかったことのないくらい滑稽至極な代物だった。

モリスは、ミニスカートの秘書が、時おり不安げに（彼には、そう思われた）、肩越しに振り返りながら廊下を通って案内してくれた時も、まだくすくす笑っていた。ディーラー・ホールの廊下を歩くのは、近代語協会《モダン・ランゲージ・アソシエーション》（アメリカの語学、文学研究者の専門団体）の、いわば栄誉の殿堂《ホール・オブ・フェイム》の中を歩くようなものだが、ここでは、ミス・スレードがやっと立ち止まったところにあったドアの名札以外、どんな名札も彼には意味がなかった。そのドアの名札には、ミスター・P・H・スワローとあった。その名前には、かすかに覚えがあった――だが、ミス・スレードが鍵をぎごちない手つきでガチャガチャ言わせている時（この娘《こ》はひどく神経質のようだな）、その名前には活字でではなく、今度の交換教員の件での手紙のやりとりで出合っただけなのを思い出した――スワローは、自分と立場を交換した男だ。ユーフォリック・ステートのいまの英文学科主任リューク・ホーガンが、スワローから来た手紙（それもまた手書きだったのが、モリスの記憶に蘇った）を途轍もなく大きな手で握り締めながら、モンタナ州のカウボーイを思わせる、ゆっくりとした喋り方で、「参ったなあ、モリス、このスワローっていう男を、どうしたらいいかなあ。やつは専門がないって言うんだよなあ」とこぼしたのを思い出した。モリスは、英文学専攻の学生のための、文学のジャンルと批評方法を型どおりに紹介する「英語99」と、小説作法のクラスである「英語305」をフィリップに教えさせたらいいのではないかと言った。というのも、ユーフォリック・ステートの学内居住小説家《レジデント・ノヴェリスト》のガース・ロビンソンは、実際に大学に居住していることはごく稀で、ほとんど切れ目なしに、補助金や研究助成金をもらって、どこかに行ったり休暇をとったりアルコール依存症の治療をしたりして大学のまわりを旋回していたので、「英語305」の授業は、たいていの場合、正規の教員の中の、教える気も教える資格もない者の負担になった。そこで、モリスは言った。「やつが『英語305』で大失態を演じたって、誰も気がつきゃしないさ。それに、博士号さえ持ってりゃ、どんな間抜けでも『英語99』は教えられるさ」

「この男は博士号を持ってないんだなあ」とホーガンは言った。

「なんだって？」

「イギリスじゃあ、違ったシステムなんだ、モリス。博士号は、それほど重要じゃない」

「教員は世襲制ってわけかね？」

こうしたくさぐさのことを思い出しながらモリスは、ユーフォーリアを出る前に、自分が何を教えることになっているのか、ラミッジ大学からなんの情報も得られなかったのに気づいた。

ミス・スレードは、やっとのことでドアを開けた。彼は中に入ると、快い驚きを覚えた。広々とした快適な部屋で、机、テーブル、椅子、それらに見合った、磨き上げられた木で出来た本棚、肘掛椅子、かなり立派な絨毯が、ちゃんと備わっていた。わけても、室内は暖かかった。モリス・ザップは、ラミッジでの最初の数週間に、こいつは驚いた、しかし矛盾してるな、という気持ちを何度も覚えるようになった。公的生活は豊かで、私的生活は貧しい、というのが彼の達した結論だった。ラミッジ大学の教員の個人生活の水準は、ユーフォリック・ステートの教員のそれに遥かに及ばないが、ここでは駆け出しの教員さえ大きな研究室を独り占めにしているし、教員会館もヒルトン・ホテル並みで、それに比べればユーフォリック・ステートの教員クラブは、まったく影が薄い。モリスの使っているスワローの研究室のある建物にさえ、教員専用の広々とした快適なラウンジが別に付いていて、そこでは、お袋といった感じの二人の女が、本物の陶器のカップと受け皿で新鮮なコーヒーと紅茶を出してくれる。しかるにディーラー・ホールは、紙コップやタバコの吸殻が散乱している小さな部屋を誇るのみで、そこでは、熱した消毒剤の味のするインスタントコーヒーを自分で淹れることになっている。「公的生活の豊かさ」というのは、ラミッジに対しては過大な褒め言葉だろう。それはまた、彼がこれまで耳に胼胝《たこ》が出来るほど聞かされた、例の社会主義でもあり得ない。それはむしろ、いわば生活の一般的わびしさと窮乏の只中を通っている、特権という一本の細い縞と言ったほうが当たっている。イギリスの大学教員は、よしほかに何も持っていないとしても、自分のものと呼べる部屋、つまり、坐って新聞を読むための立派な場所と、学生はオフリミットの便所の使用権を持っている。これが基本的原則のように思われる。しかしながら、モリス・ザップがスワローの部屋を、まず眺め渡した時には、このような筋の通った考えは、まだ彼の頭の中には生まれていなかった。彼は、依然としてカルチャーショックから醒めやらぬまま、窓の外を見、お馴染みのユーフォリック・ステートの鐘塔が、どぎつい赤を呈しながら、萎えしぼんだペニスさながらに、いつもの半分の大きさに縮まった姿を目にして眩暈《めまい》を覚えた。

「ちょっとここは息苦しいようですね」と秘書は言って、窓を開けようとしかけた。すでにラジエーターの暖かさを楽しんでいたモリスは、そうはさせじと、出し抜けに体を一方に傾げた。秘書は、震えながら身を竦めて後ずさりした。まるで彼がスカートをめくろうと手を伸ばしたかのように――スカートの丈を考えると、そうすることはむずかしくなかったろう。握手をしただけで、あっという間に偶然、そんなことになってしまうかもしれない。彼は、話をして彼女の気持ちを鎮めようとした。

「今日はキャンパスには、あまり人がいないようだね」

彼女は、大気圏外から来たばかりの人間を見る目つきで、彼をしげしげと見た。「いま、冬休みなんです」

「あー、そうだね。マスターズ教授はおいでかね?」

「いいえ。先生はハンガリーです。新学期が始まるまでお戻りになりませんの」

「学会かね?」

「野生の豚を撃ってらっしゃるそうです」

モリスは、聞き違えたのかと思ったが問い返さなかった。「ほかの教授たちは?」

「教授は一人しかおりませんの」

「つまり、ほかの教員は?」

「いま、冬休みなんです」と彼女は、低能児に話しかけるように、ゆっくりと繰り返した。「時々お出でになる方もいらっしゃいますが、今朝はどなたもお見かけしません」

「僕の授業のことについては、誰に会えばいいのかね？」

「ドクター・バズビーは先日、そのことで何か確かにおっしゃってましたが……」

「それで？」とモリスは、ちょっと間を置いてから相手を促した。

「いま、思い出せませんわ」と若い女は気落ちしたように言った。「結婚するので夏には辞めるんです」と彼女は、このひどく具合の悪い状況から抜け出すには、こう言うしかないと思い定めたかのように付け加えた。

「それはおめでとう。僕に関するファイルはどこかにないだろうか？」

「ええ、あるだろうと思いますわ。捜してみます」と若い女は言ったが、この場から逃げ出せることになって、明らかにほっとしていた。そして、モリスを研究室に一人にして出て行った。

彼は机の前に坐り、引出しを開けた。右側のいちばん上の引出しに、彼に宛てた封筒があった。中には、フィリップ・スワローの手書きの長い手紙が入っていた。

親愛なるザップ教授
ここにおられるあいだ、私の部屋をお使いになるものと推察します。ファイリング・キャビネットの鍵をなくしてしまったようですので、絶対に人に見られてはいけないものをお持ちでしたら、絨毯の下に置かれたらよろしいかと思います。少なくとも、私はそうしています。私の本は自由にお使いください。ただし、できれば学生にはお貸しにならぬようお願いします。彼らは決まって書き込みをしますので。
バズビーの話では、あなたは私の個人指導《チュートリアル》のグループをお持ちになるようですね。二年のグループは実に教えづらい。とりわけ、ジョイント・オナーズ・コース（二つの専門コースを同時に履修するコースで、特に優秀な学生のみがとれる）のグループは。しかし、一年生のグループはとても活発ですし、最終学年の二つのグループは大変面白いとお思いになるでしょう。心に留めておかれたほうがよい、二、三の点があります。ブレンダ・アーチャーはひどい月経前緊張症に罹っていますので、彼女が時おり泣き出しても驚かないでください。もう一つの三年生のグループは、扱いにくい。というのも、ロビン・ケンワースはアリス・マーフィーのボーイフレンドだったのですが、最近ではミランダ・ワトキンズと付き合っているからです。この三人は同じグループにいるので、グループの空気が大分緊張しているのにお気づきになるでしょう……

手紙はこんな調子で数ページ続き、関係のある学生の情緒的、心理学的、生理学的特徴が事細かに記されていた。モリスはすっかり面食らいながら手紙を通読した。自分の学生について当人の母親より詳しく知っているらしいこの男は、一体どんな人物なんだろう？　そして、手紙の調子からすると、学生を当人の母親より気遣っているらしいこの男は？

彼は、この奇矯な人物をさらに深く知る手掛かりが見つかるのではないかと期待して、ほかの引出しも開けてみたが、一本のチョーク、使い切ったボールペン、二本の曲がったパイプ掃除具、かつてはスリー・ナンズ・エンパイヤー・ブレンドという銘柄のパイプタバコが一オンス入っていた小さな空き缶が一つあった引出し以外、すべて空だった。シャーロック・ホームズなら、これらの手掛かりから何かを推理しただろう……モリスは、次に戸棚と本棚を調べた。蔵書は英文学関係の雑多な寄せ集めで、新しい批評の本はごくわずか（モリス自身のものは入っていない）といったわけで、自分には格別専門分野がないというスワローの告白を裏付けるだけだった。モリスは、本棚のてっぺんにあるので高くて手の届かない戸棚以外どの戸棚も空なのを確かめた。あの戸棚は手の届かないところにあるのだから、自分が求めている意外なもの——たとえば一ダースのジンの空き瓶か婦人用下着のコレクション——が入っているに違いないとモリスは確信して、椅子の上に這い登り、引戸の引き手に手をかけた。引戸は動かなかった。無理に開けようとすると、本棚全体が危険なほど揺れはじめた。しかし、不意に引戸が開いて、百五十七個のスリー・ナンズ・エンパイヤー・ブレンドのタバコの空き缶が頭上に落ちてきた。

「426号室が先生のお部屋になります」と小柄なアジア系の秘書、メイベル・リーが言った。「ザップ教授のオフィスです」

「そう」とフィリップは言った。「あの人はラミッジでは僕の部屋を使うだろうな」

メイベル・リーは、愛想はいいがうわの空の笑みを浮かべた。それはスチュワーデスの笑みに似ていた——こざっぱりした白いブラウスと深紅色のエプロンドレスで身を包んだ彼女は、実際、スチュワーデスに似ていた。英文学科の事務所は、立入禁止が解けて建物の中に入ったばかりの人々で溢れていた。誰もが、四階の男子用手洗いで破裂した爆弾のことを声高に話していた。新学期にストライキをすると脅している第三世界の学生が犯人ではないかとする説と、第三世界の学生と彼らのストライキの評判を落とそうとする警察側のスパイが怪しいのではないかとする説に、意見が真っ二つに分かれているようだった。みな興奮して話していたものの、フィリップが予期した憤激と恐怖の響きは、まったく感じられなかった。

「あー、こういったことは……よく起こるの?」と彼は訊いた。

「え? あ、このこと。そうですねえ、爆弾はディーラー・ホールでは初めてと思いますわ」。メイベル・リーは、曖昧な言い方で安心させながら、彼に部屋の鍵を渡し、同時に書込み用紙とリーフレットの束を、事務所を二つに分けているカウンターに広げ、てきぱきと説明した。「身分証明書、サインをお忘れなくね。駐車申込書、医療保険のパンフレット——どの制度でも一つお選びくださいね——タイプライター貸出し申込書——電動式も手動式もありますの。コース便覧、所得税免税申請書、この建物のエレベーターの鍵、ゼロックス・ルームの鍵、ゼロックスの機械は使うたびにサインしてくだされば結構ですわ……先生がお出でになったと、ホーガン教授にお伝えしておきますね」と言って、彼女は話を締め括った。「ちょうどいま、教授は消防署長とお話し中なんです。教授は、先生にお電話を差し上げると思いますわ」

フィリップの部屋は四階にあった。その前で、もじゃもじゃの縮れ毛で、黄ばんだ顔色の青年が、しゃがみ込んでタバコをふかしていた。青年は、迷彩柄の陸軍の戦闘服《コンバット・ジャケット》の一種を着ていて、まさしくどこかに爆弾を仕掛けそうな男だと、フィリップは思わざるを得なかった。フィリップがエール錠に鍵を差し込むと、青年は急いで立ち上がった。「クループをキープせよ」と蛍光塗料で書いたバッジが、折り襟のところで光っていた。

「スワロー教授?」

「そうだけど?」

「お話しできません?」

「えっ、いまかね?」

「いまが、いちばんいいんですが」

「そうねえ、たったいま着いたばかりなんだ……」

「鍵は二度回さなくちゃ駄目ですよ」

それは本当だった。ドアが急に開いたので、フィリップは何枚かの書類を落としてしまった。青年は、落ちた書類をさっと拾い上げ、それを機に、フィリップのあとから部屋に入った。部屋は息苦しく、葉巻のにおいがした。フィリップは勢いよく窓を押し上げ、窓の前に狭いバルコニーが付いているのを知って満足した。

「いい眺めですね」と、黙って彼の背後に忍び寄った青年が言った。フィリップは、ぎくりとした。

「どういう用件かね、ミスター、あー……?」

「スミスです。ワイリー・スミス（「ワイリー」には「狡猾な」の意がある）」

「ウィリー？」

「ワイリー」

机の上は本でいっぱいだったが、ワイリーは、本の置かれていない唯一の隙間に、ひょいと坐った。自分の部屋をこんなに散らかしておくとは、ザップという男は相当にだらしがない、とフィリップは咄嗟に思った。すると、本の多くが封の切ってない郵送用小包に入ったままで、しかも、それらの小包が自分宛のものであるのに気づいた。「こりゃ驚いた」と彼は言った。

「どうなさったんです、スワロー教授？」

「この本だよ……どこから来たんだろう？」

「出版社ですよ。授業に使ってもらいたいんですよ」

「もし使わなかったら？」

「とにかく持ってればいいんです。売りたくなかったらですけど。定価の五〇パーセントで買い取る男を知ってますが……」

「いや、いや」とフィリップは、馬鹿でかく重いアンソロジーと、粋で魅惑的なペーパーバックの包みを貪欲そうに引き裂きながら抗議した。無料《ただ》の本というのは、イギリスではめったにない饗応で、彼は、これらの求めずして手元に転がり込んできた戦利品の山を目の前にして、やや頭がぼうっとなった。独りっ切りでこの歓びがとっくりと味わえるよう、ワイリー・スミスが出て行ってくれたらなあと、願うような気持ちだった。

「なんの話だね、スミス君?」

「先生は来学期、『英語305』を教えられるんでしょ、違います?」

「自分が何を教えるのか、実はまだ知らないんだよ。『英語305』って何かね?」

「小説作法です」

フィリップは笑った。「うん、それなら僕じゃないのは確かだ。僕にはどうしたって小説なんか書けっこないさ」

ワイリー・スミスは顔をしかめ、片手を戦闘服の内側に突っ込み、何かを取り出した。フィリップは、爆弾ではないかと心配したが、それは講義要項であるのが分かった。「『英語305』」と、ワイリー・スミスは声に出して読んだ。「中篇、長篇小説作法、上級コース。受講資格を審査。冬学期担当フィリップ・スワロー教授」

フィリップは、講義要項をワイリー・スミスの手から取り上げて自分で読み、「こりゃ驚いた」と弱々しく言った。「すぐに取り消させなきゃ」

彼はワイリー・スミスの助けを借りて、英文学科主任に電話をした。

「ホーガン教授。こんなにすぐご面倒をおかけしてすみませんが――」

「スワローさん!」ホーガンの声が受話器からガンガン響いてきた。「到着されたって聞いてとても嬉しいですなあ。飛行機の旅は快適でしたかな?」

「まあまあでした、どうも。わたしは――」

「結構！　どこにお泊まりですかな、スワローさん？」

「当座は教員クラブにいて、そのあいだに住むところを探し――」

「結構、そりゃ結構、スワローさん。ごく近いうちにお昼をご一緒しなくちゃいけませんな」

「ええ、それは大変ありがたいお話ですが、実はわたしの――」

「結構。ところで話のついでですが、妻とわたしは今度の日曜日に何人か友人を招《よ》んで一杯やることになっとるんですよ、五時頃。ご都合はいかがですかな？」

「ええ、大丈夫です。どうもありがとうございます。わたしの担当のコースのことですが――」

「結構。まことに結構。もう落ち着かれましたかな、スワローさん？」

「ええ、すっかり、どうも」とフィリップは機械的に言った。「わたしの言うのは、いいえってことで、つまり――」だが、時すでに遅かった。ホーガンは、最後にもう一度「結構」と言って電話を切ってしまったのである。

「なら、先生のコースに入れますね？」とワイリー・スミスは言った。

「やめたほうがいいと、強く忠告したいね」とフィリップは言った。「ところで、なぜそんなに熱心なのかね？」

「書きたい小説があるんです。ゲットーで育つブラックの子供の話で……」

「そいつは、かなりむずかしいんじゃないかな」とフィリップは言った。「つまり、君自身が生まれながらに……」

フィリップは口ごもった。彼は、「ブラック」というのが昨今の正しい用法だとチャールズ・ブーンに教えられたのだが、ラミッジでは、もっともあからさまな人種偏見と結びついているこの言葉が、どうしても口に出せなかった。「君自身が経験したんでなければ」と、彼は文章を訂正した。

「そのとおり。そう、この話は自伝的なんです。僕に必要なのは、書く技術だけ」

「自伝的だって？」とフィリップは、眉をひそめ、首を一方に傾げながら青年をしげしげと眺めた。ワイリー・スミスの肌の色は、夏休みが終わって一週間後のフィリップの肌の色と、ほぼ同じだった。つまり、その時期には、フィリップの日焼けの色は、褪《あ》せて黄色に変わりはじめる。「本当かね？」

「ほんとです、ほんとですとも」。ワイリー・スミスは、侮辱されたとは言わないまでも、傷つけられたような顔をした。

フィリップは、急いで話題を変えた。「ところで、君のつけているバッジだが――クループって一体何かね？」

クループというのは、最近、終身在職権をもらい損ねた、英文学科の助教授の名前であることが判明した。「でも、彼をここに引き止めておこうという、草の根運動があるんです」と、ワイリーは説明した。「そう、ほんとにいかす教師だし、授業もとっても人気があるんです。彼は業績が少ないなんてほかの教授たちは言ってますけど、ほんとは彼が『コース公報』で大好評なんで、連中は頭に来てるんです」

『コース公報』とはなんだろう？　どうやら、前学期の授業に出た学生に配ったアンケート用紙にもとづいた、教員とコースの一種のお買い物案内のようだ。ワイリーは、たっぷりしたポケットの一つから、その最新号を取り出した。

「先生は、ここに載っていません、スワロー教授。でも、来学期は載ります」

「本当かね？」フィリップは、それをでたらめにめくってみた。

英語142――オーガスタン・エイジの田園詩。ハワード・リングボーム助教授担当。一、二年生。受講者数限定。

おおかたの報告によると、リングボームは題材を学生にとって興味のあるものにする努力を、ほとんどしない。一人の学生は、こう評している。「彼は自分の扱う題材を非常によく知ってはいるが、思考の流れが中断されるという理由で、質問されたり議論を挑まれたりすると憤激する」。別な学生は、こう評している。「退屈、退屈、退屈」。リングボームは点が辛く、ある報告によると、「陰険な細かい問題を出す」。

「ほう」とフィリップは、神経質そうに微笑しながら言った。「みんな、歯に衣《きぬ》を着せないね」。そして、英語のコースに関する、ほかのページを、ぱらりとめくった。

英語213――本は死んだか？　現代文明におけるコミュニケーションと危機。カール・クループ助教授担当。受講者数限定。

当然ながら人気のある学際的かつ複合メディアの頭脳のトリップである本コースの受講登録日には、早起きすること。「マクルーハンを退屈に思わせる」と評する者も、「自分がとったコースの中でもっとも刺激的」と激賞する者もいる。多量に本を読む義務を課せられるが、成績評価は柔軟なシステムで行われる。クループは学生に関心を寄せ、いつでも学生に会う。

「こうした報告を集めるのは誰かね？」とフィリップは尋ねた。

「僕です」とワイリー・スミスは答えた。「先生のコースに入れますね？」

「考えておこう」とフィリップは言って、さらに『コース公報』を拾い読みした。

英語350――ジェイン・オースティンと小説理論。モリス・J・ザップ教授担当。大学院演習。受講者数限定。

本コースは、おおかたの評判がいい。ザップは、うぬぼれ屋で辛辣で、点をけちると評されているが、才気煥発で刺激的である。「彼はオースティンをスイングさせる」と評した者もいる。「A」の学生のみ応募のこと。

ミス・スレードは、モリス・ザップの授業内容に関するものはファイルには何もない旨を告げようと、彼の部屋のドアをまさにノックしようとした時、百五十七個のタバコの缶が戸棚から転がり落ちる音を聞いた。彼は、廊下を逃げてゆく彼女のハイヒールの音に、じっと耳を傾けた。彼女は戻ってはこなかった。ほかの誰も、彼のプライバシーを侵害しなかった。

モリスは、『分別と多感』の評釈の仕事をするために、ほとんど毎日大学に来たが、最初のうちは、平穏と静寂がありがたかった。だが、しばらくすると、この二つの快適なものも、気の滅入るくらいに、あまりに完璧だと感じはじめた。ユーフォーリアでは、彼は絶えず学生や同僚や大学当局者や秘書に追い回された。ラミッジでは、少なくとも初めのうちは、それほど忙しくあるまいと予期してはいたが、教員たちは、自己紹介し、彼をそこここに案内し、世間並みに彼を歓待し、さまざまな忠告を与えてくれるだろうと、ぼんやり思っていた。モリスは、自慢する気は毛頭ないものの、自分はこの「学問の淀み」でこれまで泳いだ最大の魚に違いないと想像し、過大なほどの（過大なほど、ということがありうるならばであるが）、関心と興奮をもって迎えられるだろうと、心中ひそかに思っていた。ところが、誰も姿を現わさないとなると、彼はどうしてよいのやら分からなかった。若い時に身につけた、自分の存在を他人に知らしめる術を忘れてしまったのだ。いまでは、相手が向こうから働きかけてくるのに慣れてしまったのだ。しかし、誰も働きかけてはこなかった。

新学期が近づくにつれ、英文学科の廊下からは、墓地のような静寂と人間不在の空気が失われた。教員が、ぽつぽつと持ち場に戻りはじめたのである。机の前に坐った彼は、彼らが廊下を通る足音や、挨拶したり笑ったりする声や、研究室のドアを開け閉めする音を聞いた。だが、思い切って廊下に出てみると、彼らは途端に各自の研究室にさっと入ってしまい、どうも彼を避けているように見えるかと思うと、まるで彼がセントラルヒーティングの点検係かなんぞかのように、見据えるのだった。よし、こうなれば、コーヒータイムにドアの前を通るイギリス人の同僚を急襲して研究室に引っ張り込むという形で、みずから率先して相手に働きかけねばなるまい、と彼は思い定めた。まさにその時、彼らは、お互いの付き合いは長いけれども深くはないということを暗に物語るやり方で、彼の存在を認めはじめた。つまり彼らは、通りすがりに彼に会うと、歩調をゆるめたり、自分たちの話をやめたりせずに、何気なく笑いかけたり、うなずいたりするようになったのである。この新しい行動様式は、彼が何者であるか、みんなよく知っているのだから、彼のほうから殊更《ことさら》自己紹介をするまでもない、と暗黙のうちに語ってはいたものの、さらに付き合いを深めるための機会を提供するものでは、まったくなかった。これでは、英文学科の誰にも実際に話しかけられないで終わってしまうのではないかと、モリスは思いはじめた。彼らは、六ヵ月間、ちょっと笑ったり、うなずいたりして彼を巧みに寄せつけないでいれば、水が彼をすっぽり覆い、まるで彼が水面を乱したことなどなかったかのようになる、というわけなのだ。

モリスは、こんな扱いを受けているうちに神経が参ってきたと感じた。音声器官は、使わないために劣化しはじめた——たまさかに話をすると、声は本人の耳にも奇妙で、しゃがれて響いた。彼は、研究室の中を独房の囚人よろしく歩き回り、一体何をしたんで、こんな扱いを受けなくちゃならないんだ、といぶかった。口臭でもあるというのか？　ＣＩＡのために働いていると疑われているのか？

淋しく孤立していたモリスは、本能的にマスメディアに慰めを求めた。彼は順風満帆の時でさえも、ラジオとテレビの熱烈な愛好者だった。ユーフォリック・ステートの研究室にラジオを置き、ロック・ソウルのバラードを専門とするお気に入りのＦＭ局に、いつもダイヤルを合わせていた。家では、居間だけではなく書斎にもカラーテレビを置いていた。スポーツ放送を観ながらだと仕事が捗ったからだ。（すらすらとペンが運ぶには野球がいちばんだが、フットボール、ホッケー、バスケットボールも役に立つ。）彼は、ラミッジのフラットに移ってすぐにカラーテレビを借りたが、前に読んだ本を劇にしたものと、前に観たアメリカの連続物の録画から主として成る番組に失望した。当然ながら、野球もフットボールもホッケーもバスケットボールもなかった。サッカーはあったが、これは、しばらくすれば面白くなるのではないかと思われた——正真正銘の「観るスポーツ」を特徴づける悪意と熟練、怨恨と優美の混淆《こんこう》を、彼はそこに嗅ぎとったのだ——しかし、それに充てられた時間は微々たるものだった。土曜日の午後には四時間にわたるスポーツ番組があり、彼は期待してテレビの前に坐り込んだが、それは、息つく暇もないほど次々に映し出される女子アーチャリー、水泳選手権州大会、魚釣りコンテスト、卓球トーナメントなどは観ないで、サッカー競技場でもスーパーマーケットでもどこでも行こうという気持ちに人を駆り立てる、一種の陰謀であるやに思われた。ほかのチャンネルに切り換えると、霙《みぞれ》を通して判明した限りでは、車椅子のクロスカントリー・レースが行われているように思われた。

彼はBBCのラジオ第一放送と短いハネムーンを過ごしたが、それは、一種のサドマゾヒズム的結婚に変わっていった。彼は、吐く息が湯気になったあの朝、ラミッジのホテルで早めに目を覚まし、トランジスターラジオのスイッチをひょいとひねって耳を澄ました。そして、コマーシャルらしくないコマーシャルを流すという、単純だが効果的な方式にもとづくアメリカのAM放送の最悪の番組の、こいつはひどく滑稽なパロディーだ、とその時は思った。つまり、ディスクジョッキーは製品を宣伝する代わりに自分を宣伝し——自分はなんと愉快で楽しくて愛すべきやつかということを、もっぱら伝える目的のよしなしごとをまくし立てて——かつ、聴取者をも宣伝した。ディスクジョッキーは、聴取者全員の名前と住所と、時たまそれに加えて、誕生日と車の登録番号を読み上げようと決心したかのようだった。ディスクジョッキーは、自分の番組を讃えたコマーシャルソング風の短い歌を時おり流したり、のべつ幕なしに、陽気な調子で高速道路の玉突き衝突事故を報じたりした。レコードをかける時間は、ほとんどなかった。それは、どんちゃん騒ぎだった。モリスは、諷刺番組にしてはちと朝が早いようだと思ったけれども、うっとりとして聞き惚れていた。番組が終わり、続いてまったく同じような番組が始まった時、落ち着かない気持ちになりはじめた。イギリス人ってやつは、ひどく諷刺好きなのに違いない、と彼は思った。天気予報さえ一種の冗談で、考えうるあらゆる天気を組み合わせて次の二十四時間の天気を予測し、現在の気温さえ含め、なにごとにもはっきりした言質を与えない。まったく同じと言ってよい方式——DJの自己陶酔的早口の駄弁、一連の名前と住所、アメリカのコマーシャルソングに酷似しているものの、何も宣伝しているわけではない歌——にもとづく四つの番組を立て続けに聴いてやっと彼は、恐るべき真実を悟った。ラジオ第一放送は年中こういった調子なのだ。

　このような孤独な日々を送るモリスが親しく接する唯一の人物は、オシェイ医師だった。オシェイ医師は、モリスのカラーテレビを観、モリスのウイスキーを飲むためにやってきた。それはどうやら、一時間かそこいら家庭生活の歓びから逃げ出すためであるらしく、そっとドアをノックしてから抜き足差し足で入ってきて濃厚にウインクし、ドアが閉まって、階段の下から聞こえてくるオシェイ夫人と何人かの赤ん坊の泣き喚く声が消えてしまうまでモリスに口を開かせまいとするかのように、警告する格好で指を一本立てる。オシェイという人物が、モリスにはよく分からなかった。オシェイは医者のようには見えなかった。ともかく、モリスの知っている医者のようには見えなかった——いちばん大きな車を乗り回し、どこであろうといちばん豪華な家を持っている、りゅうとした身なりの男には。オシェイのスーツはだぶだぶでくたびれていて、ワイシャツの襟や袖口はほつれていた。オシェイは、とうの昔に盛りを過ぎた小さい車に乗り、睡眠も金も楽しみも、心配事以外の何もかも不足しているらしかった。その証拠に、モリスのわずかな持ち物を見ると、そんなに潤沢に物があるのを、これまで一度も目にしたことがないかの如く、この医師は、羨望の念の混ざった畏敬の念に打たれて戦慄《わなな》いたようだった。そして、宣教師の火口《ほくち》箱を手に取った十九世紀の野蛮人さながらに、怖さ半分、欲しさ半分の好奇心をもって、モリスの日本製のカセットテープレコーダーを、ためつすがめつした。誰にせよ、一度に半ダースも洗濯屋に出せるほどたくさんのワイシャツを所有しうるということに、彼はびっくり仰天したように見えた。また、自分で好きなものを飲むようにと言われると、三種類ものウイスキーのうちどれを選んだらよいのか、ほとんど（まったく、ではないが）途方に暮れてしまい、瓶をひねり回しラベルを読みながら呻き、小声でぶつぶつつぶやいた。「こりゃ驚いた。ここにあるのは何かと言えば、〝オールド・グランダッド・ジェニュイン・ケンタッキー・バーボン〟。それにまた、この爺さん（ラベルに描かれている老人）も飲兵衛のくせして相変わらず達者、こいつは信じられん……」

モリスが部屋にカラーテレビを入れると、オシェイ医師は興奮して、すっかり落ち着きを失ってしまった。彼は配達員のあとから一緒に階段を昇ってきて、部屋中をスキップしながら配達員の邪魔をし、配達員が帰ってから数時間、テストパターンの前にうっとりとして坐り込み、時おり立ち上がって片手をキャビネットに、うやうやしく置いた。あたかも、そうやってキャビネットと接触すれば、何か特別な神の恩寵が引き出せるのではないかと思っているかのようだった。「本当の話、自分の目で見なけりゃあ、信じなかったところでしょうなあ」と彼は溜め息交じりに言った。「あんたは幸運なお方だ、ザップさん」

「でも、僕は借りただけですよ」とモリスは、当惑して抗弁した。「誰だって借りられるんですよ。週にたった数ドルですから」

「いやあ、でもねえ、ザップさん。あなたみたいな立場のお方がそうおっしゃるのは簡単ですよ。しかし、言うは易く行うは難し、ですな、ザップさん」

「そう、何かご覧になりたいものがある時は、ちょっとお寄りくださ い……」

「それはまことにご親切な、ザップさん。大変思い遣りのあることで。では、お言葉に甘えさせて頂くとしましょう」。そして、まさにそうしたのである。不運なことに、オシェイの好きなテレビ番組は状況喜劇《シチュエーション・コメディー》と、センチメンタルな連続物だったが、彼は画面に映し出される事柄を、現実の事柄だと素朴に心の底から信じ込み、坐ったまま身をよじり、飛び上がり、椅子の肘掛をドシン、ドシンと叩き、モリスの脇腹を肘で勢いよくつつき、その間《かん》、進行中の劇に関する、きわめて個人的な見解を絶えず表明した。「あはっ！　見たぞ、お若いの。思ってもいなかったろう……おお！　こいつはなんの真似だ、なんの真似だ、お転婆娘！　ああ、うん、それがいい、それがいい……いや、そい、い、いうしちゃいかん、い、い、い、いそうしちゃいかん！　こりゃ驚いた、やつには参るなあ……」等々。幸いにも、オシェイ医師はたいてい、こうやって気を張りつめて番組に参加するためと、一日の厳しい労働のためとで疲れ切ってしまい、番組の途中で眠り込む。モリスは、テレビの音を小さくして本を取り出す。それは、同座を楽しむ二人の人間の図とは、どうも言いにくかった。

フィリップ・スワローにとってかなり屈辱的だったが、ユーフォリック・ステートでの彼の、いわば主要な社会的財産は、チャールズ・ブーンと親しいという事実なのが分かった。彼は、ブーンと親しいということを、ワイリー・スミスと話している時に、ついうっかり口にしてしまった。すると、そのニュースは数時間のうちにキャンパス中に、ぱっと広まったらしい。彼の研究室は、チャールズ・ブーンの若き日の逸話をどうしても聞きたいために、彼と親交を結ぼうという連中でいっぱいになりはじめた。そして、その日の夕方、英文学科主任の妻、ホーガン夫人が電話をしてきて、ブーンに、今度のカクテルパーティーに出席してもらえるよう、力を貸してもらえまいかと言った。信じがたいことだったが、チャールズ・ブーン・ショーは、ユーフォリック・ステートで圧倒的な人気を博していた。フィリップは、とりあえず試しに聴いてみたが、その後も、一種のサドマゾヒズム的強迫観念に促され、機会があるごとに聴いた。

この番組の基本的な方式――聴取者が司会者に直接電話し、司会者および他の聴取者と、さまざまな問題について論じ合う方式――は、よくあるものである。だが、チャールズ・ブーン・ショーは、ありきたりの聴取者参加番組と、いくつかの点で違っていた。まず、それはQXYZという非営利的な放送局から放送されていた。同局は、聴取者からの寄付金と維持基金で運営されていたので、実業界や政界からの圧力から自由だった。アメリカのほとんどの聴取者参加番組の司会者が、ある問題について、あらゆる立場の人間の意見に公平に耳を傾ける、物柔らかで曖昧な、中道を行く男、すなわち、果てしもなく忍耐強く、果てしもなく丁重で、とどのつまりなんの確信もない男であるのに対し、チャールズ・ブーンは過激で、意固地なほどに独断的だった。一般の司会者が、父や叔父に代わる存在として安心感を与えるのに対し、彼は非行少年の息子といった感じで相手を挑発した。彼は、マリファナ、セックス、人種、ベトナムというような問題すべてにおいて極端に急進的な立場をとり、自分と意見を異にする電話の相手と激しく——しばしば乱暴な口調で——議論し、時には、電話を自分で自由にできる権利を乱用して、相手が話し終わらぬうちに切ってしまった。脈のありそうな女の子の電話番号を控えておいて、番組終了後にデートの約束をするという噂もあった。時おり彼は、番組の初めにヴィットゲンシュタインやカミュの一節を引用したり、自作の詩を朗読したりし、それを聴取者との対話のきっかけに使った。そして、聴取者、すなわち、真夜中にＱＸＹＺに忠実にダイヤルを合わせる人々は、実に種々雑多だった——学生、教授、ヒッピー、逃亡者、不眠症患者、麻薬中毒者、暴走族。ぐずの亭主を寝ないで待っている主婦は、結婚生活上の問題をチャールズ・ブーン・ショーで告白し、ガタガタ揺れる運転台でこの番組を聴いていたトラック運転手は、ブーンあるいはカミュに対する怒りがもはや抑え切れず、高速道路から外れて緊急電話ボックスに入り、支離滅裂な意見を開陳した。チャールズ・ブーン・ショーにまつわる伝説は、もうかなりあって、フィリップは、いくつかの番組のハイライトを耳に胼胝《たこ》が出来るほど聞かされたので、自分でも実際に聴いたような気がしてきた。たとえばブーンは、パニック状態の身重の女に、彼女が生まれて初めての陣痛を経験しているあいだ、ずっと話しかけたり、同性愛者の牧師を説得して自殺を思いとどまらせたり、湾の周囲の性交直後の人々に、ベッドのそばの電話から性革命について意見を述べてもらいたいと呼びかけ、実際にそうしてもらったりした。もちろん、この番組にはなんのコマーシャルもなかったが、ただ単に競争相手の放送局を困らせるために、ブーンは時々、頼まれもせずに無料で、自分のたまたま気に入った地元のレストランや映画やワイシャツの大安売りを宣伝した。フィリップには、こうした表面上の文化的教養や、奇矯さや、人間的気遣いの下に、露骨なショービジネスの魂胆があるのは見え透いていたが、地元の人間には、この番組が抗いがたく斬新で、大胆で、信頼できるものなのは確かなようだった。

「ブーンさんはご一緒じゃないんですの?」というのが、カクテルパーティーの日に、フィリップがホーガン夫妻の広壮なランチスタイルの家に姿を現わした時に、ホーガン夫人が発した最初の質問だった。彼女の目は、彼がブーンを体のどこかに隠しているのではないかと疑っているように、彼の頭のてっぺんから爪先までねめ回した。パーティーのことはちゃんと伝えてあるとフィリップが請け合うと、招待主のホーガンがぬっと現われ、大きくて角張った手で、フィリップの指を砕けんばかりに握り締めた。

「やあ、これはスワローさん、お会いできて大変嬉しいですな」。彼はフィリップを、すでに四十人以上の客が集まっている広々とした居間に案内し、馬鹿でかいグラスに入ったジントニックをフィリップに手渡した。「さて、どなたにお会いになりたいですかな? 英文学科のおおかたの連中が、ここにいるものと思いますな」

たった一つの名前だけが、フィリップの頭に浮かんだ。「クループさんに、まだお目に掛かってないんですが」

ホーガンの顎のあたりが、ほんの少し青くなった。「クループですと？」

「あの人については実にたくさん読みました、スローガンバッジで」とフィリップは、どうやら社交上の過失を犯してしまったらしいのに気づき、それを取り繕おうと、そう言い抜けた。

「そう？　ああ、そうね。はっ、はっ。カールにはカクテルパーティーでは、あんまり会えんのじゃないかな――ハワード！」ホーガンの途轍もなく大きな掌が、すぼめた唇にスコッチのタンブラーを当てて脇を通り過ぎようとした、眼鏡をかけた血色の悪い若い男の肩にドシンと落ちた。若い男はちょっとよろめいたものの、飲み物がこぼれるのを巧みに防いだ。フィリップは、ハワード・リングボームに紹介された。「スワローさんにお話ししてたんだ」とホーガンは言った。「教員の社交的集まりで、カール・クループに会うことはそうないってね」

「聞くところによると」とリングボームは言った。「カールは『本は死んだか』のコースを根本から考え直したそうだ。今学期は『本は死んだか』からかの字を取るとか」

ホーガンはげらげら笑い、その場を立ち去る前にリングボームの肩甲骨と肩甲骨のあいだをドシンと打った。リングボームはパンチを受けて体をゆらりとさせたが、バランスを失うこともなく、飲み物も無事だった。

「いま、何に取り組んでらっしゃるんです？」とリングボームはフィリップに訊いた。

「そう、目下のところは授業の準備をしてるだけですよ」

リングボームは、苛立たしそうにうなずいた。「あなたのご専門は？」

「あなたのご専門はオーガスタン・エイジの田園詩でしたね」とフィリップは言って、答えをはぐらかした。

リングボームは嬉しそうな顔をした。「そのとおり。どうしてご存じなんです？『カレッジ・イングリッシュ』（若い英文学者に論文発表の場を与えているアメリカの学術誌）で、僕の論文をご覧になったんですか？」

「先日、『コース公報』に目を通してまして……」

リングボームの顔が曇った。「あそこに書いてあることを全部信じちゃ駄目ですな」

「そりゃ、もう、もちろん……で、このクループって男、どう考えます？」とフィリップは尋ねた。

「なるべく考えないようにしてるんです。いよいよ今学期、僕自身が終身在職権をもらう資格を審査されるわけでしてね。もしうまくいかない場合でも、ここの誰も『リングボームを手放すな』なんてスローガンバッジはつけやしませんよ」

「終身在職権《テニュア》っていう問題で、みんな大いに緊張するようですね」

「イギリスだって同じことがあるでしょうが」

「いやあ、仮採用期間《プロベーション》っていうのは事実上形式でね。実際のところは、いったん採用されたら、馘《くび》になりっこないんです――女子学生を誘惑するとか、それと同じくらいスキャンダラスなことをしでかさない限りは」と言ってフィリップは笑った。

「ここではね、好きなだけ女子学生とやったっていいんです」とリングボームは澄まし顔で言った。

「ただし、業績の挙げ方が不十分だと……」彼は、思い入れたっぷりに、一本の指で喉を横に撫でた。

「やあ、ハワード！」

皺《しぼ》付きの黒い絹のシャツを着て、首に赤いスカーフを巻いた若い男が、フィリップの相手に声をかけた。男は、ピンクのパーティー・パジャマ姿の感じのいい、可愛い金髪の女を従えていた。「やあ、ハワード。カール・クループに紹介してくれってホーガンに頼んだイギリス人が、このパーティーに来てるって、いま誰かに聞いたところさ。ホーガン爺さんの顔が見たかったたね」

「この人に聞けよ」とリングボームは、フィリップのほうを顎でしゃくって言った。

フィリップは顔を赤らめ、具合悪そうに笑った。

「こりゃ驚いた。まさか、あんたがそのイギリス人ってわけじゃないでしょうな？」

「あなた、またしくじったわね、サイ」と女が言った。

「こいつはまことにすまない」と男は言った。「僕の名前はサイ・グットブラット。これはベラ。彼女の服装から推して、ベッドから出たばかりと思われるかもしれませんが、当たらずといえども遠からず、ですな」

「この人にかまわないでね、スワローさん」とベラは言った。「ユーフォーリアはお気に召しまして？」

カクテルパーティーで出会う誰彼にされる二つの質問のうち、彼にはこっちのほうが好ましかった。もう一つの質問とは、「いま何に取り組んでらっしゃるんです？」というものだった。

「いま何に取り組んでらっしゃるんです、スワローさん?」とリューク・ホーガンは、フィリップにまた出くわすと訊いた。

「リューク」とホーガン夫人が呼んだので、フィリップは何か答えをひねり出さずに済んだ。「チャールズ・ブーンがとうとうやってきたのに間違いないようよ」

玄関のほうがざわめいた。部屋のどの顔も、そっちに向けられた。実際にそのとおりで、ブーンは、その晩あとで彼の番組に出演する予定の、きりっとして傲慢そうな女ブラックパンサーに同伴し、アンダーシャツとジーンズという無遠慮な扮装《いでたち》で到着した。二人は、部屋の隅に坐ってブラディメリーを飲み、首を伸ばしてうっとりとしている教員とその妻の一団を引見した。女パンサーは、燃え具合を計算しているかのように、ホーガン家の豪奢な家具を冷ややかに眺め渡す以外、ほとんど何もしなかったが、ブーンのほうは、彼女の寡黙を補って余りがあった。フィリップは、今夜の注目の的は自分だと、かなり当て込んでいたのだが、いまやこの「宮廷」の端に、誰にも顧みられることもなく、ぽつねんと立つ身になった。気分を害したフィリップは、居間からぶらりとテラスに出た。女がたった一人、手摺りにもたれて暗い顔で湾に見入っていた。壮麗な夕暮れの景色が展開していた。オレンジ色の球体の太陽は、シルヴァー・スパン橋の吊りケーブルの上で、危うくバランスをとっているかに見えた。フィリップは、女から四ヤード離れたところで立ち止まった。そして、「素敵な晩ですね」と言った。

女は、さっと振り向いてから、ふたたび日没をじっと見つめた。「そうね」と女は、やがて言った。

フィリップは、飲み物を落ち着かなげに啜った。黙って物思いに耽っている女がそばにいるので居心地が悪くなり、眺めを楽しもうという気分が損なわれ、居間に戻ることにした。

「中に入るのでしたら……」と女は言った。

「なんでしょう?」

「飲み物を新しくしてくださらないかしら?」

「いいですとも」とフィリップは言って、彼女からグラスを受け取った。「氷をもっと?」

「氷をもっと。ウオツカももっと。トニックは、もういいわ。それから、カウンターの下のスミノフの瓶を探してね。上に出ている安売りの一ガロン入りの壺は無視してね」

フィリップは、隠してあったスミノフの瓶をちゃんと見つけ、女のグラスにウオツカを注いだが、氷を入れるべき隙間を大分過小評価してしまった。彼は、氷を最後に入れた(リカーの扱いに不慣れのせいである)。奥のほうでブーンが、あるテレビ局の美術番組のために自分が考えた企画について、まだまくし立てていた。「これまでのとは、まったく違ったものなのね……動く美術なのね……制作中の彫刻家にカメラをひと月かふた月向けてから、毎秒五万齣《こま》のスピードでフィルムを回し、彫刻が形をとってゆくのを見るわけ……二人の画家の前に一つのオブジェを置いて描かせ、二台のカメラと分割スクリーンを使うわけ……コントラスト……番組の終わりで二枚の絵を競売するのね……」

フィリップは、ジンとトニックを自分のグラスに注ぎ足し、二つのグラスをテラスに持って行った。

「ありがとう」と女は言った。「あのチビのくそったれ《シット》は、あそこでまだ大口を叩いてるの?」

「そうですよ、まさに」

「あなたはファンじゃないの?」

「まさか」

「じゃあ、意見が合ったところで乾盃」

二人は、意見が合ったところで乾盃した。

「うわあ」と女は言った。「ずいぶん濃くしたわねえ」

「仰せに従ったまでですよ」

「なみなみと従ったってわけね」と女は言った。「お会いしたことがないようね? ここには客員で?」

「ええ。僕はフィリップ・スワローです――ザップ教授と交換で来てるんです」

「ザップっておっしゃったの?」

「ご存じですか?」

「とてもよくね。わたしの夫なの」

フィリップは噎《むせ》んだ。「あなたがザップ夫人?」

「そんなにびっくりすること? あんまり老けていると思《おぼ》し召して? それとも、あんまり若いと?」

「いや、違いますよ」とフィリップは言った。

「いや違いますよって、どっちが?」女の小さな緑色の目は、嘲りの色を帯びてキラリと光った。女は赤毛で、際立ってはいたが、可愛らしいというわけでも、服装に一分の隙もないというわけでもなかった。三十代の中頃だろうと、彼は推測した。

「ただ驚いただけですよ」とフィリップは言った。「ご主人と一緒にラミッジに行かれたものと思い込んでいたようですな」

「あなたの奥さんはご一緒?」

「いえ」。ほらご覧なさい、だから、あなたの思い込みはどうしたって根拠のないものよ、ということをごくはっきりと示す身振りで女は応えた。「家内を連れては来たかったんですが」と彼は言った。「でも、僕がここに来ることに決まったのはかなり急だったもので。それに、子供もいるもので、学校やら何やらの問題があったし。それと、家のこともあって……」彼は、あたかも法廷での正式な尋問に対して弁明しているかのように、こんな調子で、もう何時間も話している気がした。彼は、だんだん馬鹿らしくなったが、ザップ夫人が黙ってからかうような眼差しで見ているせいで、なぜかいつまでも喋り続け、次第に言い訳がましくなった。「あなたもお子さんがおありですか?」と彼は言って、必死の思いで話にけりをつけた。

「二人。双子《ツイン》。男の子と女の子。九歳なの」

「ああ、それなら僕の抱えている問題がお分かりでしょう」

「わたしたちが果たして同じ問題を抱えているのかどうか、怪しいわね、スパローさん」

「スワローです」

「スワローさん、ね。ごめんなさい。もっとずっといい鳥ね」。女は後ろを向き、シルヴァー・スパン橋の背後の海に、いままさに沈みゆく太陽をじっと見つめ、物思わしげにグラスからひと口飲んだ。「たとえば、それほど乱交はしないわ。奥さんは、そのことでどう思ってらっしゃるの、つまり、奥さんは、子供とか家とかなんとかのことで、あなたと同意見なの、スワローさん？　あとに残されても、なんとも思ってらっしゃらないの？」

「そう、もちろん、僕らはそのことで徹底的に話し合ったんです……決めるのはむずかしかった。最終的には、家内に一任したんですが……」（彼は、衝動的に自己正当化をするという、例の型にふたたび自分が嵌まり込んでいくのを感じた。）「結局のところ、損な役回りを引き受けたのは家内のほうでして……」

「役回りって、どんな？」と女は鋭い口調で言った。

「ただの言葉の綾ですよ。つまり、僕にとって今度のことは願ってもないチャンスで、有給休暇と言ってもいいでしょう。ところが妻にとっては、生活は以前のとおりです。ただ、前より淋しくなったわけですが。そう、それがどんなか、あなたご自身、お分かりのはずですな」

「というと、モリスがイギリスにいるってことが？　素晴らしいのよ、ただもう素晴らしいのよ」

フィリップは、礼儀上、その言葉を聞かなかったふりをした。

「自分のベッドで手足を伸ばせるってことは」――女が、それを仕草で表わすと、腋の下の錆び色の毛が露わになった――「それも、わたしの顔中にウイスキー臭い息を吐きかけ、わたしの股座《またぐら》をいじる、もう一つの人体にぶつからずに手足が伸ばせるってことは……」

「中に入ったほうがよさそうですな」とフィリップは言った。

「わたしの話でばつの悪い思いをなさったかしら、スパローさん――スワローさんだったかしら？　ごめんなさいね。何かほかのことを話しましょう。景色のことでも。これは素晴らしい景色だとお思い？　わたしのところでも景色がいいのよ。おんなじ景色が。プロティノスの誰もが、おんなじ景色を見てるわ、あの下のほうの平地に住む黒人《ブラック》と貧乏白人《プアー・ホワイト》以外は。プロティノスに住むなら景色がなくっちゃいけないのよ。人が家を買う時、最初にする質問はそれよ。景色はいいですか？　同じ景色ですけどね。もちろん。ここには一つの景色しかないの。ディナーかパーティーに出掛けて行けば、家も違うし、窓のカーテンも違うけど、愚劣《ファッキング》な景色はいつもおんなじ。時々、大声をあげたくなるのよ」

「賛成はしかねますね」とフィリップは、ぎごちない調子で言った。「僕なら、ここの景色に飽きることは断じてないと思いますよ」

「でも、あなたはここの景色と一緒に十年暮らしたわけじゃない。ちょっと待ってなさいよ。吐き気を急《せ》かすことはできないわ」

「でも思うんですが、ラミッジに比べれば……」

「何それ？」

「僕のいたところですよ。あなたのご主人が行かれたところですよ」

「あら、そう……なんて言ったかしら、がらくた《ラビッシュ》？」

「ラミッジ」

「ラビッシュっておっしゃったかと思ったわ」。女はげらげら笑い、ドレスにウオツカを少しこぼしてしまった。「くそっ《シット》。ところで、ラミッジってどんなところ？　モリスは、この世にそれ以上のところはないほど素敵な場所に思わせたがったけど、ほかの人はみんな、そこはイギリスの尻の穴《アスホール》だって言ってるわ」

「どっちも誇張でしょうな」とフィリップは言った。「それは大工業都市で、一般に考えられているような利点と不利な点があるんです」

「利点は？」

フィリップは一所懸命に考えたが何も思いつかず、「本当に中に入らなくちゃ」と言った。「まだ、ほとんど誰にも会ってないし……」

「リラックスしなさいよ、スパローさん。また、みんなに会えるわよ。ここじゃ、どんなパーティに行っても、顔ぶれは同じ。ラビッシュのこと、もっと話して。いえ、考え直したわ。あなたのご家族のこと、もっと話して」

フィリップには、最初の質問に答えるほうがよかった。「そうですね、人が言うほど実際には悪くないですよ」と彼は言った。

「あなたのご家族のこと?」

「ラミッジのことです。ちゃんとした美術館とか交響楽団とかレパートリー劇場とかいったものがあるって意味です。それに、ごく簡単に脱け出して田園に行くこともできます」。ザップ夫人は黙り込んでしまった。彼は、ふたたび自分の話しぶりに耳を澄ましはじめ、おのが不誠実さを意識した。彼はコンサートを嫌悪し、美術館にはめったに足を運ばず、地元のレパートリー劇場の客になるのは年に一回くらいだ。「田園に行く」と言ったって、日曜日の午後、家族一同うろつき回るだけのことではないか。それにともかく、「簡単に脱け出せる」なんてことが、ある場所の一体、どんな推薦理由になるのだろう?「学校もかなりいいんです」と彼は言った。「そう、一、二の——」

「学校? あなた、いやに学校にご執心のようね」

「でも、教育っていうのは、とても重要だと思いませんか?」

「思わないわ。わたしたちの文化が教育に取り憑かれているのは、自滅的なことよ」

「へえ?」

「どの世代も、次の世代を教育するだけのお金を稼ぐために自分を教育していて、その教育を生かして実際に何かをするって人は誰もいない。人は、子供を教育するために齷齪《あくせく》働くのだけど、その子供は子供で、自分の子供を教育するために齷齪働くってわけ。なんの意味があるの?」

「そう、結婚して子供を育てるってことにも、同じことが言えるでしょうね」

「まさに然り!」とザップ夫人は叫んだ。「賛成、賛成!」彼女は不意に腕時計を見、「大変、もう行かなくちゃ」と言ったので、なんとなくフィリップが彼女を引き止めているような感じになった。

ザップ夫人同伴で、フランス窓からノエル・カワードの劇じみた入り方をしたくなかったフィリップは、彼女にさようならを言ってから、テラスで独りぶらぶらしていた。そして、彼女が間違いなく屋敷から出たと思われる頃まで待ってから、一座の者のあいだにふたたび入り込み、家まで車で送ろうとか、食事を一緒にしようとか言ってくれる、気の合う仲間を見つけるつもりだった。その時、一座の者が不気味なほど静かになってしまったのに気づいた。びっくりして、急いでフランス窓から入って行くと、居間はひっそり閑とし、有色の、というより黒色の女が一人で灰皿を片付けていた。二人は数秒、互いに顔を見つめ合った。

「あー、み、みんなは、ど、どこだね？」とフィリップは、どもりながら言った。

「みなさん、家にお帰りです」と女は言った。

「こりゃ驚いた。ホーガン教授はどこかね？　ホーガン夫人は？」

「みなさん、家にお帰りです」

「だって、ここはお二人の家じゃないか」とフィリップは異議を唱えた。「ただ、さようならを言いたかったんだが」

「どこかに食事に行かれたんでしょうよ」と女は言って肩を竦め、またゆっくりと、一枚一枚、灰皿を片付けにかかった。

「畜生」とフィリップは言った。家の外で一台の車がスタートする音を耳にし、急いで玄関のドアのところに行った。すると、ザップ夫人が、大きな白いステーションワゴンで走り去るのが、ちょうど見えた。

モリス・ザップは、ラミッジ大学の研究室の窓際に立って、葉巻を一本吸い（イギリスに持ってきた最後のストックの一本）、ドアの前を急いで通り過ぎる足音に耳を澄ましていた。お茶の時間がやってきていた。モリスは、紅茶を教員休憩室で飲むのをやめ、自分の研究室に持ってこようかどうしようか迷った。教員休憩室では、ほかの教員たちは反対の隅に固まって世間話をしたり、彼の両脇の席から、新聞越しに彼のほうをそっと窺ったりしたのである。彼は陰鬱な顔で、キャンパス中央の中庭にじっと目を凝らした。そこは芝生で、いま、薄く雪に覆われていた。この数日、気温は氷点を上下していて、大気を濃くしている沈殿物様のものが雨なのか霙《みぞれ》なのかスモッグなのか、定かではなかった。暗鬱な大気を通して生気のない赤い目のように見える太陽は、一日中、屋根の高さ以上に這い上がることは、ほとんどできなかったが、いま、雪に覆われた地表に、錆色の染みを滲ませながら、力なげに地平線の下に沈もうとしていた。実に人を感傷的誤謬《パセティック・ファラシー》（自然、無生物に感情移入すること。ジョン・ラスキンの造語）に誘《いざな》う天候だ、とモリスは思った。その時、ドアをノックする音がした。

彼は、ぎくりとして、さっと振り返った。おれの部屋のドアをノックしている！　何かの間違いに決まっている。さもなければ幻聴だ。部屋が暗かったせいもあって——まだ電灯のスイッチを入れていなかった——そのほうが当たっているように思われた。だが違う——ノックの音が、ふたたびした。「どうぞ」と彼はか細い、かすれた声で言ってから、咳払いした。「どうぞ!」彼は、訪問者を迎えると同時に明かりを点けようと、夢中でドアに向かったが、椅子にぶつかり、葉巻を落としてしまった。葉巻はテーブルの下に転がった。それを拾おうとかがみ込んだ時、ドアが開いた。廊下から一条の光が床に当たったが、葉巻の隠れ場所を明かしはしなかった。「ザップ教授?」という頼りなげな女の声がした。

「はい、どうぞ。明かりのスイッチを入れていただけませんか?」

明かりが点いた。女が息を呑む声がした。「どこにいらっしゃるんです?」

「この下です」。彼は、目の前に、毛皮の裏張りをした、厚手のブーツと、もじゃもじゃの毛皮のコートの縁《へり》があるのに気づいた。と、スカーフをかぶった逆さの女の顔が加わった。鼻は赤く、表情は気遣わしげだった。「いま出ます」と彼は言った。「下のこのへんのどこかに葉巻を落としちまったもんで」

「あら」と女は言って、目を瞠《みは》った。

「気にしてるのは葉巻じゃなくて」とモリスは、テーブルの下を這いずり回りながら説明した。「絨毯なんです……うわっ!」

焼けるような痛みが手に食い込み、さっと腕にまで昇った。彼はテーブルの下から這い出したが、慌てていたので、頭をテーブルの裏側にガツンとぶつけた。そして、息を切らしながら呪いの言葉を吐き、右手を左の腋の下で締めつけ、右の顳顬《こめかみ》を左手でしっかりと押さえ、部屋中をよたよたと歩いた。どうなさったんです、と後ずさりしながら訊いている、毛皮のコートを着た女の姿が、彼の片方の目にぼんやりと映った。彼は肘掛椅子にくずおれ、かすかに呻き声をあげた。

「出直してまいりますわ」と女は言った。

「いや、僕を一人にせんでください」とモリスは、切迫した調子で言った。「手当ての必要があるかもしれませんから」

毛皮のコートが彼の目の前に大きく迫り、彼の手は、額からぐいとどけられた。「そこに瘤が出来るでしょうね」と女は言った。「でも、皮膚はどこも破れていないようですわ。ウィッチ・ヘイゼル（アメリカマンサクから採った薬物のチンキ）を塗らないといけませんわ」

「あなたは良い魔女《ウィッチ》をご存じで？」

女は、くすくす笑った。そして、「そんなに悪いはずありませんわ」と言った。「手をどうなさったんです？」

「葉巻で火傷したんです」。彼は、火傷をした手を腋の下から出し、そっと広げた。

「わたしには何も見えませんけど」と女は覗き込みながら言った。

「ほら！」彼は、親指の付け根の肉が盛り上がった部分を指差した。

「あら、そう、そんな小さな火傷はほうっておくのがいちばんと思いますわ」

モリスは、女を咎めるように見てから立ち上がった。そして机のところに行き、新しい葉巻を見つけた。震える指先で葉巻に火を点けながら、タバコの事故のあとで、ふたたび元気を取り戻すということについて、ちょっと気の利いた文句を頭の中で考えたが、それを言おうとして振り向くと、女の姿は消えていた。彼は肩を竦めてドアを閉めに行ったが、その時、テーブルの下から突き出ている二つのブーツにけつまずいた。

「何をなさってるんです?」と彼は言った。

「あなたの葉巻を捜してるんです」

「葉巻なんか気にしないでください」

「それは大変結構なお言葉ですけど」という、くぐもった声の返事があった。「これは、あなたの絨毯じゃございませんのでね」

「と言って、あなたのものでもありますまい?」

「わたしの夫のですの」

「あなたの夫のですって?」

女は、冬眠から覚めた茶色の熊を想わせるような格好でゆっくり後ずさりし、テーブルの下から出てきて立ち上がった。女は、潰れて唾でぐっしょりした葉巻の吸殻を、手袋を嵌めたまま親指と人差し指でつまんでいた。「自己紹介するチャンスがございませんでしたわね」と女は言った。「ヒラリー・スワローです。フィリップの家内です」

「ああ、そうなんですか! モリス・ザップです」。彼はにこりとして片手を差し出した。スワロー夫人は、その中に葉巻の吸殻を置いた。

「どこもなんともないようですわ」と彼女は言った。「ただ、かなり立派な絨毯なもので。インド製なんです。フィリップの祖母のだったんです。初めまして」と彼女は唐突に挨拶の言葉を付け加え、片方の手袋を外し、手を差し出した。モリスは、消えた葉巻の吸殻を大急ぎで始末して、その手を握った。

「よろしく、ミセス・スワロー。コートをお脱ぎになりませんか？」

「ありがとうございます。でも、長居はできませんの。こんなふうに突然お邪魔して申し訳ないんですけど、主人が本を一冊頼むと手紙で言ってまいりましたの。あの人に送ってやらなくちゃいけないんです。たぶん、ここのどこかにあると言ってましたわ。かまいませんかしら……」彼女は本棚を身振りで示した。

「どうぞ、どうぞ。ご一緒に捜しましょう。なんていう本です？」

彼女は、わずかに顔を赤くした。「主人が言うには『小説を書こう』っていう題ですの。なんでそれが必要なのか、想像がつきませんわ」

モリスは、にやりとしてから眉をひそめた。そして、「たぶんご主人は、小説をお書きになるんでしょう」と言いながらも、心の中ではこう考えていた。「神よ、『英語305』の学生を助け給え」

本棚の本を眺め渡していたスワロー夫人は、夫が小説を書くなんて信じられないという気持ちを表わすかのように、鼻を鳴らした。モリスは葉巻をくゆらしながら、彼女を好奇の眼差しで、しげしげと見つめた。ウールのヘッドスカーフ、途轍もなく大きくて不格好な毛皮のコート、ジッパー付きの厚手のブーツという姿の下にどんな女が隠されているのか、見極めにくかった。目に見えるのは、頬が薔薇色で鼻の先が赤い、丸くてこれといった特徴のない顔と、二重になる気配を見せている顎だけだった。鼻の赤いのは風邪のせいなのは明白だった。彼女は絶えず慎み深そうに鼻をふんふん言わせ、ティッシュで鼻を軽く押していたのである。彼は本棚のほうに行った。「それじゃあ、あなたはご主人と一緒にユーフォーリアにはお出でにならなかったので？」

「ええ」

「それはまたどうして？」

彼女が彼に与えた一瞥は、あなたはどんな銘柄の生理用ナプキンをお使いで、と彼が訊いたとしても、それ以上に敵意に満ちることはあるまいと思われるほどのものだった。「個人的な理由がいくつかございましてね」と彼女は言った。

「そうさ、君もその一つだったのに違いないね、ハニー」とザップは言ったが、心の中でそう言っただけだった。声に出しては、こう言った。「著者の名前は？」

「あの人、覚えてないんです。何年も前に、六ペンス均一の屋台の古本屋で買ったものなんです。緑の表紙だったと思うと、あの人は言うんですけど」

「緑の表紙……」モリスは、並んでいる本の背に人差し指を走らせた。「ミセス・スワロー、あなたのご主人のことで、個人的な質問をしてもよろしいですか？」

彼女は、びっくりして彼を見た。「あら、分かりませんわ。質問によりけりですけど……」

「あなたの頭の上に戸棚が見えるでしょう？　あの戸棚の中に百五十七個のタバコの缶があるんです。すべて同じ銘柄です。数えてみたんで、いくつあるか知ってるんです。ある日、それが僕の頭の上に落っこちてきたんです」

「あなたの頭の上に落っこちた、ですって？　どんなふうに？」

「戸棚を開けたら、頭の上に落っこちてきたんです」

かすかな微笑がスワロー夫人の口辺《こうへん》に漂った。「お怪我なさらなかったのなら、いいんですけど」

「いや、缶は空でした。でも、なぜご主人が、そいつを蒐集されているのか、知りたいんですよ」

「あら、あの人が蒐集しているとは思いませんわ。捨てるに忍びないだけでしょうよ。あの人は、どんなものでもそうなんです。お知りになりたいのは、それだけ？」

「ええ、まあ、それだけです」。彼は、あれほどタバコを消費する男が、なぜ、リューク・ホーガンが机の上に置いておくような、一ポンド入りの大きなキャニスターで買わないで、ちっぽけな缶入りのを買うのかも不思議だったが、それをスワロー夫人に訊くのは、あまりに不躾だろうと思った。

「本は、ここにはないようですわ」と彼女は溜め息交じりに言った。「どっちにしても、もう行かなければ」

「僕が捜しておきましょう」

「あら、かまわないでください。そんなに大事な本じゃないと思いますの。大変ご迷惑をおかけしてすみません」

「どういたしまして。実を言いますとね、ここに訪ねてくる人は多くないんです」

「お会いできて嬉しゅうございましたわ、ザップ教授。ラミッジにいらっしゃるあいだ、楽しくお過ごしください。フィリップがここにおりましたら、いつか夕食にお招《よ》びするところなんですけど、こういう事情ですので……お分かり頂けるでしょうね」。彼女は、残念だという気持ちを表わすように、にこりとした。

「でも、ご主人がここにおられたら、僕はここにいないでしょうな」とモリスは、彼女の話の矛盾を指摘した。

スワロー夫人は当惑したように見えた。そして口を何度か開けたが、なんの言葉も出てこなかった。やがて彼女は言った。「これ以上お邪魔してはいけませんわ」。それから不意に部屋から出て、ドアを閉めた。

「堅苦しい阿魔め《アップタイト・ビッチ》」と、モリスはつぶやいた。彼は、彼女に一緒にいてもらいたいとは露ほども思わなかったけれども、家庭料理に飢えていた。彼は、ラミッジが独り身の男に提供できるすべてのように思われる、テレビディナーと東洋人のレストランに急速に飽きてきたのだ。

五分後、彼は『小説を書こう』を見つけた。表紙は背中から取れていた。そのために、二人はもっと早く捜し出せなかったのである。それは、『敷物を織ろう』『釣りに行こう』『写真術を楽しもう』が含まれている叢書の一冊として、一九二七年に発行されたものだった。「どんな小説も、物語がなければなりません」という書き出しだった。「ほう、これは、これは、まさに然り」とモリスは、皮肉っぽく評釈を加えた。

そして、物語には三つの種類があります。幸福な結末を持つ物語と、不幸な結末を持つ物語と、幸福な結末も、不幸な結末も持たない物語、言い換えると、実際には全然結末を持っていない物語です。

アリストテレスは生きている！　モリスは、われ知らず興味を唆《そそ》られた。著者を確かめるため、本の扉に戻ってみた。「A・J・ビーミッシュ、『美しいけど冷たい乙女』『深き神秘』『谷間のグリニス』等の著者」。彼は読み進んだ。

最上の型《タイプ》の物語は、幸福な結末を持つ物語です。次に良い型は、不幸な結末を持つ物語です。最悪の型は、全然結末を持っていない物語です。初心者は、最初に挙げた型の物語から始めるのがよろしいでしょう。実際、あなたが天分を持っていないのなら、ほかのどんな型も試してはいけません。

「それりゃいい考えだ、ビーミッシュ」と、モリスはつぶやいた。たぶん、そういった単純明快な話は、結局のところ、「英語305」の学生にマイナスになることはなかろう。連中の大半は、怠惰で思い上がった輩《やから》で、自分たちの告白をタイプライターで打って、登場人物の名前を変えさえすれば「偉大なるアメリカ小説」が書き上がると思っている。あとで先を読むため、この本は別にしておこう。そして、ある日の夕飯時にスワロー夫人の家に持参し、盛大に涎《よだれ》を垂らしながら彼女の家の玄関口に立つとしよう。モリスは、彼女が料理上手だという予感がした。彼は、簡単に一緒に寝る女を見つけるのと同じくらい素早く、料理上手の女を群衆の中から探し出すことができるのを誇りにしていた（両者が同一人物であるのは稀だ）。旨くて素朴な料理だろう、と彼は予測した。飛び切り上等というわけでは全然ないにしても、量はたっぷりあるだろう。

ドアをノックする音がした。「どうぞ」と彼は、スワロー夫人が後悔し、チキンのディナーをご一緒にいかがと言うために戻ってきたのではないかと期待しながら、大きな声を出した。だが、勢いよく入ってきたのは男だった。濃い口ひげを生やし、ピカピカしたビーズのような目の、小柄で精悍な年輩の男。妙な具合に染みのあるツイードのジャケットを着たその男は、両手を伸ばして部屋に入ってきた。「むむむむむむむむむむむむむむむむむむ、あー、むむむむむむむむむむむむむむむむむむむ、あー、むむむむむむむむむむむむむむむむむむむむむ、あー、マスターズ」。男はモリスの両手をつかんで上下に激しく振り、いわば二重の握手をした。「むむむむむむむむむむ、あー、ザップ？　むむむむむむむむむむむむ、あー、元気？　むむむむむむむむむむむむむむ、あー、お茶？　むむむむむむむむむむ、あー、大変結構」。男は、鼻から抜けるような声を途切らせ、頭を一方にひょいと傾げて片目を閉じた。モリスは、ハンガリーの野生の豚撃ちから帰国した、ラミッジ大学英文学科主任の面前にいま自分はいて、教員休憩室で茶菓の相伴をするよう誘われているのだと推測した。

マスターズの帰国が、英文学科の全教員の待っていた合図であるのは明白だった。まるで彼らは、理由の定かならぬタブーのせいで、酋長がモリスを正式に部族の一員として受け入れる前に自己紹介するのを、差し控えていたかのようだった。いまや教員休憩室では、彼らはいそいそとモリスの椅子のまわりに群れ集い、微笑し、ぺらぺら喋り、紅茶やチョコレートクッキーを無理強いし、彼の旅や健康や、手掛けている研究について尋ね、遅まきながら住居について助言し、ゴードン・マスターズの絞め殺された言葉を丁寧に通訳した。

「ご老体の言うことが、なんで分かるんです?」とモリスは、ボブ・バズビーに訊いた。バズビーは、ダブルのブレザーを着て顎ひげを生やした、きびきびした男で、モリスは、駐車場に歩いてゆく道すがら、彼とたまたま一緒になったのだ——歩いてゆく、というより、駆けてゆく、というほうが当たっていたが。バズビーが、モリスの短い足ではとても敵わぬくらいの、きわめて速い歩調を変えなかったからだ。

「僕らは慣れているせいだと思いますよ」

「あの人は、口蓋破裂か何かなんですか? でなければ、話す際にひげが歯のあいだに入るとか?」

バズビーは、さらに歩を速めた。「あれは偉い人ですよ、本当にね」と彼は、やや咎めるような口調で言った。

「そうなんですか？」とモリスは、喘ぎながら答えた。

「うむ、そうだったんです。そう、僕は聞いてますね。戦前は若き俊秀の学者だったってね。ダンケルクで捕虜になったんですよ。その点を斟酌《しんしゃく》してやらなくちゃ……」

「何を発表したんです？」

「何も発表してません」

「何も？」

「誰も彼の論文を発見してないんです。昔、ブーンって学生がいて、ゴードンが発表した何かを見つける書誌学的コンクールを催したんです。学生を図書館中這いずり回らせましたが、失敗に終わりました。賞金はブーンが預かりました」。バズビーは、短く、吠えるように笑った。「ひどく生意気な男でしたよ、あのブーンってやつは。やつはどうなったでしょうな」

モリスはへとへとになったが、好奇心に駆られて、なんとかバズビーと並んで歩いた。「一体、どうして」と彼は喘ぎながら言った。「マスターズが、あんた方の、学科主任なんです？」

「戦前の話でね。ゴードンは教授になるには、もちろん、異例なほど若かったんです。でも、当時の副学長（イギリスの大学では学長は一種の名誉職で、副学長が実質的な学長）が狩りや射撃や釣りが好きでしてね、教授候補者全員を、ヨークシャーの自宅に連れてったんです。ちょっとばかり雷鳥狩りをしようというので。当然、ゴードンは強い感銘を与えました。そうして、いちばんの有資格者が猟銃事故で死んだという噂があるんです。あるいは、ゴードンがその男を射殺したというね。僕自身は信じちゃいませんが」

モリスは、もはや歩調を合わせていられなくなった。そして、「またいつか、もっと話してくださいよ」と、照明の乏しい駐車場の薄暗がりの中に消えてゆくバズビーの後ろ姿に向かって大声で言った。

「ええ、お休みなさい、お休みなさい」。砂利を踏む音から判断して、バズビーは小走りに道を急ぎはじめたようだった。モリスは、闇の中に一人残された。マスターズが戻ってきたことによって点けられた社交の火は不意に燃え上がったが、今度は、不意に消えたように思われた。

だが、その日の刺激的な出来事は、それですっかりお仕舞いというわけではなかった。まさにその晩、モリスは、これまで彼の目から隠されていたオシェイ家の一員と知り合ったのである。医師はいつもの時間に彼の部屋をノックしてから、漆黒の髪をし、頰のくぼんだ、だらしがないがセクシーでなくはない十代の娘を、中に押しやった。娘は部屋の真ん中におとなしく立ち、両手をひねり合わせ、モリスのほうを、長い黒っぽい睫毛越しに、窺うように見た。

「これはバーナデットと言いましてな、ザップさん」とオシェイは陰気っぽく言った。「もちろん、家の中で見かけたでしょうが」

「いいや。やあ《ハーイ》、バーナデット」とモリスは言った。

「このお方に、こんばんはって言いなさい、バーナデット」とオシェイは言って娘を肘でそっと突くと、娘は、よたよたと数歩歩いた。

「こんばんは、旦那」とバーナデットは言って、ぎごちなくひょいとお辞儀をした。

「礼儀作法が、いささか洗練されとりませんでな、ザップさん」とオシェイは、大きな囁き声で言った。「ですが、斟酌してやらなきゃなりますまい。ひと月前まで、この娘《こ》はスライゴー（アイルランド北西の州）で牛の乳搾りをしてたもんで。わたしの家内の身内でして。家内《あれ》の実家は農場を持ってましてな」

バーナデットは家事奴隷労働者として、あるいはオシェイの発音では「ああ、《オー・》梨《ペア》」（オーペアは家事を手伝って宿泊・食事を無料にしてもらう若い外国人。通例女子留学生）として住み込むことになったのだろうと、モリスは推測した。医師は、特別待遇として、その晩、カラーテレビを観せてやろうと彼女を連れてきたのだ。「ご迷惑ではないでしょうかな、ザップさん？」

「いや、全然。君の観たいのは何、バーナデット、『トップ・オブ・ザ・ポップス』かい？」

「あー、いや、ちょっと違うんですな、ザップさん」とオシェイは言った。「ＢＢＣ第二で『悲しみの小さき姉妹《リトル・シスターズ・オブ・ミゼリー》』っていう名前の修道会のドキュメンタリー番組をやるんですがね、バーナデットの叔母がその修道会にいるんです。下のテレビじゃＢＢＣ第二が映らんのですよ」

　これはモリスの考える晩の娯楽ではなかったので、彼はテレビを点けてから、郵送されてきた『プレイボーイ』を手に寝室に退いた。そして、故オシェイ老婦人が永遠の臥所《ふしど》に横になる前に使っていた臥所に大の字になり、ミス一月《ジャニュアリー》のおっぱいに玄人の視線を走らせてから、注文したばかりのロータス・ヨーロッパを含む、最新のスポーツカーの写真入り特集を、じっくりと読み出した。イギリス訪問から得ようとみずからに約束した数少ない楽しみの一つは、シボレー・コルヴェアの代わりに新しいスポーツカーを購入することだった。いまの車は一九六五年に買ったものなのだが、買った日の、まさに三日後、消費者保護運動家ラルフ・ネーダーの『どんなスピードでも危険』という報告書が発表されたため、その価値は一夜のうちに、ほぼ千五百ドル下落し、それを所有しているという歓びは、モリスからすっかり奪われてしまった。彼は出国前、いくらでもいいからコルヴェアを売却するようにという指示を、デジレに与えた。イギリスでロータスを手に入れ、自分でユーフォーリアに船で送れば、かなりの額（大した額とは言えぬとしても）が節約できるというものだ。『プレイボーイ』がロータスに合格点をつけているのを知って、彼は嬉しくなった。

彼が葉巻を取りに居間に戻ると、オシェイは眠り込み、バーナデットは退屈してふくれっ面をしていた。テレビの画面では、後ろ姿の大勢の尼僧が讃美歌を歌っていた。

「君の叔母さんは、もう見たかね？」と彼は尋ねた。

バーナデットは首を横に振った。ドアをノックする音がし、オシェイの子供の一人が、ドアのところから顔を突き出した。

「すみませんけど、奥さんがまた気を失ったってライリーさんが電話をしてきたって、お父さんに言ってください」

そのような呼び出しは、オシェイ医師の人生では日常茶飯事だった。オシェイ医師は、途方もなく多くの時間を路上で過ごしているように思われた――ともかくもアメリカの医者に比べて。アメリカの医者は、モリスの経験によると、患者が死んだ時に初めて患者を訪れる。まどろんでいたところを起こされたオシェイは呻き、小声で何やらぶつぶつ言いながら出て行った。その際、バーナデットも部屋から出そうと言ったが、モリスは、最後まで番組を観せてやるようにと答えた。モリスが寝室に戻って数分経つと、グレゴリオ聖歌が、不意にジャクソン・ファイブの最新のヒット曲の、力強いビートに変わったのが聞こえた。とすると、まだアイルランドには希望があるというものだ。

数秒後、誰かが猛烈な勢いで階段を駆け上がる音がし、テレビの音が宗教音楽に変わるのを、モリスは聞いた。彼が居間に入って行くのと同時に、オシェイが反対側のドアから飛び込んできた。椅子に坐っていたバーナデットは、どっちが先に自分を殴るのかを推し量るかのように、二人の男の中間に視線を向け、身を竦めた。

「ザップさん」とオシェイは息を切らしながら言った。「どうやっても車のエンジンがかからんのです。申し訳ないが、道路で車をちょっと押してもらえんでしょうかな。オシェイ夫人でもいいんだが、いまちょうど赤ん坊に乳をやっとるもんで」

「僕の車をお使いになったら？」とモリスは、車の鍵《キー》を差し出して言った。

オシェイの顎が、ぐっと下がった。「神のお恵みがあらんことを、ザップさん。あなたは心の寛《ひろ》いお方だ。ですが、わたしは責任を負うのがいやでしてね」

「遠慮は要りませんよ。借りてるだけですから」

「さよう。でも、保険はどうなります？」オシェイは保険の問題について長々と詳しく弁じたので、モリスは、ライリー夫人の命が心配になり出した。そこで、自分がオシェイを乗せて行こうと申し出て、話のけりをつけた。医師は盛んにモリスに感謝し、モリスの部屋から出るようにと、肩越しにバーナデットに大声で言いながら階段を駆け降りて行った。「ゆっくりしていきたまえ」とモリスは娘に言って、オシェイのあとから自分も部屋を出た。

オシェイは、薄暗い裏通りを通りながらモリスに道順を教える間《かん》、モリスの車、つまりモリスがロンドン空港で借りた、ごくありきたりで、かなり力不足のオースチンを盛んに褒め上げた。モリスは、黒革のバケットシート、リモートコントロール式スポットランプ、庇付きヘッドライト、流線型のウイングミラー、8トラックのステレオを装備した、濃いオレンジ色のロータスで乗りつけたら、オシェイがどんな反応を示すか、想像するのにいささか苦労した。いやはや、オシェイはその場で冠状動脈血栓症を起こすだろう。

「その先、その先の左」とオシェイ医師は言った。「ライリーさんが玄関で、わたしらを見ておりますわ。神のお恵みがあらんことを、ザップさん。こんな晩に外に出てくださって、まことにあなたはご親切なお方だ」

「どういたしまして」と言ってモリスは家の正面に車を着け、どうやらモリスのほうを医者と思い込み、運転席から引きずり出そうとする、取り乱したライリー氏の試みを躱《かわ》した。

だが本当のところ、自分はご親切だ、柄にもなくご親切だ、このモリス・ザップは。あなたはご親切なお方だという、オシェイの言葉は当たっているというこの気持ちは、オシェイ医師がライリー夫人を介抱し終わるまで、ライリー家の寒くてわびしい客間で坐って待っているあいだ、また、ライリー夫人の症状についての凄惨な話に半分耳を傾けながら、薄暗い通りを抜けてオシェイ医師を家に連れて帰る道すがら、次第次第に強まっていった。彼は今日一日のこと――スワロー夫人が夫の本を捜すのを手伝ってやり、アイルランドの小娘にテレビを観せてやり、オシェイを車で患者の家まで送ってやったこと――を思い返し、一体自分はどうなってしまったのだろうと、いぶかった。これは、人の気持ちを傷つけまいという、ある種の、徐々に人体を蝕む英国病なのだろうか？　これからは気をつけねばいけなかろう。

フィリップは、ホーガン家のパーティーから家に歩いて帰ったところで、そう遠くはあるまいと考えて歩き出したのだが、途中で雨が降り出すと、電話でタクシーを呼べばよかったと思った。車を手に入れることを本気で考えねばならなくなりそうだった。彼は、イギリスの中古車業者より疑いもなく脅迫的で、金銭ずくで、腹黒いアメリカの中古車業者と面倒なことになるのを恐れて、車を買うのをこれまで延ばしてきたのだ。ピタゴラス・ドライブの家に着くと、玄関の鍵を持って出るのを忘れてしまったのに気づいた――チャールズ・ブーンとザップ夫人によってすっかり台無しにされてしまった夕べが、これで決定的にひどいものになった。幸い、誰かが家にいた。音楽がかすかに聞こえてきたので、そうと知れたのだ。しかし、数回ベルを押してから、内側で鎖で留めてあるドアが、やっと数インチ開いた。そして、メラニー・バードの気遣わしげな顔が、隙間からそっと覗いた。彼女の顔は明るくなった。

「あら、お帰り《ハーイ》！　あなただったのね」

「まことに申し訳ない――鍵を忘れたもんで」

彼女は肩越しに、「大丈夫、スワロー教授だったわ」と大声で言って、ドアを開けた。そして、忍び笑いをしながら説明した。「みんなあなたを刑事《でか》だと思ったのよ。吸ってたところなの」

「吸ってた?」その時、彼の鼻孔は、あたりに漂う甘ったるい、つんとする匂いを捉えた。彼は、ぴんときた。「ああ、そう、もちろん」。この「もちろん」は粋がって付け加えたものだが、ばつが悪そうな響きを伝え得ただけだった。事実、ばつが悪かったのである。

「ご一緒にどう?」

「ありがとう。でも、僕は吸わないもので。吸わないっていうのは、つまり……」

フィリップは、へどもどした。メラニーは笑った。「なら、コーヒーでもいかが。ポット(マリファナ)はご随意よ」

「まことにありがたいんだけど、何か食べたほうがいいと思うんで」。今晩のメラニーは目を瞠るほど魅力的だということに、彼は気づかざるを得なかった。彼女は、素足まで届く白い農民スタイルのドレスを着ていた。長い褐色の髪は肩のあたりに垂れ、目は輝いて、大きく見開かれていた。「まず初めに」と彼は言い添えた。

「夕食の残りのピザがあるわ。ピザでよかったら」

ああ、いいとも、ピザが大好きなんだ、と彼は請け合った。そして、メラニーのあとについて玄関の廊下を通って一階の居間に入った。床から二フィートのところまで吊り下げられた、大きなオレンジ色の紙の球体で不気味に照らされた居間には、低いテーブル、マットレス、クッション、空気でふくらませる肘掛椅子、煉瓦と厚板で出来た本棚、哀調を帯びたインド音楽を流している、高価らしいステレオセットがあった。壁はサイケ調のポスターで覆われ、床には灰皿、皿、カップ、グラス、雑誌、レコードジャケットが散乱していた。部屋には三人の青年と二人の若い女がいた。後者、メラニーと同じアパートに住むキャロルとディアドリには、フィリップはすでに前に会っていた。メラニーは彼を三人の青年に簡単に紹介したが、彼は名前をたちまち忘れてしまったので、彼らが着ている各人各様の一風変わった服で区別することにした――最初の男は南北戦争当時の南軍の服装をし、二番目の男はカウボーイのブーツを履き、踝《くるぶし》まで届く、ぼろぼろのスエードのトップコートを羽織り、三番目の男は、だぶだぶの黒い柔道着で身を包んでいた――その男自身も黒人で、なおかつ、黒縁のサングラスをかけていた。人種問題で、自分がどちらの側に立っているのかに関し、いささかなりと人に疑念を抱かせないためだ。

フィリップはマットレスに坐ったが、その際、イギリス製のスーツの肩が持ち上がり、耳にごそごそと当たった。彼はジャケットを脱ぎ、ネクタイをゆるめたが、それは、一座の一般的衣裳スタイルに合わせようという、か弱い試みだった。メラニーが彼のところに一皿のピザを持ってきた。キャロルは、柳細工のバスケットに入っている一ガロン入りの瓶から、苦味のある辛口の赤ワインを彼のグラスに注いだ。彼が食べているあいだ、ほかの者たちは、彼が「ジョイント」(紙巻のマリファナタバコ)に違いないと睨んだものを、手から手に回した。彼はピザを食べ終えると、急いでパイプに火を点けた。そうすることで、麻薬の相伴をしない口実を作ったのだ。そして、紫煙を濛々と吐き出しながら、自分がホーガン家でどんな具合に独りになってしまったかという話をユーモラスに語ったが、その話は大いに受けた。

「あんた、その女といちゃつくつもりだったのかい?」と黒人の柔道愛好家が訊いた。

「いや、いや。僕はつかまっちまったのさ。実を言うと、その女は、僕と交替した男の女房なんだ。ザップ教授の」

メラニーは、びっくりしたようだった。「それは知らなかったわ」

「彼を知ってるの?」とフィリップは訊いた。

「ほんのちょっとね」

「やつはファシストだ」と南軍兵士が言った。「やつは有名なキャンパスのファシストだ。誰だってザップを知ってる」

「ぼかあ、昔、ザップのコースをとったことがある」とカウボーイが言った。「前の時に使って〝A〟をとった答案に〝C〟をくれやがった。そのこと、やつに言ってやったよ」

「やつはなんて言った?」

「消えろ《ファック・オフ》ってな」

「いよう!」黒人の柔道愛好家は、相好を崩してくすくす笑った。

「クループはどうだい?」と南軍兵士が言った。「クループは学生に自分で点をつけさせる」

「あたしたちを担いでるのね」とディアドリが言った。

「本当だとも。誓ってもいい」

「みんなが自分に〝A〟をつけないかい？」と黒人の柔道愛好家が訊いた。

「変な話だが違うんだ。本当の話だけど、自分に落第点をつけた女の子がいるんだ」

「よせやい！」

「ほらじゃない。クループは、それはやめるように説得したんだ。君の答案は少なくとも〝C〟に値するって言ったんだ。でも駄目さ。その子はどうしても落第点だって言って聞かないのさ」

フィリップは、君もユーフォリック・ステートの学生なのかと、メラニーに尋ねた。

「だったのよ。一種のドロップアウトなの」

「永久に？」

「いいえ。でも分からない。ひょっとしたら、そうかも」

彼らはみな、ユーフォリック・ステートの学生であるか、学生だったかのように見えたが、メラニー同様、自分たちの過去と将来の計画については、言葉を濁してはっきりとは言わなかった。彼らは、完全に現在に生きているように見えた。想像される将来を心配そうに横目で見、過去について肩越しに不安げな一瞥を投げるのを事とするフィリップにとって、彼らはほとんど理解を絶していた。

だが、彼らは面白かった。そして、友好的だった。

フィリップは一同に、大学院時代に発明したゲームを教えた。自分がまだ読んでいない有名な本を各人で挙げ、すでにそれを読んだほかの者一人につき一点獲得、というゲームだった。南軍兵士とキャロルの二人が、それぞれ『荒野の狼』と『O嬢の物語』で、六点満点のうち五点を取って勝った。どちらの場合も、フィリップがいたために満点にはならなかったのだ。彼自身が挙げた『オリヴァー・ツウィスト』――たいていは、これで勝つのだが――は全然駄目だった。

「このゲームはなんて言うの?」とメラニーがフィリップに訊いた。

「屈辱」

「素敵な名前ね。屈辱……」

「勝つためには自分を辱めなくちゃならないのさ。あるいは他人に勝たせないためにはね。クループさんの採点法に、かなり似てるんだ」

新しいマリファナタバコが回された。今度はフィリップも一、二服吸ってみた。何も特別なことは起こらないように思われたが、彼は、パーティーの、昂《たかま》り、かつ一同を包み込んでゆく気分に自分を合わすことができるくらいの量の赤ワインを、すでに飲んでいた――そう、それはパーティーのように思われた。あるいは、エンカウンターグループと言ってもよかったかもしれない。このエンカウンターグループというのは、フィリップにとって耳新しい言葉だった。若者たちは、彼のためにそれについて一所懸命に説明した。

「いわば、人の心理的抑圧を取り除くわけ」

「孤独を克服し、人を愛してはいけないのではないかという恐怖心を取り除くわけ」

「自分の肉体を取り戻すわけ」

「何が自分の本当の悩みかが分かるわけ」

彼らは、それにまつわるエピソードを、口々に話した。

「最低なのは初めよ」とキャロルが言った。「冷えびえとして堅苦《アップタイト》しいって気分になって、来なきゃよかったって思うのよ」

「おれの行ったんでは」と南軍兵士が言った「誰がグループのリーダーなのかみんな知らず、リーダーも、まあ、わざと自分だって名乗らないのさ。で、おれたちゃ、そこに一時間、誰もひとことも喋らず坐ってたのさ」

「僕の演習みたいだな」とフィリップは言った。しかし彼らは、エンカウンターグループの話題に熱中していて、彼のちょっとした冗談に、なんの反応も示さなかった。

キャロルが言った。「あたしたちのリーダーは、空気をほぐすためにうまいことを考えたわ。みんながテーブルの上に、財布や札入れの中身を空けるのよ。完全な自己暴露を狙ったわけ、自分を裏返し、いつもは隠しておくものを、みんなに見せることによって。コンドームとかタンポンとか、昔のラブレターとか、十字架のメダルとか、ポルノ写真とかなんとかいったものをね。意外や意外ってことになるのよ。見当もつかないの。たとえばね、ある男は、革ケースに入った拳銃以外はなんにも身につけていない一人の男性が、浜辺に立っている写真を持っていたわ。それは、その男の父親だったってことが分かったのよ。この話はどう?」

「いかすね」と南軍兵士が言った。

「そいつをやろうじゃないか」とフィリップは言って、車座になった一同の中央に財布を投げ出した。

キャロルが中身を床に広げた。「これは駄目ね」と彼女は言った。「予想できるようなものしかないわ。どれもこれもひどく退屈で道徳的」

「それが僕さ」とフィリップは溜め息交じりに言った。「次は誰？」しかし、誰も差し出すべき財布も札入れも持っていなかった。

「ともかく、そんなのはえらくくだらないな」とカウボーイが言った。「おれのグループじゃ、ボディー・ランゲージを学ぼうとしてるんだ……」

「これ、あなたのお子さん？」と、写真を一枚一枚見ていたメラニーが訊いた。「可愛らしいわね。でも、なんだか悲しそう」

「僕が子供にひどくアップタイトだからさ」とフィリップは言った。

「で、これが奥さん？」

「家内もアップタイトなんだ」と彼は言い、この新語は表情豊かだと思った。「僕の家族は非常にアップタイトなんだ」

「素敵な奥さんね」

「そいつは、ずっと前に撮ったものさ」とフィリップは言った。「僕でさえ、当時は素敵だったんだ」

「いまでも素敵だと思うわ」とメラニーは言い、身を乗り出し、彼の唇にキスをした。

フィリップは、二十年以上味わわなかった肉体的感覚を味わった。それは、温かい、とろけるような感覚で、体のどこか最深部から始まり、外に向かって広がり、ゆっくりと弱まりながら体の末端に到達する。彼は、その一回のキスで、思春期のエロチシズム特有の、どうしようもないほどの歓喜のすべてを、ふたたび経験した――そのすべての感情をも。彼はメラニーをまともに見る勇気が出ず、押し黙って、耳をカッと熱くさせながら、きまり悪げに自分の靴を見つめていた。馬鹿者！　臆病者！

「さあ、教えてやろう」とカウボーイは言ってから、スエードのコートを脱いで立ち上がり、床に散らばっている汚れた陶器のいくつかを、足で押しやった。メラニーは、皿を重ねて台所のほうに運んだ。フィリップは彼女の前に小走りに出て、ドアを開けた。流しで二人切りになれると思うと、嬉しくなった。皿洗いのほうが、ボディー・ランゲージより彼の柄に合っていた。

「僕は洗ったほうがいいのかな、それとも拭いたほうがいいのかな？」と彼は訊いたが、彼女がぽかんとしていたので、「皿洗いを手伝おうか？」と言い直した。

「あら、そう、あたしは浸けっぱなしにしておくの」

「僕は皿洗いは苦にしないのさ」と、彼は取り入るような口調で言った。「大好きなのさ、本当に」

メラニーは、二列の白い歯を見せて笑った。上の門歯の一本が曲がっていた。それが、その時彼が見つけることのできた、彼女の唯一の欠点だった。胸元でギャザーを寄せ、素足にまですっと垂れている長い白いドレスを着た彼女は、ポスターのように可憐だった。

「ここに置いときましょうよ」

彼は、彼女のあとについて居間に戻った。カウボーイが部屋の中央に、キャロルと背中をくっつけ合って立っていた。「お互いに体をこすりつけ合って、伝達しなくちゃいけないんだ」とカウボーイは、動作を言葉に合わせて説明した。「背骨を通し、肩甲骨を通し——」

「お尻を通し……」

「そのとおり、お尻、ね。たいていの人間の背中は死んでいる、どんなことにも使われていないんで、ただもう死んでいる、分かる?」カウボーイは南軍の兵士と替わり、ディアドリと黒人の柔道愛好家の指導を始めた。

「おやりになる?」とメラニーが訊いた。

「よし」

彼女の背中は、フィリップの学者の猫背に当たってまっすぐでしなやかに感じられ、彼女の尻は、彼の痩せた脛《すね》をしっかりと快く押しつけ、彼女の髪は後ろに垂れて、彼の胸に滝のように落ちた。彼は有頂天になった。彼女は忍び笑いをしていた。

「ねえ、フィリップ、肩甲骨で、あたしに何を語ろうとしてるの?」

誰かが明かりを仄暗くし、シタールの音楽のボリュームを上げた。一同は、びいんという音の漂う、オレンジ色の煙った薄明の中で体を揺らし、互いに押し合い、体をくねらせた。それは一種の踊りだった。誰もが踊り、彼も踊った——ついに。それは、彼が憧れていた、自由で即興的でディオニュソス的な踊りだった。彼は、いま、その踊りを踊っているのだ。

メラニーの目は、じっと彼の目に向けられていたが、虚ろだった。彼女の体は音楽を聴いていた。彼女の瞼《まぶた》も聴き、乳首も聴き、足の小指も聴いた。音楽はごく静かになっていたが、誰もそれを聞き逃さなかった。彼女も揺れ、彼も揺れ、誰もが揺れた。一同は、リズムに合わせ、シタールを爪弾く指の不意の加速と減速、ドラムの軽いぱたぱたという音、音調と音色の波のような変化に反応して、ごくわずかに揺れ、うなずいた。すると、テンポは前より速くなり、びいんという音も、前より大きくなった。それぞれが、一段と速く、大きくなったのだ。一同は音楽に合わせ、前よりさらに激しく動き、体をよじり、ぴくぴく動かし、足を踏み鳴らし、両腕を上げ、指をパシンと鳴らし、手を叩いた。メラニーの髪は、彼女が上半身を曲げたり伸ばしたりするのにつれ、床を掃き、天井に向かって舞い上がり、その何百万の細かい線条《フィラメント》が、オレンジ色の光を受け止めた。一同の目はきょろきょろ動き、汗は光り、乳房は跳ね、肉と肉がぴしゃりと当たった。甲高い、恍惚とした叫び声が、煙を貫いて響いた。すると、突然音楽はやんだ。一同はクッションに倒れ込み、喘ぎ、汗をかき、にやにや笑った。

次にカウボーイが、足による意思の伝達を一同に試みさせた。フィリップは床にうつ伏せになり、メラニーが素足で彼の背中の上を歩いた。それは、快楽と苦痛とが微妙に入り混じった経験だった。顔は固い床に押しつけられ、首はねじ曲げられ、息は肺から圧《お》し出され、肩甲骨は胸から突き出そうになり、背骨は、錆ついた蝶番《ちょうつがい》のように軋んだけれども、彼は苦もなくオルガスムスに達することができたろう――考えてみれば、驚くには当たらない。この種のことに、娼家でかなりの金を払う男もいるのだ。彼は、メラニーが彼の臀部でバランスをとると、静かに呻き声をあげた。彼女は飛び降りた。

「痛かった?」

「いや、いや、なんでもない。続けたまえ」

「今度は、あたしの番よ」

いや、いけない、と彼は抗議した。自分は重過ぎ、無骨過ぎるので、君の背骨を折ってしまうだろう。だが彼女は、どうしてもと言い張り、処女の生贄《いけにえ》さながらに、白いドレス姿で彼の前にうつ伏せになった。娼家もかくやだ……キャロルが、小山のような黒人の柔道愛好家の体の上でジャンプをしているのを、彼は横目で見た。黒人の柔道愛好家は、「踏んでおくれ、ベイビー、踏んでおくれ」と呻き声で言っていた。部屋の暗い一隅では、カウボーイと南軍兵士が、ディアドリと、盛んに鼻を鳴らしたり深い息をしたりして、何やら風変わりで複雑なことをしていた。

「さあ、フィリップ」とメラニーが促した。

彼は靴と靴下を脱いでメラニーの背中におずおずと登り、両手を広げてバランスをとったが、彼女の肉と骨は、彼の重みのもとで撓《たわ》んだ。ああ、まったく、柔らかい娘の肉体を、胼胝《たこ》の出来た足で捏《こ》ねるという行為には、恐ろしいほどの快感を覚える。葡萄を踏む時も、こんな具合に違いない。彼は、なんの下着にも守られていない（大変な思い違いでなければ）愛らしい乳房が、固い床に押し潰されはしまいかと懸念したと同時に、打ち伏した乙女を思うがままに支配していることに、暗いロレンス的な歓びを覚えた。

「痛いかい？」

「ちっとも。素敵だわ。あたしの脊椎にとってもいいわ。分かるのよ」

彼は、片足を彼女の腰のくびれにしっかりと置いてバランスをとり、もう一方の足で尻の両側を、交互に優しくぐりぐりぐり回した。足ってやつは、ひどく過小評価されてる性感帯だなあ、と彼は、つくづく感じた。その時、彼はバランスを失って後ずさりし、コーヒーカップと受け皿を踏みつけてしまった。コーヒーカップと受け皿は、いくつかの小片に砕けた。

「あら、あら」と言ってメラニーは起き直った。「足に怪我をしなかった？」

「大丈夫さ。でも、このかけらを片付けなきゃ」。彼は靴を突っかけ、破片を持って台所のほうに摺り足で出て行った。そして、それを金属製ゴミ入れに入れていると、カウボーイが飛び込んできて、戸棚や引出しを開けはじめた。カウボーイは、ブリーフしかはいていなかった。

「サラダオイルをどこかで見なかったかな、フィリップ？」

「みんな、また腹が減ったのかい？」

「違う、違う。みんな裸になって、オイルを擦り込み合うんだ。やったことある？　最高さ、ああ！」カウボーイは戸棚から大きなコーンオイルの缶を引っ張り出し、勝ち誇ったようにそれを空《くう》に投げた。

「胡椒と塩も要るのかい？」とフィリップは弱々しい調子で冗談を言ったが、カウボーイは早くも台所を出るところだった。「さあ、来いよ！」とカウボーイは、投げつけるように肩越しに言った。

「パーティーはスイングしはじめたぞ」

フィリップは、決心しかねて靴の紐をゆっくり結んだ。それから、廊下に出た。笑声と歓声と、ふたたび始まったシタールの音楽が、暗い居間から聞こえてきた。ドアが半開きになっていた。彼は敷居のところでためらい、そのまま歩き続け、メラニーたちの部屋から離れ、階段を昇り、誰もいない自分の部屋に着いた。心の半分は、悲しげにこう言っていた。「おまえは、あんなふうなことをするには齢をとり過ぎている、スワロー。おまえは、ばつが悪い思いをし、醜態を晒すだけだ。ヒラリーのことも考えたらどうだ？」そして、心のもう半分は、こう言っていた。「くそったれ《シット》！」（心の中とは言え、自分がそんな言葉を使うのを聞いて、彼はびっくりした）。「シット、スワロー。一体おまえに、あんなふうなことをするほど若い時があったかね？　おまえは怖いだけだ、自分も怖いし女房も怖いのさ。何を逃してしまうのか考えてみろよ。メラニー・バードにサラダオイルを擦り込む。そいつをちょっと考えてみろよ！」彼はそのことを考えてみて、戻るべきかどうか自問自答しながら自分の部屋の前で実際に向きを変えたが、その時、ほかならぬメラニーが下から上がってくるのを見て、驚いた。彼女は囁いた。「今夜、あなたのところに泊まっていいかしら？　あの男たちの一人が淋病に罹ったってこと、知ってるのよ、それも、そう昔のことじゃなく」

「全然かまわないさ」と彼はかすかにつぶやき、彼女を部屋に入れた。そして、不意に素面《しらふ》になった。心臓は、どきんどきんと動悸を打ち、内臓はとろけた。これがあれなんだろうか、と思った――十二年間一夫一婦制を守ってきたあとで、自分は別の女と情交しようというわけなのだろうか？ こんな簡単なことなのだろうか？ 準備行為もなければ、駆け引きもないのだろうか？ 彼は、部屋の中の明かりを点けた。二人は、突然まばゆい光を浴びて、目をぱちくりさせた。メラニーでさえ、少し恥ずかしそうだった。

「どこに寝たらいいかしら？」と彼女は言った。

「分からないなあ、どこに寝たい？」彼は、彼女の先に立って廊下を通り、ホテルのポーターよろしく、ドアをさっと開けた。「これがメイン・ベッドルーム」と彼は言って明かりを点け、夜、大の字に寝ると運動場のように広く感じられる、キングサイズのベッドを見せた。「それから、僕が書斎に使っている部屋がこれなんだけど、ベッドがあるんだ」。彼は書斎に入って行き、何冊かの本と書類を寝椅子の上からさっとどけた。「こいつは実際、とても快適なんだ」と、彼は扇の形に広げた指でマットレスを押しながら言った。「どっちでも好きなほうにしたまえ」

「そうね、それはあなたがファックしたいかどうかによると思うわ」

フィリップは、怯んだ。「うん、そう、君の気持ちは？」

「本当を言うと、したくないのよ、フィリップ。あなたが好きとか嫌いとかいう、個人的意味じゃ全然ないんだけど、疲れ切っちゃったのよ」。彼女は、猫を想わせる欠伸《あくび》をした。

「なら、僕のベッドにしたまえ。僕はここで寝る」

「あら、駄目よ。あたしは寝椅子にするわ」。彼女は勢いよく、その上に坐った。「具合がいいわ、本当に」

「まあ、君がどうしてもって言うんなら……浴室は廊下の突き当たりにある」

「ありがとう。本当にご親切ね……」

「どういたしまして」とフィリップは言って一礼し、部屋から出た。こんなふうに自分が体《てい》よく追い払われたことを喜ぶべきか、悲しむべきか、彼には分からなかった。このどっちつかずの気持ちのゆえに、どうしても目が冴えてしまい、キングサイズのベッドの上で輾転反側した。ひょっとしたら眠れるかもしれないと期待して、タイマー付きラジオを低くかけた。ダイヤルは、前の晩に聴いたチャールズ・ブーン・ショーのところに合わせたままになっていた。女ブラックパンサーが、産業資本主義の後期の段階における抑圧された少数民族の置かれた状況に、マルクス・レーニン主義の革命理論を適用するとはどういうことかを、電話をかけてきた聴取者に説明していた。フィリップは、スイッチを切った。しばらくして、アスピリンを一錠取りに浴室に行った。書斎のドアが半開きになっていた。彼は、別になんという考えもなしに、書斎に入って行った。メラニーは、すやすや眠っていた。深く規則正しい寝息が聞こえた。彼は机の前の椅子に腰を下ろし、電気スタンドを点けた。笠に反射した光が、眠っている若い女に、かすかな輝きを与えた。長い髪はロマンチックに枕の上に広がり、片方の剝き出しの腕は床に垂れていた。彼はパジャマ姿で坐りながら、一方の足が痺れるまで彼女を見つめていた。足をこすって痺れを取ろうとするとメラニーが目を開け、初めはぼんやりと、続いて怖そうに彼をじっと見、それから、眠たげな顔をしながらも、彼が誰であるのかを認めた。

「本を捜してたのさ」と彼は、依然として足をこすりながら言った。「眠れそうもないのさ」。彼は神経質そうに笑った。「興奮し過ぎちゃってね……君がここにいるってことを考えると」

メラニーは、ベッドの上掛けの端を、黙って誘《いざな》うような身振りで持ち上げた。

「どうもご親切に、本当にかまわないのかい?」と彼は、混み合った列車のコンパートメントで席を詰めてもらった者のように、小声で言った。事実、ベッドは入ってみると、混んでいた。彼は、落ちないようにメラニーにしがみつかねばならなかった。彼女は温かく、素裸で、しがみつくには気持ちがよかった。「おお」と彼は言い、次に「ああ」と言った。けれども、それは完全に満足のいくものではなかった。彼女は依然として半分眠っていて、彼は生まれて初めての状況に置かれて半分取り乱していた。彼はあまりに早く頂点に達し、彼女には、ほとんど悦びを与えなかった。そのあと、眠りながら彼女は、彼の首に回した両腕に力を入れ、「ダディー」と泣き声で言った。彼は、彼女からそっと身をふりほどき、忍び足で自分のキングサイズのベッドに戻った。だが、その上には横にならなかった――そのかたわらに跪《ひざまず》いた。あたかも、それがヒラリーの殺害された死体を載せた棺台ででもあるかのように。そして、両手に顔を埋めた。ああ、神よ、この疚しさ、この疚しさ!

一方モリス・ザップは、バーナデットが泣き喚き、オシェイ医師が呪詛の言葉を吐くのを、自室のドアの後ろに身を縮めて聞きながら、疼《うず》くような疚しさを覚えた。オシェイ医師は、バーナデットを自分のベルトの端で懲らしめていた。というのも、オシェイ医師は、彼女が猥本を読んでいる現場を見つけたからだ。しかも彼女は、それを読んでいただけではなく、同時にみずからを瀆《けが》してもいたのだった――それは（とオシェイは、がなり立てた）、おまえが告解室に行くまでに、たまたま息を引き取ったら（彼女の悲鳴から考えて、それは大いにありうることだった）、おまえの魂を、そのまま地獄にすっと運んでしまう大罪であるのみか、肉体的、精神的堕落の一因でもあり、ひいては盲目、不妊、子宮頸癌、精神分裂症、女子淫乱症、麻痺性痴呆の原因になる……モリスが疚しさを覚えたというのも、問題の「猥本」は、その晩の早い時間に彼が熟読していた『プレイボーイ』だったからだ。彼がオシェイをライリー夫人のところに車で送って、また一緒に戻ってきた時（それは一時間ほど前のことだった）、バーナデットがテレビのチカチカする光のもとでそれを読んでいるのを見て、彼女に持って行かせたのだ。彼女は読むのに夢中だったので、雑誌を閉じて椅子の下に押し込むには、百万分の一秒ほど遅かった。彼女は顔を赤くし、身を竦めながら何やらどもって詫びを言い、ドアのほうに横歩きした。

「『プレイボーイ』が好きかね？」と、モリスは宥めるように言った。彼女は、人を疑うような顔で、首を横に振った。「さあ、貸してあげよう」と彼は言って、雑誌を彼女のほうに投げた。それは彼女の足元の床に落ち、カメラに向かって、誘うように尻をひねっているミス一月《ジャニュアリー》の載っている中央の見開きページが偶然に開いた。バーナデットは、見ていてどぎまぎしてしまうほど隙間のある歯を見せて、にたっと笑った。

「ありがと、旦那」と彼女は言い、雑誌をさっと拾い上げ、姿を消したのだ。

いまや彼女の悲鳴は静まって、くぐもった啜り泣きに変わった。怒り心頭に発した家長《パーテルファミリアス》の近づいてくる足音を聞いたザップは、慌てて自分の椅子に戻り、テレビを点けた。

「ザップさん！」とオシェイは言って部屋に飛び込んでくると、モリスとテレビの中間に陣取った。

「どうぞ《カム・イン》」とモリスは言った。

「ザップさん、あなたが何をお読みになろうと、わたしの知ったことではないけれども――」

「右腕を少しばかり上げていただけませんか？」とモリスは言った。「画面がちょっと隠れちまうもんで」

オシェイは、言われたとおり腕を上げた。すると、法廷で宣誓している男に似てきた。ストロベリー・ホイップの毒々しい色の広告が、オシェイの腋の下に、いやらしい水疱のようにふくれ上がった。「でも、ポルノを家に持ち込まないよう、お願いせねばなりますまい」

「ポルノですって？　僕が？　ぼかあ、ポルノなんかほっぽるの」とモリスは軽口を叩いたが、このギャグはオシェイには耳新しいものだという確信があった。

「わたしは、バーナデットがあなたの部屋から持って行った唾棄すべき雑誌のことを言っとるんで。あなたの知らんうちに、だと思いますがな」

モリスは、この探りの言葉に引っかからないようにした。オシェイがそう言ったのは、バーナデットが健気にも、真相を告げなかったからだ。「ひょっとして、僕の『プレイボーイ』のことをおっしゃってるんじゃないでしょうね？　でも、もしそうだとしたら滑稽ですよ。『プレイボーイ』はポルノなんかじゃない。金輪際！　本当の話、牧師だって読んでるんですよ。牧師だって寄稿してるんですよ！」

「新教《プロテスタント》の牧師でしょうな、たぶん」とオシェイは鼻であしらった。

「返していただけませんか」とモリスは言った。「あの雑誌を」

「破いちまいました、ザップさん」とオシェイは厳かに宣言した。モリスは、彼の言うことを信じなかった。三十分も経たぬうちに、やつはどこかに身を隠し、『プレイボーイ』の写真を見ながら自慰をし、涎を流すだろう。もちろん、それは女の写真ではなく、ウイスキーとハイファイ装置のフルカラー写真だけれども……

テレビではコマーシャルが終わり、オシェイのご贔屓の連続物のクレジットタイトルが、そのきわめて特徴的なテーマ音楽とともに画面に現われた。医者は、それを横目で観はじめた。体のほうは、立腹していることを示す、こわばったポーズは崩さずに。

「坐ってご覧になったらいかがです？」とモリスは言った。

オシェイは、いつもの椅子にゆっくりと体を沈めた。

「別に、あなたのことをどうこう言ってるんじゃないんです、お分かりでしょうな、ザップさん」と彼は、きまり悪そうに小声で言った。「でも、あの娘《こ》があああいうものを読んでるのを、オシェイ夫人が見つけたら、わたしに文句の言いどおしでしょうからな。バーナデットは、家内《あれ》の姪なんで、あれはあの娘《こ》の身持ちに責任があると感じとるんですよ」

「それは当然ですな」とモリスは、慰めるように言った。「スコッチにします？　バーボンにします？」

「ほんの一滴、スコッチを頂ければ大変結構ですな、ザップさん。先程の醜態をお詫びします」

「水に流しましょうや」

「わたしらは世慣れています、もちろん。ですが、ぽっと出のスライゴーの小娘は……刺激的な読み物を厳重に仕舞っておいてくださると、わたしらは安心すると思うんですがな」

「あの娘《こ》が、ここに押し入ってくるとでもお思いで？」

「うーん、あれは日中、この部屋に掃除にくるわけですからな……」

「本当ですか？」

モリスは、このサービスに対して週に余分に三十シリング払うことにしたが、その金のいくらかがバーナデットの手に渡るとしたところで、それは大した額ではあるまいと思った。翌朝、彼女と階段で擦れ違った時、モリスは彼女の手に一ポンド紙幣をそっと握らせ、「君が僕の部屋を掃除してくれてるんだってね」と言った。「実によくやってくれてるよ」。彼女は、歯なしの口を開けてにやりとし、憧れを込めて彼の目を見つめた。

「今晩、あんたんとこさ、行ぐべえか？」

「いや、いや」。彼は慌てて首を横に振った。「君は誤解してるよ」。しかし彼女は、オシェイ夫人が踊り場を、ずしんずしんと歩く音を耳にしたので、そのまま通り過ぎてしまった。歯があろうとなかろうと、こんなチャンスを逃さずものにした時代がモリスにはあったけれども、いまや——齢のせいなのか気候のせいなのか、彼には分からなかった——その気になれず、そうした努力も、生まれてくるであろう面倒な事態に直面することもできなかった。彼は、バーナデットと同衾《どうきん》しているところはもちろん、ただ単に、中に入れてくれと彼女が懇願している時に、ドアの後ろに自分がいるところをオシェイ夫妻に見つけられればどういう結果になるか、いとも容易に想像することができた。真冬のラミッジで新しい住まいを探すという犠牲を払うに値するものは、何もないのだ。なんであれ不測の事態を避けるためと、このへんで骨休めをするために、モリスはロンドンに出掛けて一泊することにした。

フィリップは、自宅の台所で皿洗いをしている夢から醒めた。寝汗をかいていた。夢の中では、無感覚な指先から次々に皿が落ち、床のタイルに当たって砕けた。彼の手伝いをしているように見えるメラニーは、次第に高くなっていくかけらの山を、目を丸くして眺めていた。彼は呻き、目をこすった。最初、肉体的不快感しか意識しなかった——胃のもたれ、頭痛、口中の硫黄じみた味。浴室に行く途中、彼の霞んだ目は、開いた書斎のドア越しに、寝椅子の上の乱れたシーツに惹きつけられた。すると、記憶が蘇った。彼は、しゃがれ声で彼女の名前を呼んだ。「メラニー?」なんの応《いら》えもなかった。浴室には誰もいなかった。台所にも誰もいなかった。彼は居間のカーテンを引き開けたが、日光が部屋の中にさっと射し込むと、身を竦ませた。誰もいなかった。彼女は行ってしまったのだ。

さて、どうする？

彼の魂は、彼の胃袋同様、混乱していた。メラニーが、彼のいわば疲れて不器用な欲望にさりげなく応じてくれたということは、振り返ってみると、ショッキングで、感動的で、刺激的で、不可解だった。彼女が今度の出来事に、どんな意味を与えているのかは、彼には推測できなかった。したがって、今度二人が会った時にどう振る舞ってよいのか分からなかった。だが、と彼は、ずきずき痛む頭を両手で抱えて自分に言い聞かせた。エチケットの問題は、倫理の問題に比べたら第二義的だ。基本的問題は、これだ——自分は、あれをまたやりたいのか？　あるいはむしろ（それは愚問だったからだ。あれをまたやりたくない人間などいるだろうか）、チャンスが訪れたら、自分はあれをまたやるつもりなのか？　地滑り地帯《スライド・エリア》に居を定めたのもゆえなしとしない、と彼は、窓外の景色を見つめながら、暗澹たる気持ちで考えた。

彼はその日、何度も何度も窓の外を眺めた。メラニーについてどうするかを決めるまで、アパートの外に思い切って出てみる気になれなかったからだ——二人の関係を深めようと決めるにせよ、何も起こらなかったふりをしようと決めるにせよ。彼は、ヒラリーに長距離電話をかけ、彼女の声が自分の惑乱した気持ちに電気ショック療法のような作用を及ぼすかどうか試してみようと思ったが、いよいよという間際になって勇気が挫け、交換手に、インターフローラを、その代わりに頼んだ。彼は、何も決めぬままに日没を迎えた。早めに寝室に退き、夢精をして真夜中に目を覚ました。急速に思春期に逆戻りしているのは明らかだった。ラジオをかけると、最初に耳に飛び込んできたのは「汚染」という言葉だった。チャールズ・ブーンが、この世の終わりについて話していた。どうやら米陸軍は、地球上の全人類を殺すに足るだけの神経ガスの入った金属製容器《キャニスター》を、地下の洞窟の深くに埋め、がっしりとコンクリートで固めたようなのだが、不幸にも、その洞窟がまさにユーフォーリア州全域を貫く地質断層の上にあるという事実を、看過してしまったらしい。

やるべきことは、とフィリップは決心した。メラニーに会い、胸襟を開いて話し合うことだ。自分の気持ちを説明すれば、おそらく彼女は、そいつを整理してくれるだろう。彼がぼんやりと心に描いていたのは、二人がまた一緒に寝るという事態を必然的に伴うものではないが、しかし、その可能性をまったく否定してしまうものでもない、大人の、リラックスした、友好的な関係だった。そうだ、あす、メラニーに会おう。彼はふたたび眠り込み、今度は、二度目で最後の地震が起こった時、自分がいちばんあとからエセフを脱出する夢を見た。彼は、エセフ空港を離陸する飛行機の中に一人でいた。飛行機が滑走路を突進する際、窓の外を見ると、舗装された滑走路に、亀裂が乱張りさながらに広がっていくのが目に入った。飛行機は、口を開けた地面にあわや呑み込まれようとした時に飛び立った。飛行機は上昇し、バンクした。彼は、壮麗な建物やドームや、雲を頂いた摩天楼が燃え、崩壊し、海に滑り落ちる信じがたいエセフ市の光景を、窓越しに見つめた。

翌朝、湾と都市は陽光を浴びてにこやかに微笑み、地震のラビットパンチを待ちながら、依然としてて存在していた。しかしメラニーは、どこにもいなかった――その日だけではなく、翌日も、翌々日も。フィリップは、時を選ばずやたらに何度も家の外に出たり、玄関の廊下でぶらぶらしている口実を見つけたり、階段で大きく口笛を吹いたりしたが、すべて徒労だった。キャロルとディアドリには実に何度も出会ったので、ついに意を決し、メラニーの居所《いどころ》を尋ねた。知らないわ、ここ数日いないのよ、何かあたしたちでお役に立てることはないかしら、と二人は言った。彼は二人に礼を言った――いや、結構。

その日の午後、彼はディーラー・ホールの廊下で、一組のブーツにけつまずいた。それは、ハワード・リングボームの研究室のドアの前の床に坐っていたカウボーイのものなのが分かった。カウボーイは、リングボームのところに、勉学上の相談に来たのだ。

「やあ!」とカウボーイは、意味ありげに横目で見ながら言った。「メラニーはどうしてる?」

「知らないんだ」とフィリップは言った。「最近、会ってないのさ。君は会ったかい?」

カウボーイは首を横に振った。

リングボームのか細い、鼻にかかった声が廊下に流れてきた。「君はレポートの中で、サタイアーという言葉とセイターという言葉を混同して使っているようだね、ミス・レノックス。サタイアーというのは詩の一種だ。セイターというのは、ニンフを追いかけて時を過ごす半分人間、半分山羊の好色な生き物だよ」

「僕は行かなきゃ」とフィリップは言った。

「チャオ」とカウボーイは言った。「のんびりやってよ」

これは、言うは易く行うは難し、だった。彼は、自分が強迫観念に次第に取り憑かれていくのを感じた。その夜、彼は、いまラジオでチャールズ・ブーンと話しているのはメラニーだと確信した。スイッチを入れた時に耳に入ったのが、会話の本当に最後の部分に過ぎなかったのは、じれったかった。「こう思いません？」とメラニーは言っていたのだ。「占有するということではなく、共有するということに基礎を置いた対人関係という、まったく新しい概念をあたしたちは目指すべきだって？　つまり、言ってみれば、感情の社会主義……」

「そのとおり！」

「そして、感情の社会主義と、それから……」

「それから？」

「そう、それだけだと思うわ」

「やあ、ともかく、ありがとう、素敵だった」

「そう、あたしはそんなふうに考えるのよ、チャールズ。お休みなさい」

「お休み。また電話してね。いつでもね」とチャールズ・ブーンは、意味深長に付け加えた。その若い女――メラニーだろうか？――は、笑って電話を切った。

「キュー・エックス・ワイ・ズィー・アングラ放送」とチャールズ・ブーンは、節を付けて言った。

「いまお送りしてるのは、チャールズ・ブーン・ショーです。ダック知事が禁止しようとしたショーです。〇二四の九八九八にお電話くださいね。あなたの考えを聞かせてくださいね」

フィリップはベッドから飛び起き、ガウンを羽織って一階の部屋に駆け降り、ベルを押した。かなり長い間があってから、ディアドリがドアのところに来て、ドア越しに大きな声で言った。

「どなた？」

「僕さ、フィリップ・スワローさ。メラニーと話したいんだ」

ディアドリはドアを開けた。「あの人は、ここにはいないわ」

「メラニーがラジオで話してるのを聞いたところなんだ。チャールズ・ブーン・ショーに電話したのさ」

「あら、でも、ここからかけたんじゃないわ」

「確かかい？」

ディアドリはドアを大きく開け、「部屋の中を捜してご覧になる？」と皮肉っぽく言った。

彼は階段を昇りながら、おれはこんなことじゃいかん、と独りごちた。休養が、何か気晴らしが必要だ。次の授業のない日、彼はバスに乗って、長い二層《ダブル・デッカー》の橋を渡ってエセフの繁華街に出た。彼は、モリス・ザップがロンドンのヒルトン・ホテルのグリルに坐って、イギリス到着以来初めて目にした、恥ずかしからぬステーキに、がぶりと歯を立てた、まさにその瞬間（時計によると七時間早かったが）、バスから降り立った。

ヒルトン・ホテルは宿泊料のひどく高いホテルだったが、ラミッジで三週間過ごしたあとでは、自分をいくらか甘やかしてやる義務があると、モリスは考えた。そして、いずれにせよ、十七階の暖かい、防音装置付きの、優雅に家具調度を設えた部屋に泊まるからには、そいつを十分に堪能してやろうと決心していた。彼は、チェックインしてから、すでに二度シャワーを浴び、床全体に敷き詰めた絨毯の上を裸で歩き回り、温められた空気の淀みない流れに身を浸し、ベッドの上にまた乗ってテレビを観、ルームサービス係に昼食を注文した——クラブサンドイッチと、それに加えてフレンチフライ、さらに食前酒として、グラスになみなみと注がれたマンハッタン、食後のデザートとしてアップルパイ・ア・ラ・モードを。これはすべて、アメリカの生活では、快適さをもたらす素朴で日常的なものだ——しかし、異国に住む者には、なんと稀有な快楽に思われることか。

だが、快く満腹して食堂からよたよたと出、ロビーの葉巻店で高価なパナテラを選んだ時、回転ドアの外に顔を突き出し、「スイングするロンドン」を垣間見てもいい頃だろうと思った。彼は外套、手袋、ラミッジのチェーンストアで買った、黒いナイロンの毛のフルシチョフ帽を身につけ、薄ら寒い夜のロンドンの街に勇んで出た。ピカデリーを通ってサーカスに出、それからシャフツベリー通りを経由してソーホーに着いた。ストリップクラブの戸口で震えている呼び込みが、数ヤードごとに彼に声をかけた。

ところで、世界最大のストリップ産業の中心地、すなわちエセフのサウス・ストランドの入口に何年も住んでいるモリス・ザップは、実際にはこの形態の娯楽を試したことが一度もないのだ。ブルーフィルム。これは観た。ポルノ。これは、もちろん。ポルノはユーフォーリアのインテリのあいだでは広く受け入れられている気晴らしだった。だが、エセフの土着のストリップは、そして、その専門化したバリエーションの一切は……

まさにその瞬間、それをフィリップ・スワローは、生まれて初めて眺めているのである。昔よく訪れた場所を見にサウス・ストランド地区に歩いて行った彼は、いま、コーテズ通りに沿って軒を連ねているストリップ小屋――トップレスとボトムレスの卓球、ルーレット、靴磨き、バーベキュー、フリースタイルのレスリング、ゴーゴーダンス――を、信じられない、といった面持ちで、じろじろ眺めながら立っているのである。かつてそこには、落ち着いたサロンやカフェや手芸品店や画廊や諷刺寸劇専門のナイトクラブや詩の朗読会が開かれる地下室があったのに、いまでは、**ガールズ！　ガールズ！　ガールズ！　ガールズ！**　とか、**ストリップ・ストリップ・ストリップ**とかいう、巨大なネオンの文字が日光と張り合い（ユーフォーリアでは、まだ午後になったばかりなので）、ぶらぶらしている男どもを、ビロードのカーテンの背後の煙色の暗がりに誘い込もうとしている。その暗がりの中では、ロックミュージックが、びんびん、ずしんずしんと響き、ミサイルの円錐形頭部《ノーズコーン》にも似た、途方もなく大きい、磨き上げられた乳房を持った、表の写真の女たちが、「**お客様の前で全裸で踊ります。彼女たちは絶対に何も隠しません……**」

……それは、完全におのぼりさんと観光客とビジネスマン向けのものだった。モリス・ザップの粋人としての評判は、サウス・ストランドのストリップ・バーの客となっているところを同僚か学生かに見られたら、たちどころに失墜してしまっただろう。「なに、モリス・ザップが？　トップレス・ショーに行くって？　モリス・ザップが金を払って裸のおっぱいを見るんだって？　なんてこったい、モリスは近頃じゃ、そいつをたっぷり拝めないのか？」」等々、こんなふうにからかわれるだろう。そういうわけでモリスは、サウス・ストランドのどんなストリップクラブの敷居も跨いだことがないのだ。もっとも、レストランや映画館に行く道すがら、下劣な好奇心を、ちくりと感じることはよくあったが。そして、いま、あたりで彼を見るのは見知らぬ者ばかりの――それも数は多くない（ひんやりと薄ら寒い夜だからだ）――故郷から六千マイル離れたソーホーの異境のポルノの真ん中に立ちながら彼は、「いいじゃないか」と考え、すぐ目の前のストリップ小屋に、入口にいるわびしげなインド人の鼻先を通り、体をかがめて入って行く。

そして、「いいじゃないか」とフィリップ・スワローは考えた。「これは、いままで見たことのないものだし、いつも見たいと思っていたものだし、害はないし、僕が見たことは誰にも知られないし、とにかく文化的、社会学的興味のある現象でもある。いくらするんだろうな」。彼はコーテズ通りを行ったり来たりして、日中のこんな早い時間に開いている小屋の品定めをしたが、やがて、「プシーキャット・ゴーゴー」と称する小さなストリップ・バーを選んだ。その小屋は、テーブルチャージその他の代金は頂かずトップレスとボトムレスのダンサーをご覧に入れますと約束していた。彼は、一つ深く息をして、暗がりの中に飛び込んだ。

「コンバンハ、旦那」とインド人は、相好を崩して笑った。「オ代ハ一ポンドネ、旦那、イマ始マルトコロデスヨ、旦那」

モリスは一ポンド払い、粗ラシャのカーテンを潜《くぐ》り、スイングドアを押して中に入った。中は小さな暗い照明の部屋で、三列の曲げ木の椅子が、小さな低い舞台の前に引き寄せられていた。スポットライトが舞台の上に、水溜りのような菫《すみれ》色の光を投げかけ、古ぼけた拡声器が、ぜいぜい苦しみながらポップミュージックを流していた。部屋はひどく寒く、モリス以外、まったく誰もいなかった。彼は最前列の真ん中の椅子に坐って待った。数分後、彼は入口に戻った。

「君」と彼はインド人に言った。

「飲ミ物デスカ、旦那、ビールデスカ、旦那?」

「僕はストリップを見たいんだがね」

「カシコマリマシタ、旦那。チョットオ待チクダサイネ、旦那。モウ少シ我慢シテクダサイネ。アノ女ノ子ハ、モウスグ来マスカラネ、旦那」

「一人っきゃいないのかい?」

「一回ニ一人ネ、旦那」

「中はやけに寒いな」

「ヒーター、持ッテ来マスネ、旦那」

モリスが元の席に戻ると、インド人は長いコードを引きずりながら、小さな電気ヒーターを持ってあとからついてきたが、そのコードは、モリスのところに届くほど長くはなかった。ヒーターは、彼の席から数ヤード離れた菫色の暗がりの中で、弱々しくぼっと光った。モリスは帽子をかぶり、手袋を嵌め、外套の襟元までボタンを掛け、むっとした顔で新しい葉巻に火を点け、最後まで頑張る決心をした。彼は手ひどい間違いを犯したのだが、それを認めるつもりはなかった。そこで彼は腰を下ろし、葉巻を吸い、がらんとした舞台を見つめ、血の巡りをよくするため、冷え切った四肢を時おりこすって温めた。

一方、フィリップ・スワローは、失望させられ、だまされ、欲求不満にさせられ、最後には退屈させられるものと覚悟していたが（商業化されたセックスの場合、そんなものはインチキで退屈なものだと思い込むのが、世間一般の知恵ではなかろうか？）、反対に、全然退屈せず、三人の美しい若い女の一人が、彼の鼻先から三ヤードも離れていないところで全裸で踊っているあいだ、ジントニック（一ドル五十セントは高かったが、テーブルチャージがないのは本当だった）を坐って飲みながら、心《しん》からうっとりして楽しんだ。そして、彼女たちは美しいばかりではなく、思いもかけず健康的で知的な顔をしていて、予想していたような、ふしだらで斜に構えたやんちゃ娘ではなかった。だから人は、彼女たちがこういうことを、金のためではなく、好きでやっているのだと思ってしまうかもしれない——ともかくも、ポップミュージックの響きに合わせて足を引きずり、腰をくねらすことが好きなのだから、そうしているあいだ服を脱ぎ、同時に罪のない、ちょっとした愉しみを人に与えてやったっていいではないか、と彼女たちは考えているかのようだった。そうしたダンサーが三人いて、一人が踊っているあいだ、別の一人が飲み物を運び、三人目が休息した。彼女たちは、ブリーフと子供のチョッキのような、小さいシフトドレスを身につけていたが、狭苦しい建物の中には更衣室などなかったので、バーの客が見ている前で、慎ましく、しかしまったく自意識を持たずに、そうした単純な衣裳を脱いだり着たりした。ストリップティーズ（「ストリップ」の正式な英語。「ティーズ」は「じらす」の意）というのは、まったく見当違いの言葉だった。人をじらすようなことは、全然なかったからだ。彼女たちは、交替する時、親しそうに軽く肩を叩き合った。それは、女子修道院附属学校のリレーチームの思い遣りに満ちた友情を彷彿とさせた。それ以上いやらしくないものはなかったろう。

モリスの葉巻が半分ほど煙になった時、粗ラシャのカーテンの向こうで、若い女の大きな声がするのが聞こえた——詫びているのか文句をつけているのか、よく分からなかった。女は鼻風邪をひいていたからだ。やがてインド人が、部屋の一隅にある急ごしらえの仕切りの後ろに女を伴って行った。スワロー夫人のと同じようなブーツを履き、ヘッドスカーフをかぶり、小さなビニール製のジッパー付きバッグを持って、足を引きずりながら通り過ぎた女のセクシーさは、シベリアのミス五ヵ年計画ぐらいだった。だがインド人は、自分の顔が立ったとどうやら思ったらしかった。満面に笑みを湛えていた。そしてハンドマイクを手に取り、依然としてただ一人の客であるモリスを見つめながら、がなり立てた——

「皆様コンバンハ！　今晩最初ニ舞台ニ立チマスノハ、フランスノ女中フィフィデゴザイマス。サンキュー」

インド人がテープレコーダーのつまみをいじると音楽が急に大きくなり、黒の下着とストッキングの上に、極小のレースのエプロンという扮装《いでたち》の金髪の女がスポットライトの中に歩み入り、羽毛のはたきを持ってポーズをとった。

「いやあ、こいつは驚いた」とモリスは大声で言った。

メアリー・メイクピース（彼女だったのである）が一歩前に出、手を翳して光を遮った。「だあれ？　その声、知ってるわ」

「ストラットフォード・アポン・エイヴォンはどうだったね？」

「あら、ザップ教授！　こんなところで何なさってるの？」

「君におんなじ質問をしようと思ったよ」

インド人が慌ててやってきた。「オ願イ！　オ願イ！　オ客サンハ芸人ト話スコト、許サレテマセン。演技ヲ続ケテクダサイ、フィフィ」

「そうだよ、続けろよ、フィフィ」とモリスは言った。

「聞いてよ、この人はお客さんじゃないの。あたしの知ってる人なのよ」とメアリー・メイクピースは言った。「あの人のために裸になるなんてご免だわ。それに、ほかのお客さんは誰もいないんだもの。猥褻よ」

「猥褻なのは当然じゃないか。ストリップの目的はそれだからね」とモリスは言った。

「オ願イ、フィフィ！」とインド人は懇願した。「アンタガ始メレバ、ホカノオ客モ来ルカモネ」

「いやよ」とメアリーは言った。

「アンタハ、クビ」とインド人は言った。

「結構よ」とメアリーは言った。

「一緒に飲もうや」とモリスは言った。

「どこで？」

「ヒルトンで」

「そうね、そうしようかしら。コートを取ってくるわ」

モリスは、タクシーを拾おうと大急ぎで表に出た。これで、今晩のいままでの埋め合わせができるというものだ。彼は、ヒルトン・ホテルの快適な部屋で、メアリー・メイクピースと親交を深めることを期待したのだ。タクシーが歩道の縁石から離れると、彼は彼女の肩に腕を回した。

「君みたいないい娘《こ》が、あんなところで何をしてるんだい？」と彼は言った。「月並みな文句だけど」

「あなたと一杯やるだけってことは、了解済みだと思うけど、ザップ教授？」

「もちろんさ」と彼は、物柔らかい調子で言った。「ほかになんだっていうんだい?」

「一つにはね、あたしはまだ妊娠中なの。堕胎手術は受けなかったのよ」

「それを聞いて嬉しいよ」とモリスは、腕を外しながらぶっきらぼうに言った。

「だろうと思ったわ。でも、あたしの決心には倫理的なところは何もないのよ、お分かり? あたしはいまでも、自分の生物学的運命を決定する女の権利を信じてるの」

「そうかね」

「でも、いよいよっていう時に怖気づいてやめたのよ。私立病院だったわ。女の子たちが涙を盛んに流しながらベッド用ソックスのまま、うろうろ歩き回ってるの。便器は血まみれで……」

モリスは身震いし、「細かいところは省いてくれたまえ」と哀願した。「でも、ストリップっていうのは、どうなんだね? あれは搾取じゃないのかい?」

「そうよ。でも、あたしはどうしてもパンが必要だったの。外国人が労働許可証なしにやれる唯一の仕事は、あれなのよ」

「なんでこんなくだらん国に、いつまでもいたがるんだい?」

「ここで赤ん坊を産むためよ。この子に二重国籍を持たせたいの。大きくなった時、兵隊にとられないで済むようにね」

「男の子だって、どうして分かるんだい?」

「どっちにしたって損はないわ。赤ん坊を産むのは、この国では無料《ただ》ですからね」

「でも、こうした類いの仕事を、あとどのくらいできるのさ？　あるいは君は、役柄を〝身重の女中フィフィ〟に変えるつもりかい？」

「あなたのユーモアの感覚は相変わらずね、ザップ教授」

「全力を尽くしてるのさ」


一方、四杯目のジントニックをちびりちびり飲み、二時間ほど「プシーキャット・ゴーゴー」の三人の娘たちの解剖学的構造を研究したフィリップは、世代の断絶《ジェネレーション・ギャップ》の本質を、ついに深く洞察し得たと感じた——それはつまり、齢の差なのである。若い女のほうが若く、したがって、もっと美しい。彼女たちの肌は健康な色艶を帯び、奥歯は依然として健在で、腹は平らで、乳房（ああ！）は固く、太腿（ああ！　ああ！）にはデンマーク産のブルーチーズのように青い血管が浮き出ていない。この断絶は何によって埋められるのか？　もちろん、愛によってである。惜しみなくみずからの堅肉《かたじし》を、彼のような干からびた爺《じじい》に与え、体液がふたたび流れるようにさせるメラニーのような娘によってである。メラニー！　こうして新たな段階に達した悟性の明るい光に照らしてみると、彼女の態度は、なんと単純で好ましく思えることだろう。自分は、感情と論理によって、それを不必要に複雑なものにしていたのだ。

彼は、外に出ようと、やっとのことで腰を上げた。足はまたも痺れてしまっていたが、心は、万人に対する善意に溢れていた。「プシーキャット・ゴーゴー」から出た彼は、コーテズ通りに低く斜めに射す陽光に目がくらみ、アルコールと、足のちくちくする痺れのせいで、いささか足元が怪しくなっていたが、メラニー・バードその人と、ばったり会ったのも、ごく当然のことに思われた。まるで、彼女は彼の願いに応えて忽然と現われたかのようだった。

「あら、スワロー教授！」

「メラニー！　やあ、君！」彼は、いとおしむように両手で彼女の体を、ぐっとつかんだ。「どこにいたのさ？　なぜ僕から逃げたのさ？」

「あたしは誰からも逃げはしないわ、スワロー教授」

「〝フィリップ〟って呼んでおくれ」

「この町にいるだけよ、友達のところに」

「男の友達かい？」と彼は不安な面持ちで訊いた。

「女の友達よ。その人のご主人が刑務所に入ってるの――ユーフォーリア・ナインティー・ナインの一人なのよ。知ってるでしょ？　あの人は、そう、淋しいのよ……」

「僕も淋しいんだ。僕と一緒にプロティノスに戻っておくれ、メラニー」と彼は言ったが、その言葉は、彼の耳に、ぞくっとするほど情熱的で詩的に響いた。

「でもね、あたし、いま、動けないってとこなの、フィリップ」

「『来りて我《われ》と暮らし、我が恋人となれかし。しかして我ら、なべての悦楽を味わわん』（十六世紀のイギリスの詩人マーローの詩の一句）」。彼は、流し目で彼女を見た。

「落ち着いてね、フィリップ」。メラニーは気遣わしげに微笑み、彼に押さえられている両腕を振りほどこうとした。「あのゴーゴーガールに、すっかり興奮させられちゃったのね。ねえ、教えて、いつも考えてたんだけど、あの人たちは本当に素裸なの？」

「そうさ、でも君ほど美しくない、メラニー」

「なんて優しいことを言うの、フィリップ」。彼女は、やっと自由になった。「もう行かなくちゃいけないわ。じゃ、またね」。彼女は、コーテズ通りと本通りの交叉点に向かって、足早に歩き出した。フィリップは、足を引きずるようにして彼女の横を歩いた。コーテズ通りは混みはじめていた。車は道路で警笛を鳴らしたり、エンジンの音を立てたりしていた。歩道の通行人が、二人にぶつかった。

「メラニー！　また消えちゃ駄目だ。このあいだの晩のことを忘れちまったのかい？」

「通りのみんなに聞かせなくちゃいけないの？」

フィリップは、声をひそめた――「僕には、あれが初めてだったんだ」

メラニーは足を止め、目を瞠った。「つまり――あなたは童貞だったの？」

「つまり、妻以外はって意味さ。もちろん」

彼女は、憐れむような顔をして、片手を彼の腕に置いた。「ごめんなさいね、フィリップ。あれがあなたにとって重大なことだって知っていたら、あなたには近づかなかったでしょうに」

「あのことは、君にはまったくなんの意味もないようだね？」と彼は、頭を垂れて悲痛な口調で言った。太陽は、家々の屋根の後ろに落ちた。彼は、湾からの冷たい一陣の風に吹かれて身震いした。その日の午後から、輝かしさは失われた。

「あれはね、ちょっと気分がハイになった時に、よく起こることなのよ。素敵だったわ、でも……分かるでしょ」。彼女は肩を竦めた。

「あんまりうまくいかなかったのは、分かるさ」と彼は、つぶやくように言った。「でも、もう一度チャンスを与えてくれたまえ」

「フィリップ、お願い」

「少なくとも、ここで夕食を一緒にしてくれないか。僕は君に話さなくちゃ……」

彼女は首を横に振った。「ごめんなさいね、フィリップ。駄目なのよ。約束があるのよ」

「約束？　誰と？」

「男の人。本当言うと、その人、あんまりよく知らないの。だから待たせたくないの」

「その男と何をするつもりなんだい？」

メラニーは溜め息をついた。「なら言うけど、あの人がアパートを探すのを手伝ってやるつもりなの。ゆうべ、あの人と同室の男がＬＳＤでらりっちゃって、アパートを焼いちゃったらしいのよ。じゃ、またね、フィリップ」

「君さえよければ、その人は僕のアパートの空いている部屋に寝ていいんだよ」とフィリップは、彼女の腕をつかんで、必死に懇願するように言った。

メラニーは眉をひそめ、ためらった。「あなたの空いている部屋？」

「数日間だけさ、その人がアパートを探しているあいだ。その人に電話して、そう言いたまえ。それからここに来て、一緒に夕食をしてくれたまえ」

「ご自分で話したらいいわ」とメラニーは言った。「あの人は、あそこのモダン・タイムズの前にいるわ」

フィリップは、キラキラ光り、脈打って流れる車の河の向こうの、かつてビート・ジェネレーションの本拠として有名だった、モダン・タイムズ書店を目を凝らして見た。書店の前に、風に吹かれてやや背を丸め、ジーンズのポケットに深く手を突っ込んで股袋《コッドピース》（十五、十六世紀の男子ズボンの前部に、前あきを隠すために付けた装飾的袋）のようなふくらみを作っていたのは、チャールズ・ブーンだった。

3　文通

ヒラリーよりフィリップへ

最愛の人へ
航空書簡《エアレター》、ありがとう。あなたが無事お着きになったと知って、一同喜んでいます。とりわけマシューが喜んでいます。あの子は、アメリカであった飛行機事故の映像をテレビで見て、それがあなたの乗った飛行機だと思い込んでいたものですから。いまあの子は、すぐにも海に滑り落ちてしまう家に住んでいるという、あなたの冗談で心配しています。ですから、次の手紙で、そんなことはないと言って、どうか安心させてやってください。
あなたの階下の娘さんたちが、あなたの男やもめの暮らしを哀れんで、ワイシャツを洗ったりボタンを縫い付けたりしてあげましょうと言ってくれればと思います。あなたが地階の洗濯機と悪戦苦闘している図は、想像できません。ところで、うちの洗濯機は軋るようなひどい音を立てています。修理人の話では、主要ベアリングが駄目になりかかっていて、修理には二十一ポンドかかるそうです。

それだけかける値打ちがあるでしょうか。あるいは、新しいのを買って、いまのはまだ動いているうちに下取りに出しましょうか？

ええ、景色のことは、とてもよく覚えています。もちろん、湾の反対側からでしたけれど――あなたも、わたしたちがエセフで借りた、あの変な屋根裏のアパートのこと、覚えていらっしゃるでしょう。わたしたちが若くて愚かだった時……あらあら、あなたが六千マイルも遠くにいて、わたしはまだ洗い物をしなければならないというのに、センチメンタルになったって仕方がないですね。

そうそう――忘れないうちに書いておきます――『小説を書こう』は、ここでも大学でも見つかりませんでした。もっとも、ザップさんが、もうあなたの部屋に入っていらっしゃったので、隈なく徹底的に捜すというわけにはいきませんでしたけれど。あの方に好意を抱いたとは言えません。あの方は、もうここにお慣れになったのかどうか、ボブ・バズビーに訊いてみましたが、ほとんど誰もあの方を見かけないとのことでした――あの方は、かなり寡黙でよそよそしい人のようで、大部分の時間を研究室で過ごしています。

あなたが飛行機の中で、あの悪漢のチャールズ・ブーンにお会いになったなんて驚きです。そして、あの男がそちらで大成功を収めているなんて。アメリカ人って、本当にかなりだまされやすいんですね。

こちらの一同から愛を

ヒラリー

デジレよりモリスへ

親愛なるモリス

お手紙ありがとう。本当に。面白かった。とりわけオシェイ医師と、あなたの部屋のそれぞれ種類が違う四つの電気のソケットと、英文学科の掲示板の件《くだり》は。子供たちも面白がったわ。あれは、わたしがあなたから受け取った、最初の本当の手紙だと思う――つまり、空港に迎えに来いとか、講義用のノートを送れとかいう、ホテルの便箋に走り書きしたもの以外では。あの手紙を読むと、ともかく、あなたがほとんど人間に近く思えてくるわね。もちろん、あなたが、自分をウイットに富んだチャーミングな人間に見せようと必死で頑張っているのは分かったけれど、それはそれで結構なこと。わたしがだまされない限りは。ええ、だまされないわ。聞こえますか《アー・ユー・リシーヴィング・ミー》（無線連絡の際の用語）、モリス？　**わたしはだまされません。**

　離婚については決心を変えるつもりはないのよ。ですから、決心を変えさせようとして、タイプライターのリボンを無駄にしないで。また、その点では、わたしのためにほかの女との性交を控えるような真似もしないで。あなたの手紙に、そういった意味のことを仄めかした箇所があったけれど、お帰りになった時、やりまくるチャンスを六ヵ月もむざむざ逃してしまったとお感じになるのはいやなので。

それで思い出したわ。あなたが注文なさったロータス・ヨーロッパは、あなたには、やや若い車じゃないかしら？　きのう、エセフの繁華街で一台見かけたけど、そう、正直言って、それはまさに車輪付きのペニスね、そうじゃない？　コルヴェアについて。先週、忘れずに生活協同組合にカードを出してはおいたものの、いまのところ問い合わせは一件だけで、残念ながら、その時、わたしは外出中でした。ダーシーが電話に出たの。あの子がその人になんて言ったかは、神のみぞ知るっていうところ。

冬学期は今週始まるけれど、意外や意外、キャンパスにひと騒動持ち上がる気配あり。先週、ディーラー・ホールの四階の男子用手洗いで爆弾が破裂したの。たぶん、あなたの同僚の誰かがおしっこをしている時に破裂させるつもりだったのでしょうが、内報があったため、みんな建物から避難させられたわ。ホーガン夫妻はくだらないカクテルパーティーに招《よ》んでくれたけれど、わたしは誰ともあまり話さなかったわ。来ていたのは、例のうすのろ連中プラス新顔、つまりチャールズ・ブーン・ラジオ・ショーのご本人。そうそう、忘れるところ。あなたと同じ立場にある人物、フィリップ・スワローに会ったわ。わたしはその頃には大分酔っていて、あの人をスパローと呼んでばかりいたわ。でもあの人は、唇をぐっと噛んでこらえていた。まったくのところ、もしイギリス人が、みんなあの人みたいだったら、あなたがどうやって生き抜くことができるのか、わたしには分からない。あの人ったら、

偶然の一致。ちょうど最後の文章を書きかけた時、窓の外を見ると、庭の車道を歩いてくるのは、

誰あろう、スワローさんその人なのよ。本当を言うと、歩いてくる、と言うよりは、四つん這いで登ってくる、と言ったほうが当たっていたわ。あの人は、キャンパスからここまで、ずっと徒歩で登ってきたわけ——市街地図で見ると、そう遠くないように思われたし、道が垂直に近いことも知らなかったと言っていたわ。あの人がコルヴェアの件で電話をかけてきた人だと分かったわ。あの人は、それを見に来たわけ。ですから、わたしがホーガン家であの人に会ったのは、なんとも具合の悪い話。というのも、もちろんわたしは、あの人にネーダー云々《うんぬん》のことを、すっかり話す必要があったから。当然ながら、あの人は買うのをやめることにしたわ。本当を言うと、ちょっとあの人が気の毒になったの。あの人は早くもだまされて地滑り地帯《スライド・エリア》に建てられた家を借りてしまったようなので、もしコルヴェアを買ったら、外出しようと家にいようと、保険統計上かなり高い危険に晒されたことでしょうよ。

あなたがいないと、ここは大変静かで快適よ、モリス。テレビを壁に向けてしまい、何時間も読書をしたりハイファイでクラシック音楽を聴いたりしてるの——チャイコフスキーとかリムスキー＝コルサコフとかシベリウスとか、つまり、わたしたちが初めて会った時、あなたに言われて、好きなのが恥ずかしくなった、あのスラブのロマンチシズムのすべてを。

双子《ツイン》は元気。二人は、どこかに隠れて何時間も過ごしているわ。性的実験をしているのだろうとは思うけれど、わたしにはどうすることもできない。いまのところ、二人は生物学に夢中。二人はガーデニングにも関心を抱くようになったわ。当然の話、わたしは、我が家の険しい中庭の陽当たりのよい一隅を提供して、二人を励ましてやったの。二人が、あなたを愛してるって伝えてですって。わたしもそうだと言ったら、偽善と言うべきでしょう。

デジレ

追伸。いえ、メラニーには会っていません。ご自分で手紙をお書きになったら？

ヒラリーよりフィリップへ

最愛の人へ
今朝、ジョンソン生花店の人が、あなたがインターフローラを通して送ってきたものだと言って、馬鹿に大きい赤い薔薇の花束を持ってきました。わたしの誕生日でもなんでもないのだから、何かの間違いに決まっていると言ったのですが、その人は花束を店に持って帰ろうとはしませんでした。そこでジョンソン生花店に電話をすると、店の人は、はい、さようです、ご主人様が注文なさいましたと言いました。フィリップ、どうかしたの？　あなたらしくもないわ。一月の薔薇は法外に高かったでしょうね。もちろん温室もので、もう枯れかけています。
『小説を書こう』が見つからないということを書いた、この前の手紙、受け取ったでしょうか？　あなたからお手紙が来てから、もう大分経つような気がします。もう教えているのですか？　スーパーマーケットでジャネット・デンプシーに会いましたら、ロビンは、もし今学期昇格しなかったら、よそに移るつもりでいると言っていました。でも大学は、あなたより先に、あの人を上級講師にはできないでしょうね？　あの人は、あなたよりずっと若いんですもの。

すぐに手紙をください、愛を込めて

ヒラリー

追伸。洗濯機の雑音は一層ひどくなっています。

フィリップよりヒラリーへ

ダーリン

今朝、君からの二通目の航空書簡《エアレター》を見た途端、疚しい気持ちを覚えた。我が過失なり《メア・クルパ》。でも、この一週間、新学期《ターム》（ここではクォーターと言っているけれども）が始まって、かなりごたごたしてたのさ。薔薇は、僕が元気でぴんぴんしていて、君のことを考えている一つの証拠になるのではないかと思ったわけだ。でも、そうではなく、反対の結果になったようだね。正直に言うと、僕はインターフローラに薔薇を頼んだ日の前の晩、かなりの量のジンをがぶ飲みしてしまったのさ。だから、薔薇を送ったというのは、たぶん、二日酔いの贖罪行為だろう。そのカクテルパーティーは英文学科主任のリューク・ホーガン主催のもので、ホーガンの妻は、チャールズ・ブーンに出席してくれるよう口説くのを手伝ってもらいたいと、僕に頼んだものさ。やつは、みんなにちやほやされたよ。目にしたくもなかった皮肉な事態さ。ほかの客の中に、ザップ夫人がいた。ひどく酔っていて、きわめて攻撃的な気分だった。まったくいけすかない女だと思ったが、その後、奇妙な偶然のせいで、やや彼女を見直さざるを得なくなった。中古のシボレー・コルヴェアの売り物の広告を見たので調べてみると、それはザップ一家の古いほうの車だということが分かった。しかしザップ夫人は、僕が誰かを知ると、コルヴェアは安全性に欠けるモデルだと見なされていると話してくれ、買わないほうがいいと、大変正直に言ってくれた。

ザップ一家は、信じがたいほど急な丘の頂上にある豪邸に住んでいる（僕が行った時は、かなり散らかっていた）。ザップ一家には二人の子供（双子《ツイン》）がいて、途方もないような話だが、エリザベスとダーシー（ともにジェイン・オースティンの『高慢と偏見』の登場人物で、最後に二人は結婚する）という名前だ（もちろん、ザップはジェイン・オースティンの専門家だ――事実、おおかたの意見では、ジェイン・オースティンの最高の専門家だ）。このへんの噂によると、彼らの結婚生活は近々《ちかぢか》解消するらしいが、ザップ夫人も、そんなことを僕に匂わせた。彼女は、かなり人に反感を抱かせるような態度をとっているけれども、原因は、それではないかと思う。君の手紙によると、彼の態度もそうらしいが、原因は同じだろう。離婚率は、こちらでは呆れるくらい高い。もっと安定した社会環境に慣れている者にとっては、それはかなり気になることだ。また、ザップ夫人を含め、こちらの誰もが、自分の子供の前でさえ、しょっちゅう卑猥語《フォー・レター・ワーズ》を使うのもそうだ。教員の妻や感じのよい若い娘が「くそっ《シット》」とか「ファック」などという言葉を、「おやおや《ジー・ウィズ》」とか「ちえっ《ダーニット》」とか言うくらいの気持ちで口にしているのを聞くと、最初はちょっとばかりショックを受ける。軍隊に入った最初の一週間みたいだ。

正直に言って僕は、今週初めて自分のクラスに行った時、なんの訓練も受けていない新兵のような気持ちだった。ここのシステムは非常に違っていて、学生は、われわれの学生よりもずっと種々雑多だ。彼らはごく変わったものを読んでいて、ごくまっとうなものを読んでいない。先日、僕の研究室に来た学生は、非常に優秀なのははっきりしているけれども、二人の作家――グルジェフ（綴りはこれでいいのだろうか？）とアシモフとかいう人物――しか読んでいないようで、E・M・フォースターなど名前すら聞いたことがないのだ。

いま、二つのコースを教えている。ということは、一時間半ずつ週三回、二つの学生グループに会うわけだ。あるいは、第三世界の学生のストライキがなければ、会うことになるわけだ。実際には色の黒さが僕とほとんど変わらないのに黒人だと自称する、ワイリー（ウィリーではない）・スミスという学生がいて、僕がここに着いたその日から、僕の創作コースに入れてくれと、しつこくせがんだ。そう、僕はとうとう承諾した。で、一時間目に何が起こったと思う？　ワイリー・スミスは仲間の学生に向かって長広舌を振るい、僕の授業をボイコットしてストライキを支援するよう、彼らを説得したんだ。もちろん、個人的に先生に含むところがあるわけではないと、やつはご親切にも説明してくれたが、本当の話、かなり厚かましい真似に思われた。

そう、ダーリン、これだけ長い手紙が、僕の最近の筆不精を償うものであったら、と思う。マシューに、僕の家は海に落ちかけてはいないということを言ってくれたまえ。ロビン・デンプシーについてだが、ラミッジの昇格人事のいまの状況から考えて、彼が今年上級講師になることはまずあるまいが、ならないとしても、僕との競争が原因ではないと思う。彼は大分たくさんの論文を発表しているのだから。

すべての愛をもって
フィリップ

モリスよりデジレへ

よろしい、で、君は僕と離婚する決心なんだね、デジレ。分かった。で、君は僕を心底《しんそこ》憎んでいるわけだね。でも、僕を悲嘆の思いに暮れさせないでくれたまえ。つまり、どうしてもというんだったら、僕を罰してくれたまえ。でも、そのことで露骨にサディスティックになる必要はなかろうじゃないか。君が冗談を言っているのでなければ。あるいは、冗談を言っているのかい、え？　本当に君は、コルヴェアをスワローに売りつけるチャンスをふいにしてしまったのかい？　実際に君は、それを買わないように、やつに忠告したのかい？　スワロー——やつは、ユーフォーリア州で中古《ちゅうぶる》コルヴェアを買うかもしれない唯一の人物だ。ひょっとしてスワロー氏は、買おうか買うまいか、まだ考えているかもしれないから、お願いだ、すぐ電話をして、二百ドルばかり負けると言ってくれたまえ。もし効き目があるのなら、グリーンスタンプとタンク一杯のガソリンを提供するんだ。

デジレ、君の手紙は、心に重いこの一週間を軽くするようなものでは、まったくなかった。イギリスの大学には学生がいないというのは、結局のところ、本当ではなかった。今週、彼らは長きにわたったクリスマス休暇から戻ってきた。物事の勘どころをつかみかけていた時だったので、まことに残念な話だ。いまや授業が始まったので、僕は振り出しに戻ってしまったわけだ。このシステムは、僕を殺してしまうだろう。僕はシステム、と言っただろうか？　失言だよ。ここにはシステムなんかないのさ。その代わり、個人指導《チユートリアル》なるものがある。学生三人と僕とで、一回に一時間だ。僕らは、僕の指定したテキストについてディスカッションをすることになっている。テキストは、僕の頭に浮かんだもの、なんでもいいんだが、ただし、大学の書店には、僕の頭に浮かんだものは、なんであれ一つもないという次第。だが、僕と学生がなんとか折り合ってある本に決め、四冊掻き集められたとすると、学生の一人が、そのテキストについてレポートを書いてきて、ほかの者に読んで聞かせるということになる。三分ほど経つと、ほかの二人は目をとろんとさせ、椅子にぐったりと沈みはじめる。彼らが聞くのをやめてしまったのは明らかだ。僕は懸命になって耳を澄ますが、学生のイギリス流の発音のせいで、ひとことも分からない。彼は、あまりに呆気なく読むのをやめる。「ご苦労」と僕は感謝の笑みを浮かべて、彼をちらりと見て言う。彼は洟《はな》をかみながら、僕を咎めるようにじろりと見て、先程やめたところ、つまり文章の真ん中から、ふたたび読みはじめる。ほかの二人の学生は、ちょっと目を覚まし、互いにちらりと顔を見交わし、忍び笑いをする。それが、ともかく彼らが示す、生きている最大の徴《しるし》だ。レポートを読んでいた学生がやっと口を閉じると、僕は、ほかの学生に何か意見を言うように求める。沈黙。彼らは僕の視線を避ける。僕は、自分で意見を述べる。ふたたび沈黙が訪れる。あんまり静かなんで、男子学生のひげが伸びる音が聞こえるほどだ。お手上げになった僕は、一人の学生に、ずばりと訊く。「君は、本文《テキスト》についてどう思うね、ミス・アーチャー？」ミス・アーチャーは気を失って椅子から転げ落ちる。

そう、正直に言うと、そういうことは一度しか起こっていないし、その娘《こ》が気絶したのも、その娘のメンスに何か関係があるのだが、ともかく、その事件は象徴的と言えるように思われた。

信じられないかもしれないが、僕はユーフォリック・ステートの学生運動がとても懐かしい。ここで必要なのは、いくらかの爆弾事件だ。手始めに、英文学科主任のゴードン・マスターズなる男を爆弾で吹き飛ばすことだ。やつの主な関心は、野生の動物を殺害して死骸を研究室の壁にぶら下げることにある。やつはダンケルクで捕虜になり、戦時中は捕虜収容所で過ごした。ドイツ兵が、どうしてやつに我慢できたか分からない。やつは英文学科を、ダンケルクの精神で運営していると言って、まず間違いない。つまり、圧倒的に優勢な敵に対して作戦的な撤退をしているわけだ。圧倒的に優勢な敵とは、学生、大学当局者、政府、男子学生の長髪、女子学生のショートスカート、乱交、参考資料抜粋集《ケースブック》、ボールペン――要するに、現代世界のほとんど全部だ。やつに初めて会った時、やつが気違いだということが分かった。あるいは、半気違いだということが。というのも、狂気はやつの片方の目にしか現われてはいず、しかも、その目はたいていは閉じているほど、やつは狡猾なのだから。そして、もう一方の目で、ほかの教員たちを催眠術にかけている。教員たちは、そうしたことを気にしていないように見える。ここの人間の寛容ぶりには、胸糞が悪くなる。

今日の僕の文章に一種の苦味があるのに気づき、あのか弱い植物、つまり僕のプライドが傷つけられたのではなかろうかという仮説を君が立てたとすれば、君はそれほど間違ってはいないだろう、デジレよ。今日、必要があって『タイムズ文芸付録』の束を図書館で調べていたら、僕も寄稿した、あのジャクソン・マイルストーンのための記念論文集（六四年に出たものだ）の長文の書評に、まったく偶然に出くわしたんだ。僕が寄稿したことを覚えているかい？　もちろん、覚えてはいまい。君は、僕が書いたものはなんであれ忘れることにしているのだから。ともかく、信じてくれたまえ、僕はこの論文集のために、「ジェイン・オースティンの小説におけるアポロ＝ディオニュソス的弁証法」なる颯爽とした論文を書いたのだが、どういうわけか、この書評は以前読んだことがなかった。当然ながら、僕の寄稿した論文に関するコメントがあるかどうか、その欄にざっと目を通すと、あった、あった。「次にザップ教授の論文であるが……」ひと目で僕は、自分の論文が長々と論じられる栄誉を担っているのが分かった。

中傷の手紙を受け取ったり、猥褻な電話がかかってきたりした時のことや、殺し屋が自分の背中の真ん中にピストルを向けて、町の中を一日中つけていたのを発見した時のことを想像してくれたまえ。つまり、悪意を抱いた匿名の人物（『タイムズ文芸付録』の書評は一九七四年まで匿名だった）が、特に自分を狙っているのに気づきながら、それが誰かも、なぜかも突き止められない時のショックを。というのも、この男は、本気で僕を傷つけたいと思ったのだから。この男は、僕の論旨と論拠と正確さと文体を大いに軽蔑して、僕の論文を、学問における無能と偏見に捧げられた一種の記念碑に仕立て上げるだけでは満足せず、いやはや、僕の血と睾丸をも欲しがり、僕のエゴを砕いてぐしゃぐしゃにしたいと思ったのだ。

もちろん、書評子が完全に狂っているということ、僕の論文に対する彼の解釈は、茶化したものであること、彼の論旨が、子供でも見抜けるような、誤った前提と事実の歪曲に満ちているということは、いまさら言う必要もあるまい。だが、だが――これが痛い点なのだが――それに対して僕は何もできないのだ。つまり、「四年前に貴誌に発表された、ある書評に私は注意を惹かれましたが……」といったスタイルで『タイムズ文芸付録』に投稿できないのだ。僕は、滑稽に見えるだけだろう。これが、今度の事件で腹立たしい点なのだ――時間のずれが。僕にとっては、この事件はいま起こったことなのだが、ほかのみんなにとっては、もはや歴史の一部だ。この何年というもの、僕は自分の負った傷に気づかずに歩き回っていたわけだ。友人は誰でも、知っていたに違いない――僕の二つの肩甲骨のあいだから突き出ているナイフを見ていたのに違いない――しかし、連中の誰一人、僕にそれを教えてくれる親切心を、まるで持ち合わせていなかった。僕が、連中の忌々しい頭を食いちぎるのではないかと恐れたのだろうと思うし、僕もそうしたかもしれないが、ともかくも、友人とは一体、なんのために存在しているのだろう？　で、僕の敵は誰なのか？　僕が落第点をつけた博士課程の学生だろうか？　僕が脚注でやっつけた本を書いた、イギリス人の学者野郎だろうか？　僕が車で、うっかり気づかずに轢いてしまった女の息子だろうか？　四、五年前、どこかをドライブ中、車が道路でとりわけひどくガクンとなったのを覚えているかい、デジレ？

デジレ、ここに滞在中、僕に充実した性生活を送ってもらいたいという、君の心配りには感動するが、そんな寛大な思い遣りを文字にする前に、君はもう一度考えるべきだ。そうした文章は、君の離婚申し立てを無効にしてしまうこともあるからね。もっとも僕は、僕らの離婚問題は、まだ最終段階に来ていないと、依然として期待しているけれども。いずれにせよ、僕は君のご親切な言葉に甘えようとは思っていない。デジレ、ここは、君も知ってのとおり冬だ——例の季節的現象というやつだが、いまのところ、樹液は低く沈澱してしまっている。

双子《ツイン》のことを、もっと話してくれたまえ。あるいは、このほうがいいのだが、老いたる父に、ひとこと何か書くように二人に言ってくれたまえ。もしも、ユーフォーリア公立小学校の教育制度のもとで、手紙を書くなどという時代遅れの技能が、まだ教えられているとすればの話だが。でも、ガーデニングの件は大いに結構だ。オシェイは、いわゆる進んだ庭師《アヴァン・ガードナー》だ。無手勝流の信奉者だ。やつの庭は、雑草、石炭の山、壊れた遊具、車輪の取れた乳母車、キャベツ、沈泥でいっぱいの小鳥用水盤、なんとも知れぬ病気で、ゆっくりと死につつある巨大で陰鬱な樹木の荒野だ。そうした樹木がどんな気持ちでいるのか、分かる気がする。

愛をもって

モリス

追伸。M（メラニー）に手紙を出したが、「宛先人住所不明」で返送されてきた。大学の学生部の事務長から、あの子の新しい住所を聞いて教えてくれないか。

ヒラリーよりフィリップへ

最愛の人へ

長くて面白いお手紙、ありがとう。でも、あんな言葉をお書きになったのは残念です。なぜって、もちろん、アマンダにあなたのお手紙を読ませられなかったのですもの。あの子は、読ませてくれって何日もせがんだのですが。あなたとしては、かなり無考えだったのではないでしょうか。子供は、当然ながら、あなたのお手紙に興味を持っていますからね。それに、あの部分はまったく必要がなかったように思われたと、言わねばなりません。

ところで、そちらにお着きになってすぐ、あなたのいらっしゃる建物で爆弾事件があったということを、おっしゃらなかったですね。でも、あなたはわたしたちを心配させまいとお思いになったからでしょう。何か危険な目にお遭いになりましたか？　事態が少しでも悪くなるようでしたら、是非、家に帰ってきてください。お給料など、どうでもかまいません。

ところで、洗濯機についてのわたしの質問にお答えがなかったものですから、新しいのを買ってしまいました。全自動で、かなり高かったけれども最高です。

爆弾の件は、ザップさんからお聞きしたのです。大変に奇妙な出会いについて、お話ししなければなりません。あの人は先日の晩、『小説を書こう』を持ってお出でになりました。結局、やはりあなたの研究室で見つかったのです。六時頃で、いちばん具合の悪い時間でした。ちょうど、夕食をテーブルに出そうとした時だったのです。でも、あなたの本を、わざわざ持ってきてくださったのだし、オーバーシューズを履き、へんてこりんなコサック帽をかぶって、玄関の前のぬかるみに突っ立っている姿は、かなり惨めでもあったので、中にお入りくださいと言わねばならない気持ちになりました。遠慮なさらずに、などと言う必要はありませんでした——あの人は、家の中に入ろうとあせったあまり、すんでのところでわたしを突き飛ばすところでした。シェリーを少しだけ差し上げようと、表の居間にお通ししたのですが、居間は氷山みたいに寒かったので——あなたがいらっしゃらないので、火を点けないのです——食堂にお連れしなければなりませんでした。食堂では、おなかを空かした子供たちが、夕食を待ちかねて喧嘩を始めたところでした。子供に食事をさせているあいだ、お飲みになって頂けませんかと言いますと（そう言えば、すぐお帰りくださいというヒントになるかもしれないという下心で）、あの人は、ええ分かりました、奥さんもどうぞ召し上がってくださいと言って、帽子とコートを脱いで腰を下ろし、わたしたちを見つめました。見つめた、というのは本当です。あの人の目は、料理を盛りつけた大皿から取り皿へ、取り皿から口へという、わたしたちの手のすべての動きを追ったのです。わたしは、ひどくばつの悪い思いをしました。子供たちは、薄気味悪いほど黙りこくってしまいました。アマンダとロバートが互いに目配せし合い、忍び笑いをこらえて顔を真っ赤にしているのが分かりました。とうとう、ご一緒に食事をいかがですかと訊かざるを得なくなりました。

あんなにがっしりとした体格の人が、あんなに素早く動くのを見たことはないと思います。大きめの骨付き肉を料理しておいたのは幸運でした。ザップさんが三度目のおかわりをした時には、骨に肉があまり残っていなかったからです。あの人のテーブルマナーは非の打ち所がないとは言えませんでしたが、わたしは本当の話、あの人に食べ物を惜しみはしませんでした。あの人が、ちゃんとした家庭料理に飢えているのは一目瞭然でしたので。あの人は、子供たちを喜ばせるのにも全力を尽くし、アマンダに大いに気に入られました。あの人は、あの子のお気に入りのポップソングをなんでも知っているように思われたからです――歌手の名前やレコードの題名や、それがトップ・トゥウェンティーの何位かということなども。それは、あの人の年齢と職業を考えれば実に変わった話ですけれど、子供たちに、前にも言ったように、とりわけアマンダに、ごく強い感銘を与えました。でも、あの人は食事が済んだらさっさと帰るだけの如才なさは持ち合わせているものと思い、それを仄めかすため、すぐにコーヒーをお出ししました。ところが、そうは問屋がおろさなかったのです。あの人は御輿《みこし》を据えてしまい、自分の間借りしている風変わりな家（オシェイという医者の家――名前を聞いたことがおありかしら？）についての話をし――かなり面白い話だったのは認めます――とうとう、わたしはマシューにはもう寝るようにと、ロバートとアマンダには向こうに行って宿題をするようにと言わねばなりませんでした。そして、お帰りくださいと言わんばかりにテーブルの上を片付けはじめると、あの人は、皿洗いをどうしても手伝うと言うのです。どうやらやり方を全然知らないらしく、おやめくださいと言うまでに、皿を二枚とグラスを一個割ってしまいました。その頃には、わたしはちょっと恐慌状態で、あの人を、果たして家から出すことができるかどうか心配になりました。

するると、突然あの人の態度が変わりました。あの人は手洗いはどこかと訊いたのですが、手洗いから戻ってくると、すっかり帰り支度を整え、顔をひどくしかめていたのです。そして、唸るような声で、ぶっきらぼうに礼とさようならを言うと、渦巻く吹雪の中に飛び出して行きました。あの人は、車をスタートさせたものの、あまりに早くクラッチを切ってしまったので、車が溝に嵌まってしまいました。わたしは、車輪がスピンし、エンジンがひゅうひゅう言うのを聞いていましたが、とうとう我慢できなくなりました。そこで、毛皮のコートを羽織り、ブーツを履き、車を押してあげようと、外に出ました。車は無事に溝から出ましたが、わたしはその際バランスを失い、四つん這いに転んでしまいました。

起き上がると、あの人の車が、やたらにスリップしながら角を曲がって行くのが見えました。あの人は、止まりもせず、窓からありがとうと声をかけることさえしませんでした。ザップ夫人が離婚したいと思っていらっしゃるとすれば、当然のような気がします。

今朝、またジャネット・デンプシーに会いましたが（わたしたちは同じ日に、スーパーマーケットに買い物に行くことにしているようです）、ロビンは自分がゴードンに上級講師に推薦されるのが確定的なのを知っている、と彼女は言いました。あなたも推薦リストに載っているのでしょうか？　頭に来るのは、夫のロビンの昇進に、わたしも自分と同じくらい魅了されて当たり前だということを匂わす、ジャネットの態度です。また、あなたの昇進について、まるで問題外とでもいうように、決して触れたり訊いたりしない、彼女のわざとらしい態度です。学問の世界では、自分を売り込まなければいけない、また、求めなければ誰も何も得られないとザップ教授は言っていますが、あの人は正しいと思う気持ちに傾いています。
いまでも『小説を書こう』を送ってもらいたいのでしょうか？　あれは、なんておかしな小さな本でしょう。一章全部が書簡体小説の書き方に充てられていますが、本当のところ、十八世紀以降、誰もそんな小説は書いていないのじゃないかしら？

こちらの一同から愛を

ヒラリー

フィリップよりヒラリーへ

ダーリン

手紙をありがとう。ザップって男は、ひどく変わったやつらしいね。彼が、これ以上君を悩まさないといいのだが。正直に言って、彼のことを聞けば聞くほど、彼が嫌いになる。とりわけ、アマンダには、どうしてもやむを得ない場合以外、彼に会ってもらいたくない。事実、あの男は女にかけては、まったく節操がないのだ。彼は僕の知る限りではハンバート・ハンバート（ナボコフの小説『ロリータ』の主人公で、十代初めの少女を愛する）ではないけれども、アマンダの年頃の感じやすい娘には、知らぬ間に心を蝕む、悪い影響を及ぼすだろうと感じる。少なくとも、ザップ夫人の言葉から、そう察する。僕らは二人とも、先週の土曜日に、あるディナーパーティーに招《よ》ばれたのだが、誰もがひどく酔って乱れたその席上、彼女は僕に向かって夫の一連の罪を数え立てたのだ。招んでくれたのは、サイ・グットブラットと妻のベラだ。彼は、この大学の若い准教授だ――非常な秀才のようで、フッカー（十六世紀のイギリスの神学者）の決定版とも言うべき研究書を書いた。ホーガン夫妻と、ほかに三組のカップルが来ていたが、みな英文学科の連中だ。こう言うと、なんだか近親結婚臭いが、ここの英文学科は、ラミッジ大学の文学部全体と同じくらい大きいことを忘れてはいけない。

　プロティノスのディナーパーティーのテンポに慣れるには、いささか時間を要する。まず初め、八時に招待されたということは、実際には八時半から九時に招待されたということだ。指定された時間の一分後に、招待主《ホスト》の家の玄関の石段に僕が姿を現わした時に、ホストの顔に浮かんだ狼狽の色から分かったのさ。そして、客が全員そろったとしても、実際に腰を下ろしてディナーを食べるまで、数時間盛んに酒を呷《あお》るわけだ。この間《かん》に、女主人《ホステス》（シースルーのブラウスを着て、フレアになったクラッシュベルベットのズボンをはいたベラ・グットブラット）が、台所から旨いスナックを持ってくる――カリッと揚げたベーコンで巻いたソーセージ、チーズ・フォンデュ、サワークリーム・ディップ、アーティチョークの柔らかい蕾、燻製の魚等といった、ぴりっとした味の御馳走が供されるので、ホストが惜しみなく次から次へと作る、ウイスキーサワーとダイキリに対する客の渇きは、いや増す。その結果、やっと午後十一時頃、ディナーの席に着く段になると、誰もがもうたっぷり飲んでしまっていて、それほど空腹ではない。それにともかく、ディナーの料理はあんまり長く温めておかれるので、味が半分落ちてしまう。一同は、料理に全然手をつけないのも失礼なので、その適当な量を呑み下そうと、ワインをがぶ飲みする。そのため、一同は一層酔ってしまう。そして、声を限りに叫び、熱に浮かされたように冗談を飛ばし、けたたましく笑うが、誰かがほんのちょっと無礼なことを言うと、不意に空気は険悪になる。

　食事の際、ザップ夫人が僕の隣に坐った。最後にコーヒーを飲み、我慢できないほど甘ったらしいチョコレートケーキの残骸を食べていた時、僕は彼女のとめどもない、きわめて個人的《インティメット》な思い出話にストップをかけようと、「屈辱」を一座の者に教えてやった。あの昔のゲームを覚えているかい？その基本的な考えを相手に伝えるのがいかにむずかしかったか、君には分かるまい。一回目のゲームでは、みんなは自分は読んでいるが、ほかの誰も読んではいまいと思った本の題名ばかり挙げた。しかし、やっとこつが呑み込めると、みんなは恐ろしいほどの熱心さでゲームをやり出した。特にリングボームという若い男がそうで、彼は最後にはホストと大喧嘩をして、憤然として帰ってしまった。ほかの者は、そのあと一時間ほどいたが、それは主に、この思いもかけぬリングボーム事件がもたらした気まずい雰囲気を和らげるためだった（とにかく、僕に関する限りはそうだった。僕は疲れ果てていた）。

　そう、爆弾の件だが、そのことに触れて、君を心配させても意味がないと思ったのさ。ストライキのせいで学内には、まだ非常な混乱が見られるものの、爆弾事件は、その後、繰り返されていない。

ここで言う、僕の「オフィス」に坐ってこの手紙を書いていると、窓の真下のマザー・ゲートにたむろしたピケ隊が、「ストだ、大学を閉鎖しろ、ストだ、大学を閉鎖しろ！」と繰り返し唱えるのが聞こえる。学問的環境にあっては、非常に奇妙な響きだ。時おり、マザー・ゲートのところで、ピケ隊と、中に入ろうとする者とのあいだで小競り合いが起こり、学内警官が介入する。時にはプロティノス警察が介入することもあり、その際には、たいてい乱闘になり、数人が逮捕される。きのう、警察がキャンパスに一斉攻撃をしかけ、学生は散りぢりに逃げた。机の前に坐って『リシダス』（ジョン・ミルトン作の挽歌）を読んでいると、ワイリー・スミスが僕の部屋に飛び込んできてドアを閉め、目をつぶってドアにもたれた。まるで、映画もどきだ。彼は警棒（ここでは、不気味にも夜の棒《ナイト・スティック》と呼ばれている）から頭を守るためにオートバイ用のヘルメットを着用し、顔には、催涙ガスから肌を守ると思われているワセリンを、てかてかに塗っていた。用事はなんだねと訊くと、執筆中の小説について助言をもらいたいと彼は言った。怪しいなとは思ったものの、言われたとおり、彼のゲットー小説について次々と質問した。彼は、建物の中で捜査中の警官が立てる音に耳をそばだて、うわの空の返事をした。すると彼は、僕の部屋の窓を使っていいかと訊いた。いいとも、と僕は言った。彼は窓敷居に脚をかけてバルコニーに出た。数分経ってから顔を出してみたが、彼は姿を消していた。バルコニーのずっと向こうに開いた窓を見つけ、そこから逃げたに違いないと思う。騒ぎは次第に鎮まった。僕は『リシダス』を読み続けた……

僕は、自分が上級講師に推薦されたのかどうか全然知らないが、知らぬままにしておいたほうがいい。そうすれば、自分がはっきりと拒否されたことを知って屈辱感を覚える、などという目に遭わずに済むからだ。もし、デンプシーがそんな問題に首を突っ込みたいなら、勝手にそうさせておいたらいい。僕自身は、誰を抜擢するかというようなことは隠密に行うイギリス流のやり方には、大いにいい点があると思っている。たとえば、ここは、もっとも弱い者が敗者になるジャングルだ。今週ずっと、終身在職権の問題で、上を下への大騒ぎだったが――偶然にも、例のリングボームという男が絡んでいた――僕は無関係なので喜んでいる。

目下、チャールズ・ブーンが僕と一緒に暮らしていると知れば、君はびっくりすることだろう！　彼は、火事のせいで急遽、前の住まいを出なくてはいけなかったのだ。そこで僕は、階下に住んでいる彼のガールフレンドに頼まれ、一時的に宿を提供しているという次第だ。彼は、きわめて精力的に新しいアパートを探しているとは言えないが、日中の大半は寝ていて、夜の大半は外出しているので、僕にとってそれほど迷惑ではない。

すべての愛をもって

フィリップ

モリスよりデジレへ

やつは一体どんな風采なのだ、デジレ？　やつはどんな種類の男なのだ？　つまり、スワローという男は。やつの犬歯は下唇の上に突き出ているのか？　やつの握手は冷たくて、じっとりしているのか？　やつの目は殺気に満ちた光を帯びているのか？

　やつが書いたのだ、デジレ、やつがあの書評を、純粋な非個人的悪意から書いたのだ。五年前のある晴れた日、やつは胆汁にペンを浸し（「毒舌を振るう」の意の成句）、そいつを僕の愛しい論文の心の臓に突き立てたのだ。

　立証はできない――いまのところは。でも、状況証拠は決定的だ。君がコルヴェアを買わないようにやつに言ったことを考えると……完璧な復讐になったのに！　デジレ、なんでそんな真似ができたんだ！

　僕は例の記念論文集を、やつの家で見つけたんだ。正確に言うと、手洗いの中で。その手洗いはひどく奇妙な手洗いでもあった。それは明らかに、初めは何かほかの目的に、たぶん舞踏場に作られたらしい、大きな部屋で、便器は隅の台座に置かれている。タイルの床と、水道管を凍らせないために点けてある小さな石油ランプが、手洗い全体に、薄気味悪い教会じみた雰囲気を与えている。そこにも本があるのだが、手洗いで読むために特に選ばれたものではなく、家のほかの場所から溢れ出してきたものだ。家の中には、濡れ腐れ《ウェット・ロット》と紙魚《しみ》の糞の臭いを放つ、くだらん古本が、文字どおりびっしりと並んでいる。あの『タイムズ文芸付録』の書評を読んで以来、マイルストーンの本は僕の潜在意識にずきずき応えていたので、その装丁と金文字の題名は、すぐに分かった。奇妙な偶然だ、と思いながら――結局のところ、それは世界的ベストセラーとも言えないからだが――棚から取って便器に坐ってページをめくった。僕の論文のところを開け、印を付けてある箇所が『タイムズ文芸付録』の書評子が引用した箇所と正確に一致することに気づいた時の僕の気持ちを察してくれたまえ。それが僕の腸に与えた影響を察してくれたまえ。

どうして、もう手紙をくれないんだい、デジレ？　ここでイギリスの長い夜を過ごしている僕は孤独だ。どのくらい孤独か、ちょっと分かってもらうために書くが、今晩、僕は言語学と文芸批評についての論文発表を聞くために、英文学科の教員セミナーに行くつもりなのだ。

愛をもって
モリス

デジレよりモリスへ

親愛なるモリス

あなたが本当に知りたいのなら書くけれど、フィリップ・スワローは背は約六フィート、体重は、そう、約百四十ポンド――つまり、背が高くて痩せていて猫背。頭を前に突き出しているわ。低い戸口に、あまりに何度も頭をぶつけたみたいに。髪は、まだ使っていないブリロみたいな感触と色で、両の顳顬《こめかみ》のところが、ぐっと後退してるの。ふけもついているけれど、ふけのない人なんているかしら？　目は素敵。歯については積極的に褒めるようなところはないものの、牙のように突き出てはいないわ。握手は、いささかぐにゃりとしているにしても、手の温度は普通。例の特許の空冷式パイプを吸っていて、タバコで茶色になった唾液が、指のそこら中に漏れている。

先週の土曜日のディナーパーティーで彼の隣に坐ったので、こうしたことを観察する機会があったわけ。グットブラット夫妻が招《よ》んでくれたのよ。あなたがいなくて、わたしが淋しがっているのだから、パーティーに招んでやらなくちゃいけないと、ここのみんなは共謀して考えているふりをしているみたい。その晩は、かなりセンセーショナルなことになったわ。われらがスワローが、事を起こした張本人というわけ。

退屈なディナーになりそうなのを救おうと、いかにもイギリス人らしく最善を尽くした彼は、「屈辱」っていう、自分で発明したと称するゲームを、みんなに教えてくれたわ。わたしは、そのゲームの世界チャンピオンと結婚しているって彼に請け合ったの。ところが、そうじゃないんです、これは、人が自分自身を辱めて勝つゲームなんです、と彼は言うの。要するに、各人が、自分は読んでいないけれども他人は読んでいるだろうと思われる本の題名を挙げ、読んだ人一人に付き一点獲得するわけ。お分かり？　でも、ハワード・リングボームは分からなかった。ハワードがどんな男かご存じでしょ、あの男は、成功したいという病的な衝動と、無教養と思われたくないという病的な恐怖心を持っているのよ。そしてこのゲームは、彼のこの二つの強迫観念を、互いに衝突させたのね。なぜって、このゲームでは、自分の教養のギャップをさらけ出して初めて成功が収められるのだから。最初、彼のプシケ（意識的、無意識的自我の総体）が、このパラドックスをどうしても受け入れることができず、いまは題名さえ思い出せないほど知られていない十八世紀の、ある本を挙げたってわけ。もちろん、彼は最終得点では最下位で、むくれてしまったわ。こりゃ馬鹿げたゲームだ、と彼は言って二回目はゲームに加わろうとはしなかったわ。「パス、パス」と、ボックス・ヒルでのエルトン夫人（ジェイン・オースティンの『エマ』の登場人物）よろしく、せせら笑いながら言ったものよ（わたしは、あなたの本は読まないかもしれないけれど、わたしのジェイン・オースティンは、かなりよく覚えているわ）。でも、彼はゲームの進行を注意深く追い、ゲームの狙いが分かりはじめると、眉根を寄せたり、指でナプキンをよじったりしたわ。それは実際いかすゲームで、一種の知的ストリップ・ポーカー（負けた者が服を脱いでゆくポーカーのゲーム）なのね。たとえば、リューク・ホーガンは『復楽園』を読んだことがないって分かったわ。つまり、自分の分野じゃないにしても、『復楽園』を読まずにユーフォリック・ステートの英文学科の主任になれると思うと、考えさせられちゃうわね、そうでしょう？　ハワードはこの様子を見てとって、リュークが本当のことを言っているのだと悟ると、ちょっと青くなるのが分かったわ。そう、三回目ではサイが『ハイアワサ』（ロングフェローの物語詩）で先頭を切ってたわ。スワローさんだけが読んでなかったの。その時、不意にハワードが拳《こぶし》でテーブルをドシンと叩き、テーブルの上に六フィートばかり顎を突き出し、言ったものよ――

「『ハムレット』！」

そう、もちろんみんな一応は笑ったものの、大した冗談に思われなかったので、それほどは笑わなかったの。ところが、冗談では全然なかったのよ。ハワードは、『ハムレット』はローレンス・オリヴィエの映画で観たことは確かにあるが、原典は読んだことがないって言い張るのよ。もちろん、誰も信じなかったので、彼はかんかんに怒ってしまったわ。君たちは、僕が嘘をついていると思っているな、と彼は言ったの。そしてサイが、そうだって多少とも匂わしたわけ。するとハワードは激怒し、あの劇は読んだことがないと正式に誓約するって言い張ったわ。サイは、君の言葉を疑ってすまなかったと、口をへの字に結びながら詫びたわ。もちろん、その頃には、わたしたちみんな困惑して酔いもすっかり醒めてしまったの。ハワードは帰ってしまい、わたしたちは何も起こらなかったようなふりをしようとしながら、しばらくぶらぶらしていたわ。

本当の話、興味津々の事件でしょ——でも、続きがあるのよ。三日後、ハワード・リングボームは、意外にも終身在職権の資格審査に落ちてしまったのよ。それは、『ハムレット』を読んでいないって、おおやけに認めてしまった人間に、英文学科としては終身在職権を与えるわけにはいかないからだって、みんな思ってるわ。もちろん、この話は学内中に喧伝され、『ユーフォリック・ステート・デイリー』には、そのことにそれとなく触れた短い記事まで出たくらい。そのうえ、この事件で英文学科に急に空きが出来たため、大学のほうではクループの件を再考し、結局、彼に終身在職権を与えたってわけ。彼も『ハムレット』を読んでいないと思うけど、誰もそのことについては訊かないわ。学生たちは、もう大喜び。スワローが、ホーガンの面前で自分の信用を失墜させるように謀った、とリングボームは確信してるわ。スワローさんご自身は、このドラマの一切の責任が自分にあることを、幸いにもご存じないの。

双子《ツイン》が急にガーデニングに夢中になったのは、マリファナを栽培しようとしたためだと分かったことを報告しなければならないのは残念。警察に嗅ぎつけられる前に、それを全部引き抜いて焼かねばならなかったわ。

メラニーは、今学期登録してないそうよ。だから、大学から彼女の住所を知ることはできなかった。

デジレ

ヒラリーよりフィリップへ

最愛の人へ

今朝は、とてもひどいショックを受けました。ボブ・バズビーが電話をしてきて、あなたの調子はどうかと、わたしに訊いたのです。わたしの知っている限りでは元気だと答えると、ボブは言ったのです。「それはいい。ならご主人は退院されたんですね?」そしてボブは、ある学生から聞いたという恐ろしい話を滔々としました。あなたが、やぶれかぶれになったブラックパンサーの一味に人質にされ、足首をつかまれて四階の窓から逆さ吊りにされ、警官が銃を乱射しながら建物の中に入ってきた時、ついに腕を撃たれたというのです。この凄惨な話を途中まで聞いて初めてわたしは、それが、この前のあなたの手紙にあったエピソードの、ひどく歪められ、誇張されたものであるのに気づきました。そのエピソードがみんなに伝わったのは、たぶんわたしのせいでしょう。それを、ジャネット・デンプシーに、わたしが話したのに違いないと思います。

ところで、ボブの話では、ロビンはこの前の教員セミナーで、モリスにかなりこっぴどくやられたそうです。ザップさんは、ややネアンデルタール人のような風貌と無骨な挙措にもかかわらず、実に頭が鋭く、ロビンがあなた方を恐れ入らすために口にしている、チョムスキーとかソシュールとかレヴィ゠ストロースとかいった、ああした流行児について一から十まで、あるいは少なくとも、ロビンをかなり間抜けに見せるくらい十分に知っているようです。事の成り行きに、出席者全員が、一種の沁々とした満足感を覚えたことと思います。ともかく、わたしはザップさんに、前より好感を持ちはじめました。それは、あの人にとって、かなり幸運でした。というのも、あの人は昨晩、相当に奇妙なことを頼みに、また現われたからです。

あの人は、用件を切り出すのに、しばらく時間がかかりました。あの人は、部屋中を眺め回し、家の造りはどうなっているのかとか、寝室はいくつあるのかとか、独りで住んでいて淋しくないかとか訊いたので、わたしと同棲したがっているのではないかと、最後には心配になり出しました。でも、そうではなかったのです。友人、それも若いご婦人のための住まいを探しているようでした。あの人は、特別サービスとして、その婦人に一部屋貸すことを考えてみては頂けないかと言いました。前に一度、学生を置いて懲《こ》り懲《ご》りしたので、家《うち》では二度と下宿人は置かないと、みんなで誓ったと、わたしは言いました。それを聞いてあの人は、かなりがっくりしたようなので、ラミッジの新聞をいくつか見たかどうか訊きました。あの人は悲しげに首を振り、駄目でした、新聞を見て二人でもう何軒も当たってみたのですが、誰もその娘に部屋を貸そうとしないんです、と言いました。世間の人間は、彼女に偏見を持っているんです、とあの人は言いました。その娘さんは有色人種なんですか、とわたしは同情して訊きました。いや、彼女は妊娠してるんです、とあの人は言いました。

そう、あなたがザップさんの評判について、この前のお手紙でおっしゃったことから、わたしは自分なりの結論を引き出しました。それが、かなりはっきりと、わたしの顔に出ていたのに違いありません。慌ててあの人は、自分には責任がないのだと請け合ったのですから。二人はイギリスに来る途中、飛行機の中で知り合ったのだが、彼女がイギリスで知っているのは自分だけなので、助けを求めてきたのだ、とあの人は言いました。娘さんはアメリカ人で、イギリスに堕胎手術を受けに来たのですが、いよいよという時になって、手術を受けるのをやめることにしたのです。娘さんは、イギリスで赤ん坊を産みたがっているのです。イギリスで産めば、子供は二重国籍がもらえ、もし男の子であれば、ベトナム戦争が二十年後にも続いている場合、徴兵を免れることができるからなのです。娘さんは、しばらくソーホーでウエートレスとして不法に働いていたのですが、身重であるのが目立ちはじめたので、やめざるを得なかったのです。おまけに、お金をいくらか盗まれてしまったというわけなのです。

そう、この話はとても本当とは思われないものだったので、ザップさんがでっち上げたのではないかと疑いました。どう考えていいのやら、分かりませんでした。その娘さんは、いまどこにいるのかと、わたしは訊きました。すると、驚いたことに、外の車の中です、とあの人は言いました。そう、凍えるように寒い夜でしたので、娘さんを、すぐに家の中にお連れするようにと言いました。あの人は飛び出して行きました。わたしもあとからついて玄関のドアのところに行きました。雪、身を持ち崩した女、等々。まるでヴィクトリア朝の小説の一場面みたいでした。でも、逆なのです。つまり、女は出てゆくのではなく、入ってくるのですから。わたしの言う意味、お分かりかしら？　長い金髪に、溶けかかった雪をつけて敷居を跨いで娘さんが入ってくると、正直言って、わたしはちょっぴりセンチメンタルになりました。娘さんは可哀相に、寒さで蒼ざめ、寒さからか恥ずかしさからか、ほとんど口も利けない状態でした。メアリー・メイクピースというのが、娘さんの名前です。一晩泊まるようにと、娘さんに言うほかはないように思われました。そこで、スープを作り（ザップ教授は三杯がぶがぶ飲みました）、湯たんぽを持たせて、娘さんを寝に行かせました。何かうまい手立てが見つかるまで、数日間は娘さんをお泊めしますが、いつまでもというわけにはまいりません、とわたしはザップさんに言いました。でも、彼女を、ずっと泊まらせることを真剣に考えています。彼女はとても好感の持てる娘さんのようで、晩には、いい話し相手になるでしょう。わたしがいまでも夜、時々怯えるのを、あなたはご存じでしょう——馬鹿げているのは知っていますが、でも仕方がありません。もちろん、これからもっと彼女と親しく付き合って様子を見なければなりませんし、何か約束をしたというわけでもないのです。でも、もし、わたしがメアリーをずっと泊めるという考えに傾いても、あなたは反対なさらないでしょうね？　部屋代と食事代は、もちろん払ってもらうことになるでしょう——どうやら、彼女はすっかりお金をなくしたわけでもないようですし、ザップさんも、自分が是非とも財政的援助をしようと、しきりに言っています。あの人には、その余裕があると思われます。あの人は、きのう、信じがたいほど車台が低くて高価そうなオレンジ色のスポーツカーに乗っていました。その車が、あなたのお買いにならなかった車に替わるはずのものなのでしょう。ところで、チャールズ・ブーンが、あなたの家賃の一部を負担するのならいいのですが。その趣旨のことを匂わすことは、あの男を追い出す一つの方法でしょう。

すべての愛をもって

ヒラリー

追伸。わたしがあなたにメアリーのことを、もし書いたら、彼女に関する一切の情報を内密にしておいてもらいたいとあなたにお願いすると、ザップさんは念を押すように言いました。

フィリップよりヒラリーへ

ダーリン

そのザップの女を家に入れる前に、僕ならごく慎重に考えるということを言うためだけに、とりあえずこの短い手紙を書いた。その女は、間違いなくザップの女だ。やつがその女の子供の父親か否かは別問題で、そんなことは、想像される二人の関係に影響を与えはしない。君がその女を哀れんで助けてやりたいと思うのは、当然の人情として分かるが、この際、自分の子供、とりわけアマンダのことを考える必要があると思う。あの子はいま、非常に敏感で、人の影響を受けやすい年頃なのだ——家に未婚の母を住まわせると、どういう結果になるか、考えてみたことがあるかい？　その点では、ロバートについても同じことが言える。それが子供たちにとって、よいことになるとは思われない。そうなると、ザップが日中、家に出入りするのは疑いない——たぶん、夜間も。そのことを考えてみたかい？　僕は世間並みに寛容な人間だが、ザップ氏が身重のガールフレンドと寝るために、僕の家の一隅を提供するのはご免だ。それに、万一そういうことになったら、その事態に君が対処できるかどうか、僕は疑問だ。それから、「噂が立つ」ということをも、僕らは好むと好まざるとにかかわらず、直視しなければいけない——噂をするのは近所の人たちだけではなく、大学の連中もだ。

要するに、僕は賛成ではない。でも、もちろん君は自分でいちばんよいと思うことをしなくてはならない。

こちらでは、事態は次第にひどくなる。ガラスが何枚か割られ、小さな専門図書館の一つの目録カードが床に撒き散らされた。昼食時ごとに、儀式のように睨み合いがあるが、僕は研究室のバルコニーから、それを眺める。ストライキ学生に積極的に同調しないものの、警察に敵意を抱いている大勢の学生が、ピケ隊の行進を見に集まってくる。やがて誰かが押され、警官が介入し、群衆は怒号し悲鳴をあげ、石が投げられ、警官が、乱闘の現場から不運な学生を引きずりながら駆けてきて、大学本部の建物の中に一時的に監禁する。そのあとを、群衆がやじりながら追いかける。安全なバルコニーにいる僕は、特別に建てられた塔から決戦を眺めるのを慣わしにした、古《いにしえ》の王様みたいに、自分がかなり卑劣に感じられる。僕らは家に帰ったあとで、その様子を地元のテレビのニュースで、もう一度初めから観る。そして翌朝、『ユーフォリック・ステート・デイリー』に、その記事と写真が載る――それは、信じがたい速さと専門技術をもって学生が作る学内新聞で、それに比べると、われらがラミッジ大学の週刊『ランブル』は、かなり素人っぽい。

すべての愛をもって
フィリップ

追伸。メアリー・メイクピースは、法律的に見ると不法移住者なのは、ほとんど確かだということ、したがって君は、彼女を匿うと、トラブルに巻き込まれる場合もあることを承知しているといいのだが。

ヒラリーよりフィリップへ

親愛なるフィリップ

単刀直入に言ったほうがよいと思います。ユーフォーリアから、わたしの思うに、毒筆の手紙《ポイズン・ペン・レター》と言われているもの、つまり匿名の手紙を受け取りました。それには、あなたがモリス・ザップの娘と情事に耽っていると書いてあります。本当ではないのは分かっていますけれど、お願いですから折り返し、それは本当ではないという手紙をください。わたしは絶えず泣き出してしまいますが、誰にもその訳が言えません。

愛をもって
ヒラリー

フィリップよりヒラリーへ

XY四二 Ab 一五一 コクサイ ユーフ プロテイノス 六〇 九
ウエスタンユニオン電報局

イギリス
ラミツジ
セント・ジヨンズ通り四九
ミセス・ヒラリー・スワロー

ウツパソカンゼナチンチンチン（「完全な嘘っぱち」が誤って受信されたもの）
モチロンカンゼンナウソツパチマルザツプノ

ムスメハワズカキュウサイマル
アトデテガミヲカクアイヲモッテフイリップ
ユーフ　プロテイノス
ピタゴラス・ドライブ一〇三七
フイリップ・スワロー

モリスよりデジレへ

お願いがあるのだ、デジレ。お尻をあげて、ピタゴラス・ドライブ一〇三七番地まで行って、そこで一体何が起こっているのか、見てきてくれないか？　フィリップ・スワローが、その住所のところでメラニーと同棲していると書いてある、無署名の手紙を今朝受け取ったのだ。君は笑うかもしれないが、僕のために、ちょっと調べてくれたまえ、いいかね？　そいつは、まさに本当かもしれないと考えるのは、ひどく腹立たしいことだが、理に適っているのだ。そういう真似は、僕の考えるスワローにも、やつが僕の人生において演ずべく運命づけられているように思われる役柄にもふさわしい。やつは『タイムズ文芸付録』で僕の学問的分身を暗殺したあとで、僕の娘をものにするというわけだ。いかにもやつらしい。僕は身震いする。デジレ、僕は身震いする。

モリス

追伸。封筒には大学の無料郵送の印《しるし》があったので、その手紙を寄越したのは、教員の誰かか、秘書の一人に違いない。誰だ？

フィリップよりヒラリーへ

愛しいヒラリー

これは、僕がこれまで書かねばならなかった手紙の中で、いちばんむずかしい手紙だ。モリス・ザップには、間違いなく娘がいる――九歳の娘のほかに。名前はメラニーで、僕は彼女と一度、確かに寝た。一度だけ。だから、僕が打った電報は、すっかり本当とは言えなかった。だが、それは嘘でもなかった。僕はつい最近、ザップがメラニーの父親だということを発見したのだ。それは、君にとってもショックだったろうが、僕にとってもショックだった。事情を説明させてくれたまえ。

メラニーは、ザップの最初の結婚で生まれた娘だ。メラニー・バードと名乗っているが、それは母親の旧姓なのだ。いくつかのもっともな理由で、ユーフォリック・ステートでは、自分の父親と結びつけて考えられたくなかったのだ。彼女がこの大学の学生になったのは、終身在職権を持つ教員の子女という資格で、授業料が免除されるからなのだが、彼女はできるだけザップに近づかないようにし、二人の関係を固く秘密にしていたのだ。こうした一切の情報を、今日の午後、ザップ夫人とメラニーから聞いたのだ。二人は、僕が大学から帰った時に一緒に家にいた。説明しなければならないが、メラニーは一階にいる娘たちの一人なのだ。ここに来て早々、僕はまったく偶然に階下の即席パーティーに引っ張り込まれたのだ。僕はホーガン家のカクテルパーティーから戻ってきたところで、すでに少々ほろ酔いだった。あれやこれやで、僕はすっかり気分が「ハイ」になってしまったのだと思うが、みんなが乱痴気騒ぎの準備を始めたところで、おとなしく退出した。ところが、メラニーも、そうしたのだ。彼女は、僕と一緒に寝るのは当然だと思った。そこで二人は、そういうことになってしまったわけだ。

僕は、自分を正当化するつもりも、釈明するつもりもない。僕は、君に対して自分がしたことをあとになって考え、惨めな気持ちになった。僕は泥酔していたし、メラニーも半分眠っていたので、その時、とりわけ楽しいわけでさえなかった。それが彼女にとって、なんの意味も持たなかったのは、断言できる。また、それは、その時一回限りのことだったということを、君は信じてくれなくてはいけない。事実、あれから——これほど苦しい状況でなかったなら、滑稽な話に感じられるのだろうが——彼女はチャールズ・ブーンの唯一のガールフレンドになったのだ。そういった事情で、この事件について君に何かを言って、君を動揺させても意味がないように思われたし、この事件は忘却の淵に沈みかけてもいたのだ。君の手紙を受け取った時、君の手紙は罪の意識を蘇らせた。もっとも僕は、メラニーとザップを一瞬たりとも結びつけはしなかったけれども。僕は、誰かが、かなり悪質な悪戯《いたずら》をしているものと思ったのだ――誰が、なんのためにそんな悪戯をしたのかは想像できなかったし、いまでもできない。しかしそれは、僕を厄介な道徳上のジレンマに陥れた。

そう、君も知ってのとおり、僕は楽な解決の道を選んだ。それは、君にとっても楽な解決の道になるだろう、と僕は自分に言い聞かせたのだ。しかし、事態の真相を発見した時、僕はすぐさま机の前に腰を下ろし、誤解を解こうとした。いま、真夜中に近い。だから君は、僕にとってそれがどんなにむずかしかったか分かるだろう。すまない、本当にすまない、ヒラリー。どうか僕を許してくれたまえ。

すべての愛をもって

フィリップ

デジレよりモリスへ

親愛なるモリス

あなたの頼みを聞くのはとてもいやだけど、好奇心に負けてしまったわ。そこで、あなたのぶっきらぼうな指示に従い、ピタゴラス・ドライブ一〇三七番地に急いで行ったわけ。キャンパスのケーブル通りの入口で暴動があったため交通が混乱したので、繁華街を通って迂回しなくてはいけなかったわ。そのあいだずっと、催涙ガス弾がポンポン言ったり、人がわあわあ喚いたり、警察のヘリコプターが頭上で旋回したりするのが聞こえた。実際の話、ここは日ごとにベトナムに似てくる。

ピタゴラス・ドライブ一〇三七番地は、二つのアパートに改造された家。一階のベルを押しても誰も出てこなかったので、上に行って二階のアパートのベルを押してみた。やっとメラニーがドアを開けたわ。顔を紅潮させ髪を乱して。あなたが歯噛みをして、馬の鞭を指で触りはじめる前に、すっかり言わせてちょうだい。わたしたち二人とも、びっくりしたわ。当然ながら、メラニーのほうが、もっと驚いたけれど。「デジレ！　あなた、ここで何してるの？」と彼女は叫んだものよ。わたしは、わたしの最高のペリー・メイスン・スタイルで、「あなたに同じ質問をしたいわね」と、ぴしゃりと言ってやったの。「フィリップ・スワローが、ここに住んでると思ったのよ」。「住んではいるけど、いま外出中だわ」。「誰だい、メル、ゲシュタポかい？」と部屋の中で声がしたの。メラニーの肩越しに見ると、タオル地のバスローブを羽織ってタバコをふかしながら、チャールズ・ブーンが壁にもたれているのよ。「フィリップを訪ねてきた人」と彼女は振り返って言ったわ。「フィリップは外出中だ」と彼は言ったわ。「大学さ」。「待っていてもかまわない？」と、わたしは訊いたの。メラニーは肩を竦めて曰《いわ》く。「どうぞご自由に」

わたしは、ゆっくりと敷居を跨いで、アパートの中に、ずんずん入って行った。メラニーはドアを閉め、わたしのあとについてきたわ。「こちら、デジレ、父の二番目の奥さん」と彼女は、あんぐり口を開けているブーンに言った。「そして、こちらは――」「ブーンさんでしょ？」と、わたしは口を入れた。「わたしたち、何週間か前に同じパーティーに出たのよ。その時、機会がありませんでしたわ、ブーンさん」と、わたしはぺらぺら喋り続けたの、「あなたのショーを、どんなに嫌ってるかってことを申し上げる」。彼は、にやりと笑って、当意即妙の答えを考えながら、タバコの煙を歯のあいだから吐き出したわ。彼の一方の目はわたしに向けられ、もう一方の目は、霊感を追い求めているかのように、部屋のあちこちを、きょろきょろ見回しているの。「あなたのお齢の方に僕のショーが気に入られたら」と彼は、やがて言ったわ、「僕は失敗したって分かるでしょうね」。わたしたちは、しばらくこんな調子でお互いの人物鑑定をしながら、丁々発止とやり合ったの。ブーンがスワローのアパートに住んでいるのははっきりしたけど、驚いたって言わなくちゃならないわ。なぜって、スワローの話の様子では、スワローはあの男に我慢できないのだと、わたしはいつも思っていたのだから。でも、あの日の午後、ブーンとメラニーが一緒に寝てたのは確かなように見えたし、スワローが玄関のドアの鍵をガチャリと回した時も、二人は別に慌てる様子がなかったところから考えて、二人が一緒に寝たということを、彼から隠したがってもいないと、わたしは思ったわ。彼は、わたしがそこにいるのを見てびっくりしたのは、もちろんで、わたしたち一同に、まめまめしく紅茶を淹れてくれたのだけれど、といってその態度には、別に隠し立てをするようなところは見られなかった。この様子では、彼とメラニーの関係は、純粋に叔父と姪のそれなんだと思った直後、あなたが彼女の父親だってことを、彼は知ったわけよ。彼は真っ青になったわ、モリス。そう、自分の娘とやったってことが分かったとしても、彼は、あれ以上ショックを受けた様子は見せなかったでしょうよ。考えてみれば、職場を交換した当の相手の娘と寝るってことには、一種の近親相姦的な感じがあるわね。でも、もし彼がいまでもメラニーとセックスをしているとすれば、それはひどく異常趣味的なことと言わなくちゃいけないわ。なぜって、チャールズ・ブーンも間違いなくそうしているのだから。

中傷の手紙を書いた張本人についてだけど、ハワード・リングボームが張本人だと、わたしは推測するの。あの男には動機があるし、あの男は今度のことのために大学の郵便用品を使うほど吝嗇《けち》ですからね——呻き声だけの猥褻電話《ヘヴィー・ブリージング・コール》をする時も、できれば料金先方払いにしようとするような輩なのよ。

デジレ

モリスよりデジレへ

早速の返事、ありがとう。でも、一体なんでスワローに、じかに訊かなかったのだい？　例の匿名の手紙をゼロックスしたものを同封する。君がそいつを、やつに突きつけることができるようにだ。なんてひどいやつだ。近頃スワロー夫人は、ひどく打ち沈んでいるので、彼女もその手紙を受け取ったのじゃないかと、僕の鋭い勘で推察する。彼女は親切な人だと分かった。僕は彼女に同情する。ところで、彼女の話では、ブーンは昔、スワローの学生だったのだ。そう、やつらは昔馴染みなので、やつらがあそこでメラニーと、ある非常に背徳的なシーンを演じていることも、大いにありうる。哀れな可愛い《リトル》メラニー。僕は、心の底から、あの子が哀れだと思う。そりゃ僕は、あの子がまだ処女だとかなんとか思っちゃいないが、一人の男から別の男に盥回《たらい》しされるなんて、若い女の人生じゃない。君と僕が出直すことができたら、デジレ、たぶんあの子は戻ってきて、僕らと一緒に暮らすようになるだろう。

モリス

デジレよりモリスへ

親愛なるモリス

わたしが笑い死にする前に、わが子を思い遣る親という、その演技をやめてくれない？「可愛い《リトル》メラニー」に落ち着いた家庭生活をさせてやろうという話を始めるには、ちょっとばかり手遅れね。そのことについては、あなたは彼女と、彼女の母親を見捨てる前に考えるべきだったのよ。お忘れだといけないので言うのだけれど、リトル・メラニーは、あなたが自分たちを見捨てたことを許してはいないのよ。それに、あなたはわたしのために彼女を見捨てたので（わたしの記憶に間違いがなければ、キャンディーを買うようにと、彼女に五ドル紙幣一枚与えて。それは、罪滅ぼし《コンシャンス・マネー》の納金の歴史上、もっとも汚い取引よ）、彼女は、わたしに対しても溢れるような愛情は持っていないわ。

あなたが送ってきた汚らしい紙切れを、フィリップ・スワローに突きつけるつもりなど毛頭ないわ。彼もメラニーも、わたしに釈明する義理は何もないのよ。どうしてもそうしたいなら、直接二人に手紙を書いて尋ねることね。でも、あなたはあんまり激しく義憤に駆られる前に、また、どうしても人から釈明してもらいたいと言う前に、心の寛いスワロー夫人にひとまず預けた、金髪のかわい子ちゃんのことを白状したほうがいいんじゃないかしら。風の便りでは、その娘《こ》は妊娠しているそうね。またもう一人の可愛いザップで、この惑星を汚染するつもりだなんて言うんじゃないでしょうね、ザップ？　イギリス人の偽善ってことは聞いているけど、それが伝染するってことは知らなかった。

デジレ

フィリップよりヒラリーへ

愛しいヒラリー

君にこの前手紙を書いてから二週間になる。返事を待っているのが辛く思われる。もしまだ返事を書いていないのだったら、これ以上僕を待たせずに、すぐに書いておくれ。僕は、一切を打ち明ければ、君は僕を許し、今度の件を忘れることができるのではないか、また、僕らはすべてを水に流せるのではないか、と思ったのだ。

君が、離婚とかなんとかいった、馬鹿なことを考えているのでなければいいのだが。

こうした問題を、手紙で論ずるのは非常にむずかしい。二人がお互いに六千マイルも離れている場合、どうやって誤解を解くことができよう。僕らはお互いに顔を見、話し、キスをし、そして仲直りしなくてはいけない。僕は考えているのだが、君は復活祭《イースター》に「アメリカ周遊十七日間」で、こちらに来たらどうだろう？ それには大分金がかかるのは知っているが、そんなことはかまいはしない。君のお母さんが、休暇中、子供の面倒を見てくれるだろうと思う。そうじゃないかい？ あるいは、子供を、そのメアリー・メイクピースという娘に預けてもいいのじゃないだろうか？ それは僕ら二人にとって、子供や何かから解放された、本当の休暇になることだろう。いわゆる「第二のハネムーン」というやつだね――なんだかぞっとするくらいセンチメンタルな文句だが、それほど悪い考えじゃない。僕たちが、エセフのあの薄汚い小さなアパートで、どんなに楽しい思いをしたか、覚えているかい？

この話を、ひとつ真剣に考えてみてくれたまえ、ダーリン。こちらの学生運動で、二の足を踏まないでくれたまえ。冬学期が終われば事態は鎮静し、学生と大学当局のあいだで歩み寄りが見られるだろうという徴候がある。今日は、ここ数週間で初めて、誰も逮捕されなかった。たぶん、気候もいくらか関係しているのだろう。春が本当にやってきたのだ。丘は緑で空は青く、日陰でも八十度（摂氏約二十七度）だ。湾は陽光を浴びてウインクし、シルヴァー・スパン橋のケーブルは、水平線上にハープの絃のようにチラチラ光る。今日、昼食時にキャンパスを歩いてみたが、あたりの気分に変化が感じられた。夏服を着た娘たちやギターを爪弾く者たち。君は、そういう光景を楽しむことだろうよ。

すべての愛をもって
フィリップ

モリスよりデジレへ

デジレ
こう言っても信じてもらえないのは知っているが、メアリー・メイクピースと僕は、ただの仲のよい友達なのだ。僕は彼女と寝たことはない。そうしようという考えが、僕の心を過ったのは認めるが。彼女に初めて会った時、彼女は妊娠していた。僕は、ほかの男によってすでに妊娠させられている女と交わるということについては、潔癖なのだ。こう言って分かってもらえるなら、そういうことは、何かあまり清浄ではないのだ。特に今度の場合は。なぜなら、赤ん坊の父親はカトリックの神父なのだから。僕の乗った飛行機が、イギリスに堕胎手術を受けに行く女でいっぱいだったということを話しただろうか? メアリーは、その一人だったのだ——彼女は僕の隣に坐っていて、僕と言葉を交わすようになったのさ。数週間前のある日の午後、大学から戻ってくると、玄関の廊下でオシェイに急襲された。彼は大型振り子時計《グランドファーザー・クロック》の後ろから、僕をめがけて飛び出してきて、表に面した客間に僕を引きずり込んだ。そこは、いまの時節では、北極みたいに寒かった。途轍もなく大きな革張りの肘掛椅子が、靄《もや》の中から氷山みたいに、ぼんやりと姿を現わしていた。オシェイは、ひどく興奮していた。明らかに「ある種の状態にある」（「妊娠している」の意の成句）が、指環を嵌めていない若い女が僕を訪ねてきて、どうしても僕の部屋で待つと言って聞かない、と彼は言うのだ。それは、もちろん、メアリーだった――彼女は、イギリスにとどまって赤ん坊を産む決心をしたのだが、たまたま職を失い、金もいくらか盗まれてしまったので、この国で知っている唯一の人物、つまり僕を頼ってきたという次第さ。僕はオシェイを落ち着かせようとしたが、彼は心底《しんそこ》、神を恐れ、オシェイ夫人を恐れているのだ。僕はメアリーの「コンディション」に責任がないと、いくら言ったところで、彼が納得しないのは明らかだった。彼は、僕に最後通牒を突きつけた――メアリーが出て行くか、僕が出て行くか、というわけだ。僕は、その娘を見捨てることはできかねた。そこで、彼女の泊まり場所を見つけてやろうとした。しかしその夜、ラミッジでは、なす術《すべ》がなかった。僕らと話した下宿屋のおかみたちは、メアリーが売春婦で僕がチンピラやくざだと、どうやら思ったらしい。そして、空き部屋があるのに、それを認めるホテルさえ見つけられなかった。その時、僕らは、たまたまスワロー夫人の家の前を通りかかった。で、僕は考えた。彼女に当たってみたっていいじゃないか？　僕らは、そうした。そして、うまくいった。実際の話、あの二人はいまでは大の仲良しで、どうやらメアリーは赤ん坊を産むまで、あそこにいるらしい。僕は、こんなことをすっかり書いて、君を退屈させても意味がないと思っていたし、スワローが、この話をもって君のところに駆けつけるほど卑劣なやつと思わなかったのだ。

モリス

ヒラリーよりフィリップへ

親愛なるフィリップ

お手紙ありがとう。この前のお手紙にすぐ返事を出さなかったのはすまないと思いますけれど、あなたの場合も、メラニー・ザップ（あるいはバード）のことをわたしに話す決心をするのに、六、七週間かかったのですから、わたしも自分の返事について考えるのに、それだけの日数をかける権利があるように思われたのです。

といって、わたしが離婚を考えているという意味ではありません――あの人は、また随分と、あのことで恐慌状態に陥ったもの、とわたしは思いました。あなたは、わたしに対してとても率直だったと思いますし、その女性とは、もう関係がないとも思っています。ユーフォーリアの数ある女性の中で、あなたがザップさんの娘さんを選ばねばならなかったのは、不運としか言いようがありません。また、あなたがご自分の娘に対するあの人の影響を、あれほど心配なさっていたのは、偽善的とは言わぬまでも、やや皮肉な話ですね。あなたのお手紙をメアリーに見せたところ、アマンダの純潔を守ろうとするあなたの偏執的な気の遣いようは、あなたが本心からあの子に恋していることを示しているのだし、あなたのメラニーとの情事も、近親相姦をしたいという欲望を、別な形で充足させようとするものだと言っています。一つの面白い説なのは、あなたも認めなくては。メラニーは、アマンダに似ているところがありますの？

復活祭《イースター》の休みにユーフォーリアに飛んでこないかという、あなたの提案ですが、それはどうも無理です。まず第一に、メアリーにも母にも、子供の世話を頼むつもりは毛頭ありませんし、そうかと言って、子供たちをユーフォーリアに飛行機で連れて行く余裕も家にはないと思います——その点になれば、わたし一人で行くとしても同じです。そう、フィリップ、もうこれ以上待たずに、セントラルヒーティングを、分割払いで取り付ける決心をしました。あなたからメラニーについてのお手紙を頂いてから最初にしたのが、それでした。電話帳を取り出し、見積りを作ってもらうために、いくつかの暖房工事店に電話をかけはじめました。なんだか変な話に思われるかもしれませんが、ちゃんと筋が通ったことだったのです。こう考えたのです。ここでわたしは、夫の出世と子供の教育のために、一人で家と家族の世話をして、奴隷のように働いている。そして、そうしているあいだ、わたしは暖かくさえもない。もし夫が、家に帰るまでセックスが待てないとすれば、なんでわたしはセントラルヒーティングを待たなくてはいけないのか？　もっと官能的な女だったら、復讐の意味で愛人をつくったことでしょうよ。

見積りを検討した際、ザップさんは親切にも力を貸してくださって、いちばん低い見積りを、さらに百ポンド負けさせるのに成功しました——あの人、なかなかやるじゃない？　でも、もちろん、返済金の額はかなりきついですし、手付金を払ったら、家の当座預金は赤字になってしまいました。ですから、至急、いくらかお金を送ってください。

でも、費用とか子供の問題はまったく別として、フィリップ、ともかく、そちらに行きたいとは思いません。あなたのお手紙をごく注意深く読みましたが、あなたは主に、合法的性交をするために、わたしがそばにいることを望んでいるのだという結論に達せざるを得ません。あなたは、これ以上、婚外性交渉の冒険をするのがすっかり怖くなってしまったものの、解放感を得るために、わたしを六千マイルの彼方から飛行機で運ぶつもりになってしまうほど、ユーフォーリアの春に血を熱せられたのだと思います。そんな状況でそちらに行くのは、不自然な感じがするのです、フィリップ。「アメリカ周遊十七日間」でさえ百六十五ポンド十五シリング六ペンスですし、わたしがベッドでできるどんなことも、それだけのお金の価値はないでしょう。

辛辣に聞こえるかしら？　でも、それは本意ではありません。男はいつも、文字どおりにせよ象徴的にせよ、女との喧嘩を、女を犯すことによって終わらせる、とメアリーは言っています。ですから、あなたは型どおりにやっているわけです。メアリーは、男と女についての魅力的な理論でいっぱいです。アメリカでは、女性解放のための運動が始まっていると、彼女は言っています。その徴候に出会ったことがありまして？

ユーフォリック・ステートのキャンパスでは、やっと事態が鎮静してきたと聞いて、喜んでいます。信じられないようなことですけれど、当地でも学生騒動が起こるかもしれません。来学期には坐り込み《シットイン》があるという噂が流れています。どうやらそのために、年輩の教員たちは周章狼狽しているようです。モリスによりますと、ゴードン・マスターズは、すっかり頭が変になったそうです――英文学科に、昔の国防義勇軍の制服を着てくるそうです。

愛をもって
ヒラリー

デジレよりモリスへ

親愛なるモリス

おかしな話だけど、このメアリー・メイクピースに関しては、あなたを信じるわ。もっとも、「清浄」云々は、いかにもあなたらしくて卑劣だけど。でも、その件を告げ口したと、フィリップ・スワローを非難しては駄目。先日わたしのところに来た、無署名の、染みだらけの、脂っぽい、涙の滲んだ書簡で、あなたとあなたの「きーろいけえのべえしゅんふ」を裏切ったのは、もし正書法がなんらかの鍵になるのなら、あなたのアイルランドの乙女《コリーン》、歯なしのバーナデットなのよ。

「ウーマンリブ」っていう運動のこと、聞いたかしら、モリス? わたしは、ちょうどそれを発見したところ。つまり、わたしは去年の十一月、その運動をしている女たちが、どんなふうにミス・アメリカのコンテストを潰してしまったかということを新聞で読んだのだけれど、あの人たちは単なる変人の集団だと思ったのよ。でも全然違うのね。あの人たちは、つい最近プロティノスでグループ討論を始めたのよ。先日の晩に行ってみたの。魅了されてしまったわ。驚きよ、あの人たちは、あなたみたいな人間の正体を見抜いているわ！

デジレ

4　記事

三十代半ばのカップル（妻は肥満体）、慎重なカップルに会いたし。

大地に寄り添うカップル、平和に意思を伝達するため、水に親近感を抱く兄弟を見つけたし。

自然がいちばん大事。ビッグ・サー、ディラン、ヘッセ、バッハ、赤ん坊のアライグマ、草《グラス》、海岸、感性、創造性、セックス、愛。こうしたものが好きな女性と愉しみたし。

三十代初めの魅力的な男性と三人（あるいは、それ以上）一組で愉しくやるため、二人（あるいは、それ以上）の両性愛の女性を求む。容姿端麗な妻も参加することあり。また、ご希望なら、妻の、若くてきわめて女性的魅力に富む服装倒錯者のいとこも参加することあり。ペアの女性（一人でも可）の問い合わせ歓迎。特に未経験の若い独身者、あるいはグループ・セックスを愉しみたいと思っておられる、疲れ果てた主婦からの問い合わせ大歓迎。当方秘密厳守。写真は自由なるも、お送り下さればありがたし。ご不審の点あれば、ともかく手紙を下されたし。

――『ユーフォリック・タイムズ』の小広告

デモ行進するプロティノスの女性

先週の土曜日、「プロティノス女性解放運動」のグループは、国際婦人デーを祝うために街頭に出、初めておおやけに、その姿を現わした。女性たちが持っていた旗の中には、次のように書いたものがあった。「愚かな女を演ずるのはスマートか?」「本物の娼婦として、あなたはもっと稼げる」。「一日二十四時間無料託児センター」。この最後のスローガンを見て感動したプエルトリコ人の主婦は、行進をとめた――お願い、そのセンターはどこにあるんです? 行進中の人々は、残念ながら、それはまだ出来ていないと説明した。

――『プロティノス・ガゼット』

プロティノスのための人民公園

学生とストリート・ピープルは、彼らが人民公園と称するものを建設するため、先週末、クリフトン街とキング街のあいだのポプラ通りの空き地に集まった。その土地は二年前に大学が買収したものだが、その後は、非公式な駐車場として使われてきた。

人民公園運動グループのスポークスマンは語った。「この土地は大学のものではない。もし誰かのものとすれば、それはコスタノアン・インディアンのものだ。彼らはこの土地を二百年前に力ずくで奪い取られたのだ。もしコスタノアン・インディアンがやってきたら、われわれは喜んでここを出る。それまで、われわれはプロティノスの人民のために広場を提供するのだ。これまで大学は、社会の欲求《ニーズ》に無関心であるということを、世に示してきた」

人民公園運動グループは、地面を掘ったり均《なら》したり、芝を植えたりして、週末ずっと働いた。「ヒッピーが働くのを見るとは思わなかった」とは、ポール街の近くに住む、ある年輩の住民の話である。

——『プロティノス・ガゼット』

ラミッジ大学学友会自治委員会の緊急集会

次の決議案が審議事項4(b)として提出されるであろう。

学友会自治委員会は——

(1) 理事会が来週水曜日の会合で次の要求に応じない場合、直接行動を起こすよう、学友会執行部に要請すること。

(a) 昨年十一月に学友会が評議員会および最高評議会に提出した文書、『学生参加』の趣旨を全面的に受け入れること。
(b) 本大学の機構と機能の調査を目的とする委員会を設置するために、即時行動を起こすこと。
(c) 同委員会の組織と規模に関する二日間のティーチインを行うため、全教科の授業を休講にすること。

家滑る

ピタゴラス通りで起こった小規模な地滑りのため、一軒の家が、住むには不適当になったという決定を、今日、市の公衆衛生担当官は下した。先週の土曜日の午前一時半、ピタゴラス一〇三七番地の居住者は、季節外れの暴風雨のあとで起こった地盤沈下が原因で、家が四十五度ねじれたので目を覚ました。怪我人は出なかった。

――『プロティノス・ガゼット』

クリフトン街とキング街の中間にあるポプラ通りの土地に関して

この土地は、一年半ほど前に大学が購入し、清掃したものである。大学は、財政的問題のため、直ちに運動場の建設に着手することができなかった。現在は、資金も確保され、運動場の建設計画も着々と進んでいる。

ここ数週間、この土地で働いた人々――その多くは、真の信念に動かされて働いた――のために公正を期して言わねばならないが、この土地における今後のいかなる労働も無益である。間もなくこの土地は、運動場建設のため、取り片付けられるであろう。

――ユーフォーリア州立大学広報部

復楽園

プロティノスの人民公園に、新しいエデンの園が創られつつある――これは、大学＝産業界＝軍の複合体と、愛と平和の代替社会《オールターナティブ・ソサエティー》との絶えざる闘争における、これまでにもっとも自発的にして、もっともわれわれを勇気づける事件である。人民公園で働き、かつ遊んでいるのはストリート・ピープルと学生だけではない。市井の男女、主婦、子供たちもだ――教授さえもだ！

――『ユーフォリック・タイムズ』

ラミッジ・グランプリ計画

新たに結成された、ラミッジの実業家とモーターレース愛好家の協会は、昨日、当市の新しい環状道路の内回り線で、フォーミュラ・ワンのモーターレースを開催する計画を発表した。「新しい道路はモーターレースに、まさに打ってつけだ」と、このグループのスポークスマン、ジャック・「ガスケット」・スコットは語った。「道路の設計者は、初めからこのことを考慮に入れていたと言ってもいいくらいだ」

——『ラミッジ・イヴニング・メール』

ユーフォリックの教授と学生、煉瓦を盗んで逮捕さる

イギリスからの客員教授と学生を含む十六人が、ビュキャナン街のルーテル教会の取り壊し作業現場から古煉瓦を盗んだ嫌疑で、土曜日に逮捕された。七ドル五十セントと評価された煉瓦は、目下、人民養魚池が造られている人民公園に使われるものだったのは明らかである。

——『プロティノス・ガゼット』

戦闘的学生、ラミッジ大学集会所を占拠

昨日午後、ラミッジ大学の理事は、学生ピケ隊を押し分けて理事会に出席しなければならな

かった。学生は、理事会――学友会が提出した文書、『学生参加』を論議するために開かれたもの――を、やってきた者全員に公開せよと要求した。結局、学友会会長と、ほかに二名の学生が理事会の席上演説をすることを許されたが、理事たちは、学生の要求に対しては即答を避けた。

このことが知れるや、前もって寝袋と毛布を用意していた、約百五十人の学生は、大学の集会所に入った。再編成された場合の大学の理想的仕組みについて討論が行われたあと、即席のディスコテックが作られた。午前二時になっても、約八十五人の学生が依然として集会所にいた。今日の午前中の後半、大学の建物を占拠したことを承認し、かつ、さらに多くの建物を占拠することについて、学友会緊急総会で論じられることになっている。

――『ラミッジ・モーニング・ポスト』

客員教授と学生、釈放さる

ユーフォリック・ステートの英文学科にイギリスからやってきたフィリップ・スワロー教授は、ビユキャナン街の取り壊し現場から煉瓦を盗んだとして土曜日に逮捕された、十六人の一人だった。大半がユーフォリック・ステートの学生である十六人に対する告訴は、煉瓦の所有者ジョー・マティーセン氏が告訴状に署名することを拒否したため、プロティノス裁判所にて、昨日、却下された。スワロー教授の何人かの学生は裁判所の前に集まり、教授が微笑みながら外に出てくると歓声をあげた。

「わたしはこれまで、警察に捕まったことはない」と教授は語った。「忘れがたい経験だが、二度と繰り返したくない経験だ」

――『ユーフォリック・ステート・デイリー』

バインド学長の声明

われわれは、われわれが計画もせず、ましてや頼みもしなかった公園を贈られたわけであるが、誰もそのことを心から喜んではいない。公園で働いてきた人々は、社会に対する自分たちの贈り物の将来に懸念を抱いている。周辺の住民は、群衆と騒音と、一部の公園使用者の行動で迷惑を蒙っている。市当局は、公園があることによって生ずる犯罪問題と管理問題に頭を痛めている。多くの納税者は、大学の――すなわち州の――財産の不法奪取と見なされる今回の事件に憤激している。学内スポーツの委員たちは、運動場が失われてしまうかもしれぬと考え、惨めな気持ちになっている。おおかたの者は、人民公園運動グループと警察のあいだで衝突が起こることを恐れている。衝突がなければつまらないと思っている者もいるけれども。私自身、こうした懸念および、ここには述べなかったいくつかの懸念を、ひしひしと感じている。

そこで、次にどうするのか？　まず、われわれは、あの空き地は実際に大学の財産であるという、都合よく忘れられた事実を再認識させるためと、そこに不法侵入者を入れぬために、フェンスを立てねばなるまい。それは目的達成のための強硬手段であるが、やむを得ぬ手段である。
——ユーフォーリア州立大学学長室より出された新聞発表用声明

人民公園を守れ！

われわれは、人民公園を守り、万一大学が人民公園に対して敵対行動をとるようなことがあれば、大学に対して報復の戦いを挑むという正式の誓約をした。もし、われわれが人民公園で力を合わせて働いたように闘うなら——チームを組み、不退転の決意と連帯感をもって——われわれは勝利を収めるであろう。

人民を締め出すフェンス反対
ブルドーザー反対
断固として口を閉ざし、シャベルと銃とで夜を支配せよ
人民と人民の銃に力を

人民公園運動グループ
——プロティノスの街頭で配られたマニフェスト

占拠を支持せよ

ラミッジ大学の学生諸君！　本日の集会で占拠を支持し、集会所で、われわれに加われ。大学当局に、これは諸君の大学であって、彼らの大学ではないことを示せ。

——占拠運営委員会のチラシ

警官、人民公園を奪回、三十五人を撃つ。デモ行進が発端になり、ケーブル通りで催涙ガス弾発射さる。やじ馬、学生負傷。非常事態が宣せられ、外出禁止令も出さる

大学側による人民公園没収に抗議する者たちは、昨日正午に決起集会を開き、続いてデモ行進に移ったが、デモ行進は突如警察とデモ隊との残忍な闘いに発展し、その闘いは、午後ずっと続いた。六十人が病院に運ばれ、夕刻までには、催涙ガスが南キャンパスに隣接する住宅地域にまで広がった。公然と散弾銃を振りかざしていた警官は、押し寄せる群衆に向かって発砲した。群衆の中の多くの者が、顔から血を滴らせながら逃走した。警官の一人が刺され、三人が石と割れたガラスで軽傷を負った。州兵がダック知事によって召集され、午後十時から午前六時までの外出禁止令が出された。

昨日、人民公園で寝ていた学生その他の者が退去させられたあとで、エセフ・フェンス会社が午前六時に到着し、十フィートの高さの鋼鉄製リンクの（裏面に続く）

――『ユーフォリック・ステート・デイリー』

ラミッジ大の坐り込み《シットイン》続く

千人以上の学生が出席して本日開かれたラミッジ大学学友会緊急集会で、百五十人の極左学生によってすでに昨晩から始められた「坐り込み《シットイン》」を、承認し継続するかどうかを決める投票が行われた。集会終了後、学生は一団になって集会所に行き、そのうち何人かの学生は副学長の秘書室に押し入り、副学長スチュワート・ストラウド氏に、学生の前に出てきて、自分たちの不満を聞いてもらいたいと要求した。

「時間の無駄だった」と、話し合いの場にいた学生の一人は、あとになって語った。「大学の意思決定に民主的な形で参加したいという学生の正当な要求に、彼はなんの理解も示さなかった」

学生たちが本部のいくつかの事務所を占拠したので、秘書たちは「かなりの恐慌」を来したと幹部職員は語った。

――『ラミッジ・イヴニング・メール』

人民公園運動グループと警官、州兵、プロティノスの繁華街で衝突先週末、現在フェンスで囲われている人民公園の支持者は、警官と州兵を翻弄した。土曜日、彼らはプロティノスの商店街に侵入した。シャムロック通りの三ブロックを埋め尽くした彼らは、州兵の一隊と小競り合いをし、州兵に力で押し戻された。

午後一時頃、ミランダ郡保安官代理たちは、スプレー式ペンキでクーパー百貨店のショーウインドーに、「プラハにようこそ」と書いていた青年を取り押さえ、滅多打ちにした。青年は、夥《おびただ》しく血を流しながら、警察に引きずっていかれた。のちに、青年はユーフォリック・ステートの二十一歳の黒人学生、ワイリー・スミスと判明した。

日曜日には、人民公園支持者の長蛇の列がプロティノスの街路を通り、途中のすべての空き地に、ミニチュアの「人民公園」を造るつもりで草花を植えた。なぜ部下に、それらの草花を引き抜くよう命じたのかと訊かれたオキーン郡保安官は、「財産の侵害だからだ」と答えた。

——『エセフ・クロニクル』

大学は戦争状態、とラミッジ大の教授が警告

ラミッジ大学英文学科教授ゴードン・マスターズは、現在学生によって行われている坐り込み《シットイン》を、強い調子の言葉で非難した。

「現在の状況は、一九四〇年のヨーロッパのそれに酷似している」と教授は、昨日語った。「受諾しがたい最後通牒を突きつけ、それに続いて電撃的攻撃《ブリッツクリーク》を加え、相手国に隣接する地域を占領する。これは、ヒトラーの基本的戦術だ。しかし、われわれはその時、降伏しなかった。今度も降伏するつもりはない」

マスターズ教授は研究室の壁に、大学のセントラルヒーティングの配置を示す、大きな設計図を貼っている。「暖房用パイプは、迷路のようなトンネルを通っている」と教授は説明した。「万一、評議員と本部が地下に潜らねばならないという事態が発生したら、それは抵抗運動の格好の本拠地になろう。副学長が、警告を受けたら直ちに退避できる地下掩蔽壕《えんぺいごう》を持っていることを、私は疑わない」

これに対し、副学長の事務室側ではコメントを拒否した。

——『ラミッジ・モーニング・ポスト』

暴動の犠牲者ロバーツ死す
学生の一般投票実施決まる
学内評議員会、人民公園問題で集会開催を決議

——『ユーフォリック・ステート・デイリー』の見出し

われわれは弾劾する！　われわれは勝利をかちとる！

プロティノスの人民は、誰がジョン・ロバーツの死に責任があるのかを知っている。それは、一片の土地をめぐって人民に宣戦を布告したバインド学長だ。それは、配下の「青い意地悪」どもに散弾銃で武装させ、彼らを通りに放したオキーン郡保安官だ。

それは、無防備の青年の背中に、至近距離から鹿弾《バックショット》を二度撃ち込んだ氏名不詳の豚だ。

われわれの土地の神聖さは汚されたが、人民公園の精神は、シャムロック通りとハウル・プラーザに生きている。プロティノスの人民は、豚と圧制者に抗し、団結して立ち上がっている。馬鹿げた障壁はいまや取り壊され、愛のバリケードが、豚どもに抗して作られつつある。街のヒッピー、政治活動家、友愛会《フラターニティー》（アメリカの男子大学生の閉鎖的親睦組織）の会館に住む学生、男女のスポーツ愛好家、平和を欲する母親たちは、いまや孤立のマスクを外し、互いの心に触れ合っている。

——『ユーフォリック・タイムズ』

教授、辞職

ラミッジ大学英文学科教授、ゴードン・H・マスターズ教授は、昨日、副学長に対し、辞表を提出した。副学長は、「遺憾ながら」それを受理した。

数年後に定年退職する予定のマスターズ教授の健康が近頃優れないことはよく知られているが、教授の親しい友人たちは、最近の大学での学生紛争で、教授は非常に心を痛めていたと言っている。マスターズ教授は正式には十月に辞職するが、しばらく休養し健康を回復するために、すでにラミッジを去った。

――『ラミッジ・モーニング・ポスト』

ヘリ、デモ隊にガス攻撃――催涙ガス、キャンパスを包む

昨日、州兵のヘリコプターがユーフォリック・ステートのキャンパスの上を低空飛行し、厳重に州兵に包囲され、ハウル・プラーザで身動きできなくなっていた約七百人の学生と教員の頭上に、白い催涙ガスを散布した。

このガス攻撃は、ジョン・ロバーツを追悼して行進した三千人のうち、解散しないで残っていた者たちを追い散らすため、ミランダ郡保安官ハンク・オキーンが許可したものである。ガスは風に吹かれて数百ヤード先まで運ばれた。そして住宅街をすっぽりと包み、大学の教室と研究室に入り、大学病院の病棟に染み込んだ。四分の三マイル離れたブルーベリー・クリークの水泳プールにいた教員の妻子は、ガスの影響を受けた。教員のグループは、法の執行機関による催涙ガスの無差別の使用に対し、バインド学長に強く抗議を申し入れた。

――『エセフ・クロニクル』

八歳の子供の見た大学の危機

じんみんこうえんはまだほんとうに見てませんが、きれいだろうということはかんじられました。こうえんはみんなの手だけでなく、みんなのきもちでもつくられたのです。みんなはそれを心でつくったのです、そのひとたちはそれをいつまでもつづくものとしてつくったのかどうか知っていましたが、あのこうえんはなん百にんものひとがつくったのですから、だれもがそれをいつまでもつづくものとしてつくったかどうか、ぼくたちにはわからないでしょう。

おまわりさんは、おまわりさんであることによってじぶんたちの人生をだいなしにしています。おまわりさんはまた、にんげんであろうとしていません。おまわりさんは、一しゅのしんけいしつな動物みたいにふるまっています。

——プロティノスの小学校教師が『ユーフォリック・ステート・デイリー』に寄せたもの

集会所のティーチイン

今週末、坐り込み《シットイン》の実行委員たちは、「大学と社会」というテーマでティーチインを開くことにした。

現代社会における大学の役割は何か?

大学教育の社会的に正当な理由づけは何か？
一般市民は、大学と学生について実際にどう考えているか？
これらは、われわれが討議する問題の一部である。

——ラミッジ大学学生の配布した印刷物

ラミッジの学童の学生観

たいてえのがくせえはカレッジや大がくのいまのやりかたが気にいっていませんだからこうぎしたりすわりこみをしたりするのです。がくせえも年をとればカレッジや大がくもあれでよかったと気づくでしょう。がくせえは、しみんとけえさつのじかんをただおもしろはんぶんにろうひしているだけだとおもいます。がくせえのたいてえのものはヒッピーで大きなばかみたいにふるまい、ほかのものならあたまのいいのをじまんするところなのに、じぶんたちのあたまをろうひしています。

学生はおろかで、ただめだちたいためにわざと人に悪しゅう弾をなげつけるのだと思います。学生は長くてきたないかみをしたおおぜいの老いぼれ浮ろう者です。顔を洗ったことがないみたいです。ふくそうははじさらしで、金もぜんぜんもっていません。学生はテレビにしゅつえんし、しちょう者のまえでまやくをすいます。そして、けんかをし、てあたりしだいにものをぶちこわして通りでぼうどうをおこします。学生のなかにはふんべつのあるのもいます。そういう学生はきちんとしたふくそうをし、きちんとしたかみをし、きちんとした家があり、おろかではありません。

もしがくせいがぼくのところにきてなにかいっても、ぼくわそのままあるきつづけます。ぼくたちがネコだとして、がくせいがぼくたちをひろいあげたとすると、このがくせいはしんせつだとぼくたちわおもいます。でも、がくせいわぼくたちをきざんでじっけんをするのです。がくせいのなかにわちゃんとしたのもいますけど、でもそういうのはいばりやです。

ぼくはがくせーがきらいですとゆーのはみんなおたがいにやることをまねしあい、おんなじふくをき、だれもがアメリカ人みたいにしゃべるからです。がくせーははっぴーになるためにまやくをすいちゅーしゃをします。がくせーはふこーなくせしてあいとかへーわのことをはなします。

モシボクガケエカンダッタラヤツラヲコオシュケイニスルデショオ。

——教育学部の学生が『ランブル』に寄せたもの

ラミッジ大の教員、調停者を推挙

ラミッジ大学の教授を除いた全教員で組織されている連合会は、坐り込み《シットイン》を終わらせるため、大学当局と学友会執行部との交渉を進める調停者を推挙することにした。本日早い時間に、学生は投票の結果、坐り込み《シットイン》を続行することに決定した。

アメリカ合衆国のユーフォーリア州立大学から来英し、ラミッジ大学で客員教授として教鞭をとっているモリス・ザップ教授が、その調停者の候補に挙げられた。

――『ラミッジ・イヴニング・メール』

地震解決策

「エコロジーと政治」というテーマで、昨日、ユーフォリック・ステートで開かれたティーチインで、地震は大地の上に置かれた一切のコンクリートに対する自然の抗議だと、一人の講演者は語った。人は草木を植えることによって地面を解放し、その結果、地震を食い止めるのである、というわけだ。

――『プロティノス・ガゼット』

学長、人民公園の賃貸を提案。市長は疑念を表明。戦没将兵記念日に大がかりなデモの計画

ハロルド・バインド学長は昨日記者会見し、人民公園の難問は、もし大学が、できるだけ現在の形を取り入れ、公園として開発するために、土地の一部をプロティノス市に賃貸すれば解決するのではないかと語った。

プロティノス市議会は、次の集会でこの提案を審議するであろうが、ホームズ市長がこの提案に乗り気でないのは周知のことである。また、大学の元評議員のダック知事は、人民公園運動グループに対するいかなる譲歩にも激しく反対しているので、同知事が賃貸を承認するかどうか疑問視されている。

一方、人民公園運動グループは、五月三十日の戦没将兵記念日に、プロティノスの通りを通る大がかりなデモを計画している。それは平和で非暴力的な抗議になるはずだ、とデモの実行委員は断言している。しかし、その日に、遠くマディソンやニューヨークから約五万人が集まるだろうと聞いた地元民は、不安を覚えている。

「デモの許可を求める申請が出され、目下関係当局によって検討されている」ということを市役所のスポークスマンは認めた。

——『エセフ・クロニクル』

氷塊、屋根を破損

昨夜、一立方フィートの大きな緑色の氷塊が上空から落下して、南ラミッジの一軒の家の屋根をぶち抜き、最上階の部屋を破損した。当時部屋には誰もいず、怪我人は出なかった。

氷塊を調べるために呼ばれた科学者は、最初それは気紛れな雹《ひょう》だと思ったが、間もなく、凍った尿であることを証明した。それは、かなりの高度を飛んでいた旅客機から不法に投棄されたものと考えられている。

この家の持ち主、ブレンダン・オシェイ医師は、今朝、こう語った。「びっくり仰天した。わたしの入っている保険が、こうしたものをカバーするかどうかさえ分からない。それは天災だと言う者もいるかもしれない」

――『ラミッジ・イヴニング・メール』

5 変化

「小さめだとは思わないかい?」

「わたしには立派に見えるわ」

「かなり小さいんじゃないかと、近頃思ってたんだ」

「最近の調査では、アメリカの男性の九〇パーセントが、自分のペニスは平均より小さいと思ってるんですって」

「トップの一〇パーセントでありたいと願うのは、ごく当然の話と思うね……」

「その人たちはトップの一〇パーセントなんかじゃないのよ、馬鹿ね。その人たちは、そんなことを気にかけない一〇パーセントなのよ。大事なのは、平均以下の人が九〇パーセントなんているはずはないってこと」

「そうかあ。僕は統計に弱いからな」

「あなたには失望したわ、フィリップ、本当に。あなたには男らしさについてのコンプレックスなんてないと思ってたのに。そこが、あなたのいいところなのよ」

「僕の小さいペニスが?」

「年がら年中、自分の性的能力に拍手喝采を求めるような真似はしないっていうことが。そう、モリスの場合は、いつだって四つ星のファックでなくっちゃいけなかったのよ。クライマックスの時、呻き声をあげ、白目を剝き出し、口から泡を吹かないと、おまえは冷感症だって、あの人は非難したものよ」

「彼も九〇パーセントの一人だったのかい?」

「うーん、違うわ」

「そうかあ」

「とにかく、それはあなたには実際より小さく見えるのよ。あなたは、いつも見下ろしているわけですものね。奥行が縮まるのよ」

「なるほど」

「鏡で見たらいいわ」

「いや、君の言うことを信じよう」

しかし翌朝、フィリップはシャワーを浴びてから体を拭いていた際、洗面台の上の鏡で自分のトルソーを調べるため、椅子に登った。普通の角度から下半身を見下ろすと、ある程度奥行が短縮されるのは事実だった。もっとも、期待していたほどではなかったが。四十というのは、この点に関して思い煩いはじめるには、かなり高齢であるのは認めなければいけないけれども、彼がともかくも比較の基準を持つようになったのは、ごく最近のことなのだ。彼はユーフォーリアに来るまで、学童だった頃を除けば、他人の男性器官をつくづく眺めたことはなかったと言ってよかろう。ユーフォーリアに来てからは、ペニスが四方八方から、彼の目の前に、これ見よがしに突きつけられた。まず、チャールズ・ブーンだが、フィリップは、パジャマを馬鹿にしているブーンが生まれたままの姿で、ピタゴラス・ドライブのアパートの中を歩き回るのに何度も出くわした。次に、ケーブル通りの何軒かのレコード店が、ジョン・レノンとヨーコ・オノのアルバムを店頭に飾りはじめた。ジャケットには、有名なこのカップルの正面がまる見えのヌード写真が載っていた。『私は好奇心の強い女』（ヴィルゴット・シェーマン監督のスウェーデン映画。ポルノ解禁の先駆的作品と言われている）の主人公もペニスを誇示した。フィリップとデジレは、デジレの言葉を使うと、性的刺激を受けるのを期待して（期待どおりだったのは認めなくてはいけない）、ほかの二百人ほどの中年の窃視狂《ヴォワイユール》と一緒に二時間並び、その映画をエセフで観た。また、ある前衛劇団の公演で、役者が服を脱ぐ前に、若い男の観客が自分で服を脱いで、役者の影を薄くしてしまった。こうやっていくつものペニスを見せられたフィリップは、劣等感を抱くようになった。それに対してデジレは、同情しなかった。「でかぱい文化の中でぺちゃぱいで育つってことがどんなか、これであなたにも分かったでしょ」と彼女は言った。

「君の胸はとってもいいと思うがな」

「あなたの奥さんはどうなの？」

「ヒラリーかい？」

「胸は豊満なの？」

「スタイルはいい、うん。言っとくけど……」

「何を？」

「彼女はブラジャーなしじゃ駄目なのさ、君と違って」

「なぜ？」

「うん、そう、それ《イット》は、ばたりばたりと動き回るからね」

「それ《イット》、ですって？　それら《ゼイ》って意味でしょ？」

「ああ、そうさ、それら《ゼイ》、さ」

「ばたりばたり動いちゃいけないって誰が言うの？　乳房は片持ち梁のテラスみたいに突き出てなくちゃいけないって誰が言うの？　誰だか言いましょうか。それは、ブラジャー製造業者よ」

「君の言うのは正しいかもしれないな」

「年中、コッドピースをつけていなくちゃいけないとしたら、どんな気持ちだと思う？」

「いやだろうなあ。でも、『ユーフォリック・タイムズ』に広告を出せば売れると思うよ」

「モリスは、いつでもでかぱい愛好者だった。なぜ、あの人がわたしと結婚したのか、分からないわ。なぜ、わたしがあの人と結婚したのかも分からないけど。なぜ人は、そもそも結婚するのかしらねえ？　あなたは、なぜヒラリーと結婚したの？」

「分からない。あの当時、孤独だったんだ」

「そうね。そんなところね。わたしに言わせてもらえば、孤独っていうのが、いろいろなことの原因なのよ」

フィリップは椅子から降りて体を拭き終えた。そして、肌にタルカムパウダーを擦り込み、腰と胸に最近出来た新しい組織のクッションに触って、一種の自己陶酔的快感を覚えた。彼は禁煙して以来体重が増えたのだが、それはかなり自分に似合っていると思った。胸部はいまや滑らかな肉の鞘《さや》で覆われ、鎖骨はもはや、ハンガーを呑み込んだかのように、ぞっとするほどギラギラと突き出してはいなかった。

彼は、デジレから借りた木綿のハッピ・コートを、肩をすぼめて羽織った。自分のバスローブはピタゴラス・ドライブに置いたままだったが、チャールズ・ブーンが何度となくそれを借用したので、フィリップは、もう取ってくる気になれなかった。ブーンという男は、どうだと言わんばかりに裸でアパートの中を歩き回っていない時は、いつも他人《ひと》の服を無断で着ていた。ソクラテス通りでの生活は、それよりどれほど素晴らしいものだろう。彼を、一つの住所から別の住所へと放り投げた地滑りは、考えてみれば、なんという天佑であろうか。青と緑の海を想わせる色合いの模様のハッピ・コートは、裏は白いタオル地で、すこぶる快適だった。それを着ると、なんとなく運動選手めいて、東洋の柔道家さながらに堂々として見えたばかりではなく、実際にそう感じられさえもした。彼は、鏡の中のおのが映像を渋面を作って眺め、目を半ば閉じ、鼻孔をふくらませた。彼は近頃、ちょくちょく鏡を見るようになった。おそらく、自分が心の奥底を明かし説明するような、ある態度をとったり表情を浮かべたりするところを急襲したいと思っているためだろう。

彼はそっと自分の寝室に入り、ベッドカバーをまくり、枕に少し凹《へこ》みをつけた。それは、社会的因習に従おうとする気持ちの名残を示す、一つの表われだった――デジレと寝た時は早めに起きて自分の部屋に戻り、寝具を乱した。自分が誰の目を誤魔化そうとしているのか、よく分からなかった。双子《ツイン》ではないのは確かだった。というのも、デジレがおぞましい「進歩的なアメリカの親」らしく、子供を大人扱いするのがよいと信じていて、自分と彼の関係の正確な性質を、子供に説明したのは間違いないからだ。そいつを僕にも説明してくれたらな、と彼は、別の鏡をじっと覗き込みながら皮肉な気持ちで思った――彼女と僕の関係は、さっぱり分からない。

生来の早起きというわけではなかったが、フィリップはソクラテス三四六二番地で、こうした晴れた日の朝に早く起きるのが、全然苦にならなかった。彼はレーザー光線のように鋭く噴出するシャワーの湯を浴び、絨毯の敷き詰められたしんとした家の中を裸足で歩き回り、地上のコンピューターで導かれる宇宙船の操縦室《フライトデッキ》さながらの台所を独り占めにするのが好きだった。台所は、何もかもが白く輝くステンレス製で、そこには、ダイヤルやら、こまごました器具やら、巨大な、ぶうんと唸る冷蔵庫やらがあった。フィリップは、自分と双子《ツイン》のために朝食の席を用意し、冷凍オレンジジュースを水差しに入れて掻き回し、ベーコンの薄切りを電気グリルに入れてスイッチをローにし、沸騰している湯をティーバッグに注いだ。そして、紅茶茶碗を手に、誰のものでもない室内履きの靴を突っかけて、テラスを通って庭に出、陽の当たる壁にしゃがんでもたれ、いつであれ期待を裏切らない眺めを満喫した。とても静かで、澄み切った朝だった。湾の水面はぴんと張りつめ、シルヴァー・スパン橋のケーブルは、一本一本数えられるほどだった。動きの絶え間がないショアライン・フリーウェイでは、乗用車とトラックがディンキーのミニカーさながらに走っていたが、その騒音と排気ガスは、ここまでは届かなかった。ここでは空気は清澄で甘く、プロティノスの裕福な家々の庭に繁茂する、亜熱帯の植物で馨しいものになっていた。

エンジンをカットバックした銀色のジェット機が一機、ほとんど彼の目の高さのところに北から飛んできた。彼は、空のシネマスコープを緩慢に過《よぎ》るその動きを目で追った。ユーフォーリアに着くには、いい時間だった。いまはシルヴァー・スパン橋が架かっている狭い海峡に、たぶんまったくの偶然で入り込み、このなんとも素晴らしい湾を、神が創り給《たも》うた時のままの姿で発見した最初の水夫の気持ちがどんなだったたか、想像するにかたくないほどだった。フィッツジェラルドの『華麗なるギャツビー』のあの一節は、どうだっただろう？「新世界の瑞々しい緑の胸……移ろう、魅せられた一瞬、人はこの大陸を目の前にして、息をひそめたに違いない……」フィリップがその一節を思い出していると、朝の静寂は、頭上を通る巨大な芝刈り機のようなひどい音で破られ、蜘蛛を想わせる黒っぽい影が、丘の中腹の家々の庭をさっと過った。今日の最初のヘリコプターが、ユーフォリック・ステートのキャンパスに舞い降りた。

フィリップは家の中に戻った。エリザベスとダーシーが起きていた。二人はパジャマ姿で台所にやってきて欠伸をし、目をこすり、長いもつれた髪を掻き上げた。二人は一卵性双生児であるばかりではなく、一層紛らわしいことには、ダーシーのほうが女性的な美貌の持ち主だったので、フィリップは、エリザベスの歯列矯正器で二人を見分けた。二人は、謎めいたペアだった。互いにテレパシーによって意思の伝達をしている二人は、普通の言語を、異常なくらいわずかしか使わなかった。フィリップは、自分の子供たちが早熟と言えるほど言語明晰で、飽くことなく質問を浴びせかけてくるので、二人のこの態度にはほっとすると同時に、当惑もした。この双子《ツイン》は自分のことをどう思っているのだろうと、彼はよくいぶかったが、二人は一切何も仄めかさなかった。

「グッド・モーニング！」フィリップは、陽気な調子で二人に挨拶した。「暑くなりそうだね」

「おはよう《ハーイ》」と二人は、小声でおとなしく言った。「ハーイ、フィリップ」。二人は朝食用のカウンターに坐り、ある特許品の糖衣コーンフレークを、むしゃむしゃ食べ出した。

「ベーコンは食べるかい？」

二人は、コーンフレークで口をいっぱいにしたまま、首を横に振った。彼は電気グリルから、かりっと焼けた、均一の大きさに切られたベーコンを取り出し、自分用のベーコン・サンドイッチを作り、もう一杯紅茶を淹れた。「今日のお昼の弁当は何がいい？」と彼は尋ねた。双子《ツイン》は互いに顔を見合わせた。

「ピーナツバターとゼリー」とダーシーが言った。

「分かった。君はどうだね、エリザベス？」いまさら訊くまでもなかった。

「同じにして」

彼は、二人が気に入っているらしい、前もって切ってある、まるで味のない、ビタミン入りの白いパンでサンドイッチを作り、それに林檎を一つずつ添えて弁当箱に詰めた。双子《ツイン》はコーンフレークを二度おかわりした。最近『ユーフォリック・タイムズ』は、コーンフレークの箱で育った鼠のほうが、コーンフレークで育った鼠より健康だということを証明した実験について報じた。彼は、二人にそのことを話した。二人は、おとなしく笑った。

「顔は洗ったかい?」と彼は訊いた。

二人が顔を洗っているあいだ、彼は、デジレのコーヒー用の湯を沸かすためのケトルを火にかけ、きのうの『エセフ・クロニクル』を取り上げた。「それは平和で非暴力的な抗議になるはずだ、とデモの実行委員は断言している」と書いてあった。「しかし、その日に、遠くマディソンやニューヨークから約五万人が集まるだろうと聞いた地元民は、不安を覚えている」。彼は窓の外に目をやり、ヘリコプターがプロティノスの繁華街の上空を蜻蛉《とんぼ》のように速く飛んだり、ホバリングをしたりしている様を見た。市内には二千人以上の州兵が集結し、その何人かは、ほかならぬ人民公園の中で露営した。州兵たちはひそかに花に水をやっているという噂があった。確かに、彼らは武器を放り出し、抗議する学生たちに加わりたいかのようなそぶりを、しばしば示した。とりわけ、人民公園の支持者の若い女性たちが、腰まで服を脱いで露わな乳房を銃剣のほうに突き出し、彼らを嘲弄する時は。銃剣と露わな乳房というのは、『ユーフォリック・タイムズ』の写真班にとっては抗し切れない魅力に満ちた、ハードウェアとソフトウェアの並置だった。州兵のおおかたは、ともかくもベトナム戦争に行きたくない一心で州兵軍に入っただけの青年で、ニュースで見るベトナムのGIさながらに、いまや途方に暮れ、惨めな表情を浮かべていた。大胆な者は、カメラに向かってピース・サインをしていた。実際、人民公園事件は、ベトナム戦争のミニチュア版と言ってよかった。大学当局がグエン・バン・チュー政権、州兵軍がアメリカ軍、学生とヒッピーがベトコン……戦争の段階的拡大、過剰殺戮、ヘリコプター、枯葉作戦、ゲリラ戦。それはどれもこれも、完全にベトナム戦争に符合した。このことは、チャールズ・ブーン・ショーで言ってみるに値するだろう。ほかに何を言うべきか、彼には想像できなかった。

双子《ツイン》は弁当箱を取りに、台所にふたたび現われた。今度は、青いジーンズ、スニーカー、色褪せたTシャツという格好で、前よりほんのわずか清潔で、きちんとして見えた。

「お母さんに、行ってまいりますって言ったかい?」

二人は、家を出しなに、お座なりに「じゃあね《バーイ》、デジレ」と言ったが、それに対し、くぐもった叫び声が返ってきた。フィリップは、コーヒー、オレンジジュース、トーストしたマフィン、蜂蜜をトレーに載せ、デジレの寝室に運んだ。

「おはよう《ハーイ》!」と彼女は言った。「あなたのタイミングは絶妙ね」

「素晴らしい朝だ」と彼は言ってトレーを置き、窓辺に行った。ベネチアンブラインドの羽板《ルーバー》を調節すると、陽光が細長い縞になって部屋に射し込んだ。デジレの三つ編みにした赤い髪が、大きなベッドのサフラン色の枕の上で燃え立った。

「家の屋根を剝ぎ取りかけたのは、ヘリコプター？」と彼女は、熱心に朝食を胃に詰め込みながら訊いた。

「うん。僕は庭にいたんだ」

「不愉快《サノヴァビッチ》ね。子供たちは、ちゃんと学校に行った？」

「ああ。ピーナツバター・サンドイッチを作って持たせた。瓶に残ってたのを使い切っちゃった」

「そう、今日、買い物に行かなきゃいけないわね。あなたは何か予定がある？」

「午前中、大学に行かなきゃいけないんだ。英文学科の教員が、ディーラー・ホールの石段のところで、寝ずの番《ヴィジル》をするのさ」

「何をですって？」

「間違った言葉なのは確かだけど、みんなそう言ってるんだ。ヴィジルっていうのは一晩中するものだろう？　僕らはただ、石段の上に一、二時間立つだけだと思うよ。沈黙の抗議さ」

「英文学科の教員が二時間ばかりお喋りをやめたからって、ダックが州兵を引き揚げさせるとでも思ってるの？　そりゃ、大したことだって認めるけど、でも……」

「抗議はバインドに向けられているんだと思うな。やつに圧力をかけて、ダックとオキーンに対して立ち上がらせなくちゃいけないわけだ」

「バインドですって？」デジレは馬鹿にしたように鼻を鳴らした。「八方美人学長ね」

「でも、やつがむずかしい立場にいることは認めなくちゃいけないな。君がやつの立場に立ったら、どうする?」

「わたしは彼の立場には立てないわ。ユーフォーリア州立大学は、これまで女の学長を一人も出してませんからね。ところで、今晩は家にずっといる? でなかったらベビーシッターが要るから訊くんだけど。今晩は、わたしの空手教室があるの」

「今晩は遅くなるな。チャールズ・ブーンの、例のくだらん放送に出なくちゃいけないんでね」

「ああ、そうね。何について話すの?」

「ユーフォーリアの現状についての僕の印象を話すことになってると思うね。イギリス人の観点から」

「なら、お茶の子さいさいね」

「でも、僕はもう、イギリス人のような気がしないんだ。とにかく昔ほどはね。その点になれば、アメリカ人のような気もしない。『一つは失われ、もう一つは生まれ出る力のない、二つの世界のあいだを彷徨し』(イギリスの詩人・批評家のマシュー・アーノルドの詩の一句)」

「ともかく、人民公園についてたくさん質問を受けるわよ。そのもっとも有名な支持者として」

「そいつは、まったくの偶然さ。君も十分よく知ってるように」

「なにごとも完全に偶然ではありえないわ」

「僕は人民公園に対して中くらいの共感以上のものは抱いたことはないな。そこに入ったことさえないんだ。ところがいま、赤の他人がやってきて僕の手を握り、僕が人民公園にコミットしたことを祝うのさ。ひどくばつが悪い」

「人は時代の波に乗ることがあるものよ、フィリップ。あなたは歴史の波に巻き込まれたわけね」

「自分が完全なペテン師みたいな気がするな」

「なら、なんでそのヴィジルとやらに出掛けるの？」

「もし行かないと、別の側についたように見えるだろうからさ。そいつは確かに本当じゃない。とにかく、キャンパスから州兵をどけてもらいたいと、僕も切に思ってるんだ」

「でも、逮捕されないように気をつけてね。今度釈放してもらうのは、そんなに簡単じゃないでしょうからね」

デジレはマフィンを食べ終わり、指を舐め、コーヒーカップを口に当てたまま、頭をまた枕に沈めた。「ねえ」と彼女は言った。「そのハッピ・コートを着ると、本当に素敵よ」

「これと同じのは、どこで買える？」

「それを着てなさいよ。モリスは一度も袖を通さなかったわ。二年前、クリスマス・プレゼントに買ったのよ。ところで、ヒラリーに手紙を出した？　それとも、もう一通の匿名の中傷の手紙が、あなたに代わって事情を説明してくれるとでも思ってるの？」

「なんて書いたらいいのか分からないんだ」。彼は、陽光の縞を踏まぬようにしながら（まったくなんの理由もなかったけれど）、部屋の中を歩き回った。デジレの化粧テーブルの上の三面鏡に映っている彼の三つの像は一つに収斂し、彼がそこを離れようと向きを変えると、やはりぷいと向きを変え、彼を冷たくあしらうかのようだった。

「何が起こったか、これからどうする計画なのか、ヒラリーに話しなさいよ」

「でも、これからどうするのか、僕には分からないんだ。なんの計画もない」

「あなたの持ち時間はなくなりかけてるんじゃないの?」

「分かってる、分かってる」と彼は、髪を指で梳きながら、絶望したような口調で言った。「でも、僕はこうしたことに慣れてないんだ。姦通の経験がないんだ。ヒラリーや子供や僕や君にとって、いちばんいいのはなんなのか分からないんだ」

「わたしのことは心配しないでいいのよ」とデジレは言った。「わたしのことは忘れてよ」

「どうして、そんなことができる?」

「一つだけ言っておくわ。二度と結婚するつもりはないの。ひょっとして、あなたがそんなことを考えたりしたらいけないから言うんだけど」

「君は離婚するつもりなんだろう?」

「そうよ。でも、いまからは、わたしは自由な女なの。自分の二本の足で立つのよ。首のまわりに二つの睾丸《ボール》をぶら下げたりせずにね」。彼は、気持ちを傷つけられた表情を浮かべたようだった。というのも、彼女がこう付け加えたからだ。「何も個人的な意味じゃないのよ、フィリップ。わたしがあなたをとっても好いてるってことは知ってるでしょ。わたしたちは、うまが合うのよ。子供たちも、あなたを好いてるわ」

「あの二人が？　そうかどうか怪しくなる時が多いんだけどなあ」

「確かよ。あなたは子供たちを公園なんかに連れてゆくじゃない。モリスは、そんなこと、ただの一度もしたことがなかったわ」

「変な話だなあ。ここに来た時は、そいつはこれからしなくて済むことの一つだって思ってたんだ。衝動的にそうしてしまうに違いないな」

「あなたは好きなだけここにいていいのよ。あるいは、出て行ってもね。自分でいちばんいいと思ったことを、なんでも自由にしていいのよ」

「ここ数週間、とても自由な気分だった。これまでの人生で、これほど自由なことはなかったと思うくらいに」

デジレは、たまさかの微笑を浮かべて、彼をちらりと見た。「それは結構ね」。彼女はベッドから降り、木綿のナイトガウンの上から体を掻いた。

「いつまでもこんなふうにやっていけたらいいと思うよ。ここで君と僕と双子《ツイン》とで。そうして、ヒラリーも子供たちも、僕らのことは何にも知らずにすっかり幸福なら」

「ここにいるのは、あとどのくらい？」

「うん、交換教員の期限は正式には、あとひと月で終わる」

「希望したらユーフォリック・ステートに残れるの？　つまり、大学はあなたを採用してくれるの？」

「駄目だね」

「この前の『コース公報』で、あなたは大好評だって誰かが言ってたわ」

「書いたのはワイリー・スミスだからね」

「謙遜し過ぎよ、フィリップ」。デジレは、ナイトガウンを頭から脱ぎながら隣の浴室に行った。フィリップは、素裸の彼女を嘆賞するような表情を浮かべながらあとについていき、彼女がシャワーを浴びているあいだ、便器の蓋に坐っていた。

「このへんのどこか小さなカレッジの勤め口は見つからないの?」と彼女は、シューッというシャワーの湯の音に負けじと大きな声で言った。

「たぶん見つかるだろうけど、ビザの問題があるな。もちろん、僕がアメリカ市民と結婚すれば、なんの問題もないけどね」

「まるで脅迫ね」

「そういうつもりで言ったんじゃないさ」。彼は立ち上がった。洗面台の鏡の中の映像も立ち上がって、彼に面と向かった。「ひげを剃らなくちゃ。僕らの話は、だんだん非現実的になるなあ。僕はもちろん、ひと月経ったら帰る。ヒラリーと子供たちのところに。ラミッジに。イギリスに」

「そうしたいの?」

「いや、全然」

「よかったら、わたしのために働いてもいいのよ」

「君のために？」

「家政婦代わりにね。あなたは家事がとっても上手。わたしより、ずっと上手。わたしは、また仕事に出たいのよ」

彼は笑った。「給料はどのくらいだい？」

「たくさんは出せないわ。でも、ビザの問題はないわね。戸棚からタオルを取って頂戴、ハニー」

彼は、彼女がシャワーから体を光らせながら離れると、タオルを広げて持ち、彼女の体を手早くこすりはじめた。

「あー、いい気持ち」。しばらくして彼女は言った。「本当に家に手紙を出さなくちゃ駄目よ」

「モリスには話したのかい？」

「モリスに説明する義務なんてないわ。おまけに、そんなことをしたら、あの人は、あなたの奥さんのところにすっ飛んで行くでしょうよ」

「そいつは考えなかったなあ。もちろん、僕がここに泊まっているのを、二人とも知ってる……」

「でも、メラニーもここにいると思ってるわよ、お目付け役としてね。それとも、あなたとメラニーに目を光らせていると思われてるのは、わたしのほうかしら？　訳が分からなくなっちゃったわ」

「僕なんか何週間も前に訳が分からなくなっちゃったさ」とフィリップは、前よりゆっくりデジレの体をこすりながら言った。彼はいまや、膝を突いて彼女の脚を拭いていた。「こいつは、なかなか刺激的なんだなあ」

「落ち着いてよ、ベイビー」とデジレは言った。「ヴィジルをするんだってこと、忘れないでね」

ダーリン
この前の手紙、ありがとう。風邪が治ったと聞いて喜んでいる。僕はまだ花粉症に罹っていない。ユーフォーリアの花粉ではアレルギーを起こさなければいいと思っている。ところで、僕はザップ夫人と密通している。もっと前に言うべきだったのだが、うっかりして……

親愛なるヒラリー
「ダーリン」と言わないのは、愛情を示すその言葉を使う権利を失ってしまったからだ。メラニー事件のほんの数ヵ月後……

最愛のヒラリー
このところ僕の手紙の調子が前よりリラックスして陽気そうだと君は言ったが、君は非常に明敏だ。単刀直入に言うと、僕は最近、週に三、四回、デジレ・ザップと同衾している。それは、僕にとって大変具合がいい……

彼はキャンパスへの道すがら、頭の中でヒラリーへの手紙の文章を作ったが、作りはじめるや否や、心の中で破いてしまった。彼は、家とラミッジとヒラリーと子供たちのイメージと、現在の生活のイメージを一つにまとめようとすると、考えが空転して制御できなくなり、支離滅裂で感傷的で卑猥なものに堕してしまうように思われた。飛行機に乗れば数時間のうちに、自分の住んでいた、あの灰色で、湿っぽく、物静かな環境に戻れると思うのはむずかしかった。それは、デジレの化粧テーブルの鏡を通れば、ラミッジの家の自分の寝室に戻れると思うようなものだった。いよいよとなったら、自分のゾンビの複製、すなわち、皿を洗い、チュートリアルをし、毎月三日に住宅ローンの返済金を払うように作られた、ロボットのスワローを家に送り、彼自身はユーフォーリアに身を潜め、髪は伸びるがままにし、デジレと静かに痺れられさえしたら……そうしたとて、ラミッジの誰も気づくまい。ところが、いまのような精神状態で本人が帰ったなら、おまえは偽者だとみんなは言うだろう。本物のフィリップ・スワローさん、どうかお立ちください。僕もその本物に会ってみたいものだとフィリップは、ソクラテス通りの急なカーブに沿ってコルヴェアを走らせながら思った。タイヤは滑らかなタールマック舗装の道路の上で静かに軋り、家と庭はバックミラーの中で、めくるめくように互いに交替した。彼は、結局、モリス・ザップの車を運転することになったのである。「バッテリーはいつも充電しといたほうがいいわよ」とデジレは、彼がこの家に移って数日してから言った。「あの車がガレージで眠っているっていうのに、あなたが毎朝バスに乗ろうと出掛けてゆく姿は、見るに忍びないわ」

　それはすべて、地滑りのあった夜に始まったのだ。ザップ夫人と僕は、また同じパーティーに招かれ、彼女が車で送ろうと僕に言ったのだ。一種の熱帯性の嵐が吹き荒れていたからだ……その夜、ピタゴラス・ドライブは氾濫した河のようだった。ヘッドライトに照らされた雨は、折り重なるようにして、ざっと横殴りに降り、車の屋根を激しく叩き、ワイパーの動きをいまにも止めそうだった。街灯は消えていた。たぶん、ショートしたのだろう。まるで海底を運転しているようだった。「これはひどいわ」とデジレは、滝のように雨の流れているフロントガラスの向こうを見透かしながらつぶやいた。「あなたを降ろしたら、少し治まるまで、このまま坐って様子を見ようかしら」

礼儀上、家に入ってコーヒーを一杯どうです、と彼は言ったが、驚いたことに、彼女は誘いに応じた。「でも、ひどく濡れちゃうんじゃないかな」と彼は言った。

「傘を持ってるの。走りましょうよ」

二人は走った——家の横に向かってまっすぐに。

「おかしいなあ」と彼は言った。「玄関がここにあるはずなんだけど」

「酔っ払ってるのよ」とデジレは、別に同情する様子もなく言った。傘をさしていたにもかかわらず、彼女はひどく濡れはじめていた。フィリップは完全にずぶ濡れだった。おまけに、二人は庭の小径《こみち》にではなく、数インチの泥の中に立っているように思われた。

「僕はまったく素面なんだ」と彼は、ポーチの石段はどこかと闇の中で手探りしながら言った。

「誰かが家を動かしたに違いないわね」と彼女は、皮肉っぽく言った。

それは、ある意味でごく正しかった。玄関を捜しながら家の角をぐるっと回ると、二人は、泥の染みのついた寝巻き姿で怯えている三人の娘――メラニー、キャロル、ディアドリー――に出会った。彼女たちは、家が大きな弧を描いてねじれた際、ベッドから放り出されたのだ（幸いチャールズ・ブーンは、心地よいスタジオの中で暖かい思いをし、濡れもしなかった）。「地震だと思った」と彼女たちは言った。「この世の終わりかと思った」

「みんなわたしの家にいらっしゃい」とデジレが言った。

それは純粋な慈善行為だったのさ。そして、彼女としては、ただの応急措置のつもりだったのだ。僕らがピタゴラス・ドライブに戻るまで、あるいは、ほかの住まいが見つけられるまで雨露をしのげるためだけの……キャロルとディアドリは間もなく引っ越した。メラニーはチャールズ・ブーンとサウス・キャンパス地区に一緒に住むことにした――二人は人民公園運動に全身全霊を傾けていて、できるだけ現場の近くにいたいと思ったのだ。とうとう、地滑りの避難者のうち、フィリップだけがザップ家に残ってしまった。彼は、ピタゴラス・ドライブの家が安全に住めるものになるかどうか、しばらく様子を見ることにした。デジレは、心配しないようにと言った。彼は、さほど熱心にではなかったが、別のアパートを探しはじめた。デジレは、急ぐことはないと言った。彼は、彼女の言葉に甘えても、そう後ろめたい気はしなかった。というのも、彼女はちょくちょく晩に会合に出掛けたのだが、その際、ベビーシッターを見つける手間を省いてやったからだ。また、彼女は朝寝坊で、彼が進んで双子《ツイン》の朝食を作り、二人を学校に送り出してくれるのをありがたがった。知らず知らずのうちに、彼らの生活は一つの型に嵌まってきた。結婚したも同然と言えた。日曜日には、彼は双子《ツイン》を、プロティノスの丘の向こう側の州立公園に車で連れて行き、二人を松林で散歩させた。彼は、自分がイギリスでの生活に戻ったような気がした。いまの生活のほうが、もっと快適で、ゆったりとしていたが。ピタゴラス・ドライブでの独り暮らしの期間は、それが次第に過去のものになるにつれ、麻薬による夢のように思われ出した。結局のところ、それには何か不自然で不健康なところがあった。彼がピタゴラス・ドライブで演じた役割には、何か下劣で滑稽なところがあった。彼は、代替社会《オールターナティブ・ソサエティー》の中年の居候で、犬のようにへつらった表情を浮かべて若者たちにまつわりつき、相手のご機嫌を取り結び、相手を怒らせまいと気を遣い、あるゲームを空しく期待したのだ。彼が階下の娘たちのアパートに初めて行った晩に見た、カウボーイと南軍兵士と黒人の柔道愛好家のあいだで展開された、あのゲームを。彼らは、二度とあのゲームをしないようだった。あるいは、彼が外出している時にするよう、気を配ったのだ。彼は、あの夜以来、乱交パーティーを暗に物語るようなことは何も嗅ぎつけなかった。その徴候はないかと、いつも五感を鋭くしていたにもかかわらず。彼がグループ・セックスにもっとも近づいたのは、『ユーフォリック・タイムズ』で、スワッピング愛好者の小さな広告を読んだ時だった。おそらく、彼も自分で広告を出すべきだったろう。「ジェイン・オースティン、トップ・オブ・ザ・ポップス、ジントニックが好きな、それほど巨根でもないイギリス人教授、初心者向きの乱交パーティー物色中」。あるいは、個人的なメッセージを出すべきだったろう。「メラニー。もう一度チャンスをおくれ。君が必要なのだが、君と話せない。僕は部屋で眠らずに待っている」。隣室で交わっているチャールズ・ブーンが立てるくぐもった音に耳を澄ましながら、暗闇の中で眠らずに汗をかく。それは、実に忌まわしかった。地滑りは、秘めた幻想と満たされぬ欲望とのソドムとゴモラを、すっかり払拭してしまったのだ。彼は、ソクラテス通りのいちばん高いところにあるデジレ・ザップの贅沢な巣の、静かで、最初はセックスとは無縁だった雰囲気の中で、生まれ変わったように感じた。彼は以前よりもたくさん食べ、長時間眠るようになった。彼もデジレも夕バコをやめた。「あなたがその臭いパイプを捨てたら、わたしもくだらない紙巻煙草《シガレット》を捨てるわ。それでいきましょうよ」。禁煙する気になったのは、空手のおかげだと彼女は言った。十分間の稽古で顎を出してしまい、屈辱感を覚えたのだ。フィリップは、驚くほど簡単に禁煙できたので、自分はともかくパイプ・タバコなど本当は好きではなかったのだと思い込んだ。そして、喫煙に伴うもろもろの煩わしさから解放されて嬉しかった。いまや日中は暖かくなったので、薄手のズボンをはき、スリムラインのワイシャツを着た。そうしても、上半身の至る所からぶざまな出っ張りが嚢胞《のうほう》のように現われるということはなかった。そして確かに、近頃、酒量が増した。たいてい、夕食の前にジントニックを二杯、食事中にワインかビール、そのあとで、その日の暴動をデジレとテレビで観ながら、たいてい、スコッチを一杯飲んだ。ある晩、二人でそうしている時、彼は言った。「今日、とってもいいアパートを見つけたんだ。ポール街で」

「ここにいたらいいじゃない?」とデジレは、テレビの画面から目を離さずに言った。「スペースはたっぷりあるわ」

「これ以上甘えているわけにはいかないからね」

「よかったら部屋代を払ってくれてもいいのよ」

「そうしよう」と彼は言った。「いくら？」

「一週間の部屋代として十五ドル、一週間の食事代、酒代として二十ドル、光熱費として三ドル、締めて一週三十八ドル、あるいは一歴月につき百六十ドルではどう？」

「こりゃ驚いた」とフィリップは言った。「すごい頭の回転だ」

「ずっと考えてたのよ。わたしにとっても妥当な取り決めに思えるわ。ところで、あしたの晩は家にいる？　意識拡大《コンシャスネス・レイジング》（完全な自己実現を目指し、自分の置かれた状況をはっきりと自覚する試みで、一九六〇年代に流行した）の研修会があるのよ」

フィリップは赤信号で停まり、車の窓を下ろした。ヘリコプターのぶうんという音で、いまや州兵のいる地区に入ったことが分かった。ヘリコプターの音さえ聞こえなければ、キャンパスのこちら側では、大学で紛争が起こっているとは想像できないだろうな、と彼はキャンパスの西側の広い入口に車を進めながら思った。芝生や灌木の植え込みを過ぎた。そこでは、回転するスプリンクラーの飛沫が、陽を受けて虹色に輝いていた。小屋にいる一人の警備員が、けだるそうに片手を上げて挨拶した。しかし、ディーラー・ホールに近づくと、紛争の徴候がはっきりしてきた。窓には、割れたガラスの代わりに板が打ちつけられ、小径にはリーフレットや催涙ガスの容器が散乱し、州兵と学内警官が建物を警備しながら小径を用心深くパトロールし、携帯型無線機《ウォーキートーキー》に向かって小声で話していた。

フィリップは、ディーラー・ホールの後ろの駐車場に、空いているところを見つけた。その時、大きな緑のサンダーバードでちょうどやってきた、リューク・ホーガンの車と並んだ。

「いい車だなあ、フィル」と学科主任は言った。「モリス・ザップも、そっくりなのを持ってたよ」

フィリップは話題をちょっとばかり変え、「大学紛争の一つの利点は」と言った。「駐車が楽になることさ」

ホーガンは悲しげにうなずいた。急進的な同僚と保守的な同僚の板挟みになっているホーガンにとって、大学の危機はおかしくもなんともなかったのだ。「本当に申し訳ないな、フィル。君がこんな時に僕らのところに来なくちゃならなかったなんて」

「いや、実に面白いよ、本当に。こんなに面白くちゃいけないのかもしれないけど」

「別な年に、また是非来たまえ」

「ここにずっと就職したいと言ったら?」とフィリップは、デジレとの会話を思い出して、半分真面目に訊いた。

ホーガンの返事は、至極真面目なものだった。非常な苦痛の表情が、西部の風景さながらに干からびて蝕まれた彼の大きくて褐色の顔に、一瞬浮かんだ。「うーん、フィル。希望に添えればいいんだけど……」

「ただの冗談さ」

「そう、『コース公報』じゃ、君はえらく褒められてたな……近頃じゃ、教えるってことは重視されてるんだ。本当に重視されてるんだ」

「僕は本を出してない。そいつは分かってるんだ」

「そう、正直に言わなくちゃならないが、フィル……」リュークは溜め息をついた。「君の年齢と経験にふさわしい地位を提供するには、一冊か二冊の本が欲しいところなんだ。ところで、君が黒人だったら、もちろん話は別だろう。インディアンだったら、もっといいがね。博士号を持ってる生粋のインディアンだったら、何をおいても来てもらうんだがなあ」と彼は、孤島でステーキとフレンチフライを夢見る男のように、物欲しげにつぶやいた。前学期のストライキが解決したのは、一つには、大学が第三世界の教員をもっと雇うことにしたからだが、アメリカの大部分の大学も同じ獲物を追いかけているので、第三世界の教員は供給不足だった。

「それもある。僕は博士号を持っていない」とフィリップは言った。

そのことはホーガンも知っていたが、どうやら彼は、それに注意を向けるなんてフィリップも趣味が悪いと思ったらしく、返事をしなかった。二人はディーラー・ホールに入り、黙ってエレベーターを待った。壁には、「英文学科のヴィジル、ディーラーの入口の石段で午前十一時より」とペンキで殴り書きした掲示があった。エレベーターのドアが滑るように開き、二人は中に入った。すると、カール・クループも二人の横に急いで入ってきた。彼は背の低い、髪が薄くなりはじめた、眼鏡をかけた男だった——がっかりするくらい非英雄的な男だとフィリップは、初めて彼が誰だか分かった時に思ったものだった。彼は、老兵が戦闘記章をいつまでもつけているように、「クループをキープせよ」というスローガンバッジを、まだ襟につけていた。あるいは、彼を馘首《かくしゅ》し再雇用した責任者であるホーガンに、具合の悪い思いをさせるためだけに、それをつけていたのかもしれない。

「やあ、リューク、やあ、フィリップ」と彼は、二人に陽気に挨拶した。「あとで君たちに、石段のところで会えるね？」

ホーガンは、弱々しい微笑を浮かべて答えた。「午前中は委員会に縛られそうなんだ、カール」。ホーガンはドアが開くや否やエレベーターから飛び出し、研究室の中に姿を消した。

「忌々しい自由主義者だ」とクループはつぶやいた。

「でも、僕も自由主義者さ」とフィリップは抗弁した。

「ならばだね」とクループは言って、フィリップの背中を軽く叩いた。「君みたいな自由主義者が、もっといたらいいと思うよ。自由主義の旗幟《きし》を鮮明にして、みずからの自由主義のために監獄に入る覚悟のある。君はヴィジルに来るかい？」

「ああ、行くとも」とフィリップは言って、顔を赤らめた。

彼は自分のメールボックスを調べようと英文学科の事務所に入ると、メイベル・リーから声をかけられた。「あら、スワロー教授。ブーンさんが先生のメールボックスに、メモを置いていきましたわ」。彼女は作り笑いをした。「今夜、あの人のショーにお出になるんですってね。必ず聴きますわ」

「こりゃ困った。僕は勧めないがね」

彼はカウンターに積んであった『ユーフォリック・ステート・デイリー』を一部取り上げ、第一面に、ざっと目を通した――オキーン郡保安官に禁止命令……他大学も支援表明……医師、科学者、発泡靡《び》爛《らん》性ガスと見られるものを調査……婦女子、人民公園に抗議のデモ行進。人民公園の写真もあったが、人民公園はいまや、急速にゴミだらけの荒れ地と化しつつあった。一隅には、わずかな遊具と萎れた灌木があり、周囲には、お馴染みのフェンスが張り巡らされていた。中には、鈍重そうな数人の州兵、外には女と子供の群れ。さながら、強制収容所のシュールレアリスティックなひっくり返しだった。チャールズ・ブーン・ショーで言うに値することではないだろうか？「ここでは誰が本当の囚人なのか、考えさせられますなあ。誰がフェンスの中にいて、誰がフェンスの外にいるんです？」等々。彼は、ここに来てからも依然として、イギリス流に「鳩の巣箱《ピジョン・ホール》」と呼んでアメリカの同僚を大いに楽しませていた書類整理棚の垂れ板《フラップ》を上げた。そして、宛名がヒラリーの筆跡で書かれた小さな奇妙な形の小包を目にすると、一瞬、吐き気を催したが、よく見ると、それは海上郵便《サーフィス・メール》で送られてきたもので、したがって数ヵ月前に出されたものなのが分かって、ほっとした。最近、ユーフォーリアの外から郵便物が来ると不安になった。ユーフォーリアの州境の向こうに自分が持っているつながりと責任を思い出させられたからだ。とりわけ、ヒラリーからの航空書簡《エアレター》、空色のごく薄い書信を前にすると尻込みした。右端の女王の肖像そのものが、後ろめたい彼の目には、自分の行動を苦々しげに非難しているように映った。ヒラリーの最近の手紙の実際の文面に、不満とか疑惑の念がいささかでも現われているというわけではない。彼女は、子供たちやメアリー・メイクピースやモリス・ザップのことを、至極明るい調子で書いてきた。彼女によれば、モリスは、ラミッジで起こっているらしい、ちょっとした学生運動を収めるのに、近頃、大変指導的な役割を演じたようだ……実のところフィリップは、自分が妻を裏切っているという噂がラミッジにまで流れ、憤激と怒りの叫び声が跳ね返ってくる、などという事態になっていないのを確認して安心するために、小綺麗に丸っこい字で書かれた文面を、できるだけ速くさっと読んだので、彼女のもたらすニュースが、ほとんど頭に入らなかったのだ。彼がザップ家に住んでいるということは、プロティノスでは秘密でもなんでもなかったが、誰もが人民公園騒動で頭がいっぱいで、さらに深くそのことを詮索しようとする者はいなかった。あるいはまた、デジレが主張したように、フィリップはチャールズ・ブーンを自分のアパートに住まわせていたのだからゲイで、デジレはウーマンリブ運動に関わっているのだからレズだろうと人は思い、したがって、二人が密通しているかもしれないとは想像しなかったのだ。そのうえ、メラニーに関する匿名の中傷の手紙を書いたと思われる第一の容疑者、ハワード・リングボームは(彼の学生だったカウボーイが情報を提供した人物と思われる)、カナダに就職口を見つけ、ほっとしたホーガンから、即刻辞職してもよいという許可をもらってユーフォーリアを去っていた。

フィリップは、放送の時間と場所を念のために記した、チャールズ・ブーンのメモを読んだ。そして、飛行機の中での二人の出会いを思い返した。何年も前のことのように思えた。「そうだ、先生にもいつか出演してもらわなきゃ……」それ以来、多くのことが変わった。チャールズ・ブーンに対する態度も、その一つだ。フィリップは、感情の全スペクトルを通過したのだ――この男は、なかなか愉快じゃないか、という気持ち、苛立たしさ、羨望感、怒り、激しい性的な嫉妬心、そして、そうした一切の激情が発散してしまったいまの、しぶしぶながらの敬意。近頃では、通りでもテレビでも、至る所でブーンの姿が見かけられた。行進やデモがある時はいつでも、片方の腕に人目に立つように白いギプスを嵌め、もう一方の腕も折ってみよと警官に挑んでいるかのようなブーンの姿が。彼の図々しさ、生意気さ加減、自信のほどは、とどまるところを知らなかった。それは、一種の勇気に変貌した。冷める兆しの少しもない、メラニーのブーンに対するのぼせようは、以前よりは多少納得のゆくものになった。

フィリップは、メモを丸めて屑籠に放り込んだ。イギリスからの小包は、研究室で一人の時に開けようと思った。研究室に行く途中、大学に来た最初の日に爆弾の破裂した四階の男子用手洗いに寄った――それは、いまでは修理され、塗り直されていた。湾と、その向こうのシルヴァー・スパン橋を一望のもとに収める、小便器の上の開いた窓からの景色は、そうした姿勢で見られる景色としては世界最高だと言われているが、今日のフィリップは、目を下にやった。そう、確かに奥行が縮まっている。

デジレの家に同居することに決めた動機には、まったくなんの性的意図もなかったということを、ヒラリー、信じてくれなくてはいけない。それまで何度か僕らは会ったのだが、お互いに特に好意を抱くということはなかったのだ。それにともかくデジレは、この女性解放運動とやらに改宗したての頃だったので、気持ちが昂ぶり、男性一般に対して極度に敵意を抱いていた。実際の話、それだからこそ、僕が同居するのが、彼女にはかえって面白く思われたのだ……

「ああ！」デジレは二人が初めて交わったあとで、溜め息をついた。

「どうしたんだい？」

「終わらないうちはよかったわ」

「凄かったよ」と彼は言った。「僕はいく、のが早過ぎたかな?」

「そんな意味じゃないのよ、馬鹿ね。わたしたちが純潔だった時期が終わらなかったあいだはよかったたって意味よ」

「純潔?」

「わたしは、純潔でありたいって、いつも思ってきたのよ。この数週間、兄と妹みたいに暮らしてきたのは、とってもよかったわ。あなたも、そう思わない? いまは、わたしたちは情事に耽ってるわけ、ほかの誰もと同じように。なんて平凡な話」

「いやならば、このまま続けていきたくないならば、続けていかなくたっていいんだよ」と彼は言った。

「いったんスタートしたら、後戻りはできないわ。前に進んでゆくだけよ」

「うん」と彼は言い、その原則をしっかりと確かめるため、翌朝、早々と彼女を起こして、ふたたび交わった。彼女を興奮させるには長い時間がかかったが、ついに彼女は頂点に達し、腰を波状的に反らせる一連の運動をし、ために彼はベッドから、すっと浮き上がってしまった。

「膣のオルガスムスが神話だってことを知らなかったら」と彼女は、そのあとで言った。「あなたにだまされたかもしれないわ。モリスとでは、あんなによかったことはないわ」

「そいつは信じがたいな」と彼は言った。「でも、君にそう言ってもらって嬉しいよ」

「本当なのよ。あの人のテクニックは凄かったわ、ともかく昔は。でも、わたしはいつも、試験台の上のエンジンみたいな気がした。なんて言ったかしら、どのくらいで壊れるかっていう実験って?」

彼は研究室に入り、窓を開け、机の前に坐った。ヒラリーからの小包の中身はどうやら本のようで、表に、「**海水にて汚損**」と書いてあった。奇怪で、不吉とも言える形をしているのは、そのせいだったのだ。包装紙を剝ぎ取ると、いびつで、色褪せ、皺の寄った一冊の本が現われたが、彼は、それが何かすぐには分からなかった。背の部分がなくなっていて、各ページは互いにくっついていた。しかし、彼はなんとか真ん中へんをこじあけ、読んでみた——「フラッシュバックは、使うとしても、できるだけ少なく使うべきです。フラッシュバックは物語の進行を妨げ、読者を混乱させます。結局のところ、人生は後ろにではなく、前に進むのです」

教授から助手までの英文学科のスタッフは、他人を意識しながらディーラー・ホールの入口の石段のところに集合した。カール・クループは黒い腕章を、駆け回りながらみんなに配った。「**州兵はキャンパスから去れ**」とか「**直ちに占拠をやめよ**」とか書かれた手製のプラカードが、いくつか目についた。フィリップは、ワイシャツ姿や夏物のワンピース姿の大勢の者の中の、友人や知人に向かってうなずき、微笑した。デモには絶好の日和だった。実際、ヴィジルというよりピクニックといった雰囲気だった。カール・クループも、そう考えているようだった。というのも、手をポンと叩いて、静粛にするよう一同に求めたからだ。

「これは、沈黙のデモというわけだ、諸君」と彼は言った。「で、ヴィジルのあいだタバコを吸わないと、われわれの抗議が重みを増すと思う」

「または、酒を飲んだりセックスをしたりしないと」と、後列の剽軽《ひょうきん》者が付け加えた。フィリップの脇に立っていたサイ・グットブラットが、呻き声を出して紙巻煙草《シガレット》を投げ捨て、「君にはなんともないだろう」と言った。「君はタバコをやめたんだから。どうやったんだい？」

「もっと酒を飲み、もっとセックスをして埋め合わせてるのさ」とフィリップは、にやりとしながら答えた。ふざけた調子で本当のことを言うのが、ユーフォーリアで秘密を守る、もっとも安全な方法なのを、彼は発見していたのだ。

「うん、でも、性交後の紙巻煙草《ポストコイタル・シガレット》ってやつはどうだい？　懐かしくはないかい？」

「僕はパイプを吸ってたんだ」

「それから、これをよく覚えておいてくれたまえ」と、カール・クループは重々しい口調で言った。「警察か州兵が僕らを解散させようとしたら、ただ体をぐったりさせて、抵抗しないこと、豚野郎が手荒な真似をしたら、そいつのナンバーをよく覚えておく（「相手の正体を知る」の意の成句）こと。もっとも近頃じゃ、連中はナンバーなんかつけちゃいないけど。何か質問は？」

「やつらがガスを使ったら？」と誰かが訊いた。

「その時はお手上げだ。できるだけ堂々と退却する。歩くこと。走らないように」

やっと、一座の空気が真剣なものになった。英文学科の教員には、根っからの急進派はごく少なかったし、殉教者を志願する者は一人もいなかった。彼らは、カール・クループの言葉を聞いて、自分たちはみな、現在の一触即発の状況の中で、ほんの少しとはいえ危険を冒しているのだということを改めて思い出した。法律を厳密に解釈すると、彼らは、キャンパス内で集会を開いてはならないというダック知事の命令に違反しているわけだった。

それはすべて、僕が逮捕された時に始まったのだ。僕が逮捕されなかったら、なにごとも起こらなかったろうと思う。僕が保釈になったのは、デジレのおかげだった……

「やあ、デジレかい？」

「そろそろ時間よ！　今晩わたしが出掛けるってこと忘れたの？」

「いや、忘れてないさ」

「一体、どこにいるのよ」

「刑務所さ、実を言うと」

「刑務所？」

「煉瓦を盗んだっていうんで逮捕されたのさ」

「あらまあ、本当に盗んだの？」

「いや、もちろん違うよ。つまり、車には載せていたんだけど、盗みはしなかったのさ……話せば長くなる」

「手短に話したほうがいいですな、教授」と、監視役の警官が言った。

「ねえ、デジレ、ここに来て、僕の保釈の手続きをしてくれないか？　百五十ドルかかるそうだ」

「現金」と警官は言った。

「手元に、そんなにはないわ。銀行も閉まっちゃってるし。アメリカン・エキスプレスのクレジットカードでもいいかしら？」

「クレジットカードでいいですか？」とフィリップは警官に訊いた。

「駄目」

「駄目だってさ」

「お金はなんとか都合する」とデジレは言った。「心配しないでね」

「ああ、心配しないとも」とフィリップは哀れな声で言い、デジレが電話を切った音を聞き、受話器を置いた。

「あと一回だけ電話をかけてもいい」と警官は言った。

「それはとっておきますよ」とフィリップは言った。

「いまかけなきゃ、もう駄目。それに、保釈で出られると思わんほうがいいな。少なくとも月曜まではな。あんたは外国人だ、分かるかね？　だから事が面倒になる」

「こりゃ大変だ。これからどうなるんです？」

「これから、あんたを監禁するわけだ。軽犯罪者の部屋が、自分のものではない煉瓦を運んだ連中で満員なのはお気の毒。あんたを重罪人の部屋に入れなくちゃならん」

「重罪人?」この言葉は、彼の耳に恐ろしく響いた。彼の不安は、部屋のドアが開いた時に、野性的な敏捷さで跳び上がった、二人の筋骨逞しい黒人を見て、軽減することはなかった。

「この方は教授だ、若い衆」と警官は言って、フィリップをぐいと中に押しやり、ドアの錠を下ろした。「だから、ぞんざいな口を利くんじゃないぞ」

二人の重罪人は、彼のまわりをうろつき回った。

「なんでパクられた、教授?」

「煉瓦を盗んでね」

「聞いたかい、アル?」

「聞いたぜ、ルー」

「煉瓦をいくつだね、教授?」

「そう、二十五ばかり」

二人の重罪人は、怪訝そうに顔を見合わせた。「たぶん、金の煉瓦だったんだろうぜ」と一人が言った。もう一人は、甲高い、泣き喚くような声で笑った。

「タバコはあるかい、教授?」

「申し訳ないが、持ってない」。フィリップが禁煙を悔いたのは、この時だけだった。

「教授がはいてるズボンはいかすな、アル」

「ほんとだ、ルー」

「尻んとこがぴったり合って、気持ちのいいズボンってのが、おれは好きよ、アル」

「おれもさ、ルー」

フィリップは壁際の木製のベンチに素早く坐り、デジレが保釈金を払って出してくれるまで、身動きしなかった。「ちょうどいい時に来てくれた」と彼は、デジレの運転する車で本署をあとにすると言った。「一晩中あそこにいたら、犯されちまったに違いない」

その経験は、いまになって振り返ると滑稽なものだったが、二度としたくはないものだった。もし、警官の一隊が自分たちを逮捕しにマザー・ゲートを通って駆け込んできたら、たぶん自分は列を離れ、研究室という聖域に真っ先に駆け込む一人になるだろうと思った。幸い、その日のキャンパスは静かで、ヴィジルが治安を乱す活動を挑発しそうもなかった。通行人は、目を瞠って微笑するだけだった。ピース・サインをしたり、拳を振り上げ、ブラック・パワー支持の身振りをしたり、「頑張れ!」とか「人民に力を!」とか叫んだりする者も幾人かいた。あるテレビ局のリポーターとカメラマンがやってきた。バズーカ砲のように重い機材を背負っていたカメラマンは、数分間撮影した。カメラは石段の端から端までゆっくりと動いたが、それは、恒例の小中学校のクラス写真の撮影風景を、いやおうなく思い出させた。サイ・グットブラットは『ユーフォリック・ステート・デイリー』を顔の前に翳し、「やつらがFBIの手先でないとは誰にも言えないからね」と説明した。

そもそもの初めから話そう。ある土曜日の午後、僕はプロティノスを車で通っていた——僕は繁華街で買い物をしていた——そして、帰る途中、取り壊し中の教会の敷地の前を通りかかった。すると、大勢の者が（おおかたが学生だった）、古い煉瓦を手押し車やスーパーマーケット用のワゴンで運んでいるのに気づいた。僕は紙袋や買い物籠にたくさんの煉瓦を入れて、うんうん言っているグループに追いついた。その中に僕の学生の一人がいた……ワイリー・スミスだった。アッシュランドのゲットー育ちの二人の黒人の友人と、カフタンを着た裸足の白人の娘と一緒だった。彼らは、人民公園まで乗せていってやろうというフィリップの申し出に二つ返事で応じ、煉瓦をコルヴェアのトランクに積み込み、客席に飛び乗った。フィリップの車が人民公園の近くの交叉点で停まると、ワイリー・スミスが、「豚だ！」と不意に叫んだ。車の三つのドアが同時に開き、フィリップの客は散りぢりに逃げた。彼の後ろに停まった車の中の二人の警官は、別に彼らを追おうとしなかった。警官は、運転席に坐ったまま、恐怖で金縛りになっているフィリップのほうにやってきた。「信号無視かなんかしたんでしょうか？」と、彼は震え声で言った。

「トランクを開けてください」

「古い煉瓦がいくつか入ってるだけですけど」

「ともかく開けて」

彼はすっかり度を失っていたので、コルヴェアが後部《リア》エンジンであるのを忘れてしまい、エンジンカバーを、うっかり開けてしまった。

「人をからかうんじゃないよ、おまえさん。時間がないんだよ」

「まことにどうも申し訳ない！」フィリップは、トランクを開けた。

「この煉瓦はどこにあったのかね？」

「あー、建物があるんですが、教会なんです、取り壊し中の。ご覧になったはずですが。大勢の人が古煉瓦を運んでるんです」

「この煉瓦を運んでもいいっていう許可を、文書でもらってるかね？」

「ねえ、お巡りさん。僕がこの煉瓦を取ったんじゃないんです。車の中にいた学生たちが取ったんです。僕は、ただ連中を乗せてやっていただけですよ」

「学生の住所氏名は？」

フィリップは躊躇した。ワイリー・スミスの住所は知っていたし、真実を話すのが習慣だったからだ。とりわけ、警官に対しては。

「知りません」と彼は言った。「連中は許可をもらってると思ったんです」

「誰も許可なんかもらっちゃいない。この煉瓦は盗品だ」

「本当に？　大した価値があるとは思えませんがねえ。でも、すぐに教会に戻しましょう」

「誰も教会なんかには行かん。身分証明書を持ってるかね？」

フィリップは、教員用身分証明書とイギリスの運転免許証を取り出した。警官は前者を見て、教授連が学生を焚きつけて他人の財産を荒らさせているという短いお説教をし、後者を見て、深いけれども言葉にならぬ疑念を表明した。身分証明書も運転免許証も、共に没収された。二台目のパトロールカーがやってきて彼らのそばに停まり、中に乗っていた者がフィリップの車から煉瓦を降ろし、二台のパトロールカーに移しはじめた。それから一同は本署に行った。

最初に彼が入れられた部屋は、小さな、窓のない息苦しい部屋だった。彼は、部屋を傷つけたり、卑猥な文句を書いて壁を汚したりしないよう厳しく注意され、凶器を携帯していないかどうか体中を調べられ、おのが罪をじっくり考えてみるよう、三十分ほど一人にしておかれた。それから部屋の外に連れ出され、警察記録に載せられた。教員用身分証明書とイギリスの運転免許証が、ふたたび吟味された。ポケットに入っていたものが、明細に記録されてから没収された――それは、どぎまぎするような経験だった。彼は、ずっと前にピタゴラス・ドライブでしたゲームを思い出させられた。彼の上着のポケットからダーシーのおはじき《マーブル》が一個出てくると、当直の巡査部長の机のまわりの連中は、大いに面白がった（「ほう、ほう。今度こそ間違いなくマーブル（「正気」という意味もある）をなくしちまいますぜ、教授さんよ」）。けれども、彼が運転している車と住んでいる家が、札入れの中の写真の妻とは別の女のものであるのが分かると、今度は好色な羨望の念の混ざった道徳的見地からの言葉を口にし出した。彼は写真を撮られ、指紋を採られた。そのあとで、デジレに電話をするのを許され、重罪人と一緒の部屋に閉じ込められた。デジレは、晩の七時に、彼を保釈してもらうのに成功したのだ。その時には、彼は月曜日までに釈放される望みを捨てていた。彼女はクリーム色のパンツスーツを着て赤い髪をひっつめにした姿で、落ち着いて、颯爽と、動ずる気配もなく、裁判所のロビーで彼を待っていた。彼は、彼女の首にしがみついた。

「デジレ……来てくれてありがとう」

「あら、弱ってるみたいね。殴られたか何かされたの？」

「いや、いや。でも……参っちまったんだ」

デジレは、二人が知り合って以来、初めて優しい態度をとった。思い遣りさえ示した。彼女は爪先立ちして彼の唇にキスし、腕を彼の腕に絡ませ、出口のほうに連れて行った。「一部始終を話してよ」と彼女は言った。

彼は、とりとめのない、切れぎれの文章で話した。それは、釈放されたショックのせいだけではなかった。メラニーとの場合同様、不意のキスが彼の内部にあった、いくばくかの氷河を溶かしたのだ——思いもかけぬ感情と、忘れていた感覚が、突然大洪水のように押し寄せてきた。彼は、自分が逮捕されたことについては、もはや考えてはいなかった。自分たちの心が触れ合ったのは、これが初めてなのだと考えていた。デジレも、同じことを考えているようにさえ思われた。彼のまとまりのない文句に対し、彼女はまとまりのない返事をした。車で家に向かう道すがら、彼女は危険なほど長いあいだ道路から目を離して彼を見つめ、笑い、少しばかりヒステリックに、警察に対し呪いの言葉を吐いた。こうした徴候を目にし、それがどういうことを意味するのかを考えて、彼はさらに興奮し、さらに心が乱れた。彼は車から出て家の中に入ると、手足が勝手に震えた。「双子《ツイン》はどこだろう？」と彼は訊いた。「隣の部屋よ」とデジレは、いつもとは違う奇妙な表情で彼を見ながら言った。彼女は玄関のドアを閉め、上着を脱いだ。そして靴も。そしてズボンも。そしてシャツも。そしてパンテイーも。ブラジャーはつけていなかった。

「失礼だけどねえ、フィル」と、サイ・グットブラットが小声で言った。「君のあれは勃起してるようだぜ。ヴィジルじゃあ、あんまりみっともよくないな」

十二時半頃にヴィジルはなにごともなく終わり、坐り込んでいた面々は、三々五々、喋りながら昼食をとりに出掛けた。フィリップは、サイ・グットブラットと一緒にキャンパスのレストラン、「銀の牡牛《シルヴァー・スティア》」でシュリンプ・サラダのサンドイッチを食べた。そのあとでサイは、電動タイプライターで、またしてもフッカーに関する論文を叩き出すため、研究室に戻った。仕事をするにはあまりに落ち着かなかったフィリップは（彼はここ何週間か、本を一冊も読み通していなかった）、散歩に出た。陽光を浴びながらハウル・プラーザをぶらぶら歩き、学生の政治活動家グループの作った、いくつかの屋台の前を通った――それは、イデオロギーの市《いち》と言ってもいいもので、誰でもそこでSDS（「民主社会のための学生連合」。一九六〇年代の新左翼学生団体）に加入でき、ブラックパンサーの文献が買え、人民公園運動逮捕者保釈基金に献金でき、「湾を救おう」運動を支持する旨が誓え、ベトコンのために献血でき、催涙ガスでやられた際の応急手当に関するリーフレットが手に入れられ、マリファナの合法化を求める請願書に署名できるばかりではなく、その他の百ばかりの面白い方法で自己表現もできるのだった。プラーザの通りに面した側では、一人のファンダメンタリストの説教師と、経を唱えている一群の僧侶とが、現世の事柄にさほど縛られていない人々の魂を捉えようと競い合っていた。プロティノスでは、比較的平穏な日だった。ケーブル通り沿いの各交叉点に配備された州兵が交通整理をし、歩道に人が立ち止まらないようにし、人が集会を開かないようにしていたものの、あたりには緊張感がなく、群衆は忍耐強く、機嫌がよかった。それは、近い過去の暴力沙汰と催涙ガスと流血騒ぎと、大デモ行進が計画されている、予断を許さぬ未来のあいだの、一種の空隙だった。人民公園運動の活動家たちは、大デモ行進の準備に余念がなかった。そして、人民公園の暴動で演じた役割ゆえに悪評を蒙った警察は、低姿勢を保っていた。ケーブル通りの商店は、平常どおり営業していた。いくつかの窓が叩き壊されて板張りになっていたり、ベータ書店には、強いぴりっとした催涙ガスの臭いが立ち込めていたりしたけれども。ベータ書店は急進的な連中のお気に入りの溜り場で、警官があまりに多くの催涙ガス弾を投げ込んだため、クラスの誰が同書店で本を買ったかは、そこで買った本を読むと涙がポロポロ出るから分かると言われていた。混んだ軽食堂やカフェからは、ハンバーガー、焙ったチーズやパストラミ、コーヒーや葉巻の、もっと健全で、食欲をそそる匂いが通りに漂い、レコード店は最新のロック・ゴスペルのヒット曲「おお、ハッピー・デイ」を店の外のスピーカーで聞かせ、線香の匂いと、テープのシタールの音楽を流している、インドの珍奇な物を売る店のビーズのカーテンは、外の微風に吹かれ、カタカタという音を立てていた。そのシタールの音楽は、狭い車道に数珠つなぎになった車の開いた窓から聞こえてくる、湾一帯で聴取可能な二十五のラジオ局のそれぞれの放送と混じり合った。

フィリップは、カフェ「ピエール」の開け放たれた窓のそばの空いている小さなテーブルのところに足早に行き、アイスクリームとアイリッシュ・コーヒーを注文してから深く腰を下ろし、目の前を通るさまざまな人々を観察した——頬ひげを生やした若いイエスたちと、木綿のマキシに身を包んだ、その裸足のマグダラのマリアたち、メタリック・レンズのサングラスで、通りの向こうの仲間に日光反射信号による革命のメッセージをピカリ、ピカリと送っている、キノコ雲のようなアフロヘアのニグロ、麻薬で酔っ払って正気を失い、歩道の縁石伝いに手探りで進んだり、歩道にへたり込んで、陽の当たる壁に寄りかかったりしているヘロイン中毒患者やマリファナ常習者、パーキングメーターの金をくすねたり、ドライバーから十セント銀貨をねだったりするゲットーの少年たちや、家出したハックルベリー・フィンたち（ドライバーは、フェンダーに疵《きず》をつけられるのを恐れ、すぐに金を出す）、牧師や警官、ビラ貼り人やゴミ収集人、自分では信じていないのにサイエントロジーのコースに関するリーフレットを配っている青年、疵がつき、ぼろぼろになった革のジャケットを着て、ギターを背負っているヒッピー、娘たち、すなわち、千差万別の背格好と容姿の娘たち、長くまっすぐな髪を腰まで垂らしている娘たち、おさげ髪の娘たち、髪をカールさせた娘たち、ショートスカートの娘たち、ロングスカートの娘たち、ジーンズの娘たち、パンタロンの娘たち、バーミューダショーツの娘たち、ブラジャーをつけない娘たち、十中八九パンティーをはいていない娘たち、白い肌や褐色の肌や黄色い肌や黒い肌の娘たち、カフタン、サリー、スキニー・セーター、ブルマー、シフトドレス、ムームー、グラニー・ガウン、戦闘服を着た娘たち、サンダル、スニーカー、ブーツ、ペルシャ・スリッパを履いた娘たち、裸足の娘たち、ビーズ、花、腕輪、足首用《アンクル》ブレスレット、イヤリングを身につけた娘たち、かんかん帽、苦力《クーリー》帽、ソンブレロ、カストロ帽をかぶった娘たち、太った娘たち、痩せた娘たち、背の低い娘たち、背の高い娘たち、清潔な娘たち、不潔な娘たち、大きな乳房の娘たち、平たい胸の娘たち、ぐっと締まった、しなやかで傲慢な尻の娘たち、一歩ごとにぶらぶら揺れる、垂れ下がった肉の、ぶよんとした球体の尻の娘たち、そして、股座《またぐら》すれすれのミニスカートをはき、長い剝き出しの白い脚をし、片方の腿の上のほうに、くっきりとした唇の形の痣のある一人の娘。フィリップは、通りを渡ろうと歩道の縁に立っていたその娘に、とりわけ注意を惹かれた。

フィリップは、泡立てたクリームのフィルターを通して、アイリッシュ・ウイスキー入りのブラックコーヒーをゆっくり啜って味わっていたが、それと同じ態度で、こうした一切の光景を坐って眺めながら、いよいよ自分が国籍離脱者になり切ったように感じた。と同時に、自分が一つの大きな歴史的過程の一部――昔、「経験」を求める非常に多くのアメリカ人をヨーロッパに押し流した、あの「文化のメキシコ湾流」の逆の流れの一部――であることも悟った。いまや、人生と芸術における実験の最尖端（人は、自己解放と自己啓発を求めて、そこを目指して進む）は、ヨーロッパではなくアメリカの西海岸なのだ。そして、いまやヨーロッパ人は、「経験」を探求するおのが姿の反映を、アメリカ文学に求める。彼は、ヘンリー・ジェイムズの『使者たち』と、パリの公園で、ストレザーがリトル・ビラムに与えた忠告に思いを馳せた――「生きたまえ……自分にできるすべての生き方を試すのだ。そうしなければ間違いだ」。そして、自分が二人の人物、すなわち、この明察に到達するのがあまりに遅かったストレザーと、この明察からまだ得るところがあるであろう青年、リトル・ビラムを一身に兼ねそなえているような気持ちがした。彼は、ノートを膝に広げ、女陰《カント》の匂いを指に残しながら、ある薄汚れたパリのカフェに坐ってビールを飲んでいるヘンリー・ミラーに思いを馳せ、あの荒々しい、一様ではない、持続勃起的想像力に、かすかな親近感を覚えた。彼は、プロティノスの生命の河が目の前を流れてゆく、ケーブル通りのカフェ「ピエール」に坐っていたその日の午後、生まれて初めてアメリカ文学を理解し、その放蕩ぶりと不作法ぶりを、その肯定的雑種文化を理解し、かつて、辞書以外では見かけなかった言葉の並べ方をしたウォルト・ホイットマンと、捕鯨を普遍的な隠喩にしようと、伝統的な小説の原子を分裂させ、歴史上もっとも清教徒的な一般読者に向けられた本の中に、鯨の陰茎の包皮に関する一章をひそかに入れて、なんの叱責も食わなかったハーマン・メルヴィルを理解した。また、トム・ソーヤーがハックを奴隷に売ることになるという、『ハックルベリー・フィン』の続篇を、なぜマーク・トウェインがもう少しで書こうとしたのか、また、スティーヴン・クレインが、なぜ初めに偉大な戦争小説を書いて、そのあとで戦争を経験したのか、また、「人が思い出すものはなんであれ繰り返しであるが、人間として生きること、つまり、存在し、耳を澄まして何かを聴くということは、決して繰り返しではない」というガートルード・スタインの言葉は何を意味するのかを理解した。彼は、こうした一切のことを理解したのである。学生には説明できなかったかもしれないけれども（実際、ある思念は、演習で語るにはあまりに心の深いところにあることが多い）。そしてまた、ヒラリーに話したいことは何かを、ついに理解したのである。

僕らが、これ以上昔のような関係を続けていくことができないのは、僕が変わってしまったからだ、ヒラリー、想像もつかぬほどに変わってしまったからだ。僕は、君も知っているように、地滑りの夜以来、デジレ・ザップの家に泊まっているばかりではなく、僕が逮捕された日以来、きわめて定期的に彼女と寝ているのだ。そして、正直に言うと、そのことについて、どんな罪の意識も後悔の念も抱けないようだ。当然ながら、どんな形であれ君に苦痛を与えるとすれば甚だすまないが、君にどんな心の傷を与えたのか、君がこれまで持っていた何を取り上げてしまったのかと自問すると、こういう答えを得る——ナッシング。間違っていたのは僕とデジレの関係ではなく、僕らの結婚だったように思われるのだ。僕らはお互いを完全に所有し合ったが、そこには歓びがなかった。僕らの十三年に及ぶ結婚生活において、今度の僕のアメリカ滞在が、僕らが一日か二日以上、離ればなれになる初めての場合だと思う。その十三年間、僕が何をしているのか、君が知らなかったとか推測できなかったとかいう時間は一時間もなかったと思うし、君が何をしているのか、僕が知らなかったとか推測できなかったとかいう時間も一時間もなかったと思う。僕らはお互いに、相手が何を考えているのかさえ分かっていて、お互いに話すことも、ほとんど必要がないほどだったと思う。僕らはお互いが何を善《よ》しとしているのか知っていた——勤勉、節約、教育、中庸。僕らの結婚——家庭、子供——は、あまりに長いあいだ一緒に働いたので、何も変わったことは起こらないのは確かだった。僕らは、お互いが何を善しとしているのか知っていた——勤勉、節約、教育、中庸。僕らの結婚——家庭、子供——は、あまりに長いあいだ一緒に働いたので、入り用な道具を取ってくれと頼む必要もまったくなく、互いにぶつかることもまったくなく、誤りを犯すこともまったくなく、意見の食い違うこともまったくないが、仕事には気の狂うほど退屈している二人の技術者が奉仕し、黙って手際よく面倒を見る機械のようなものになった。

　僕は、無意識のうちに過去時制を使いはじめた。それは、あのような関係に、ふたたび戻ることなど、僕には考えられないからだと思う。といって、別に僕は離婚したいとか別居したいとか思っているわけではない。ただ、もし二人が今後とも一緒にやっていくつもりなら、新しい基盤の上に立たなくてはいけないだろうと思っているだけだ。結局のところ、人生は後ろにではなく、前に進まねばならないのだ。君が二週間ほどこっちに来るのは、いい考えだと確信している。そうすれば、いまの状況において、僕が何を言わんとしているのかが分かり、すべてのことについて、君は君なりの決断が下せるかもしれない。僕は、ラミッジで自分の考えを説明できるかどうか自信がない。

　ついでにデジレについて。彼女は、僕に何かを要求する権利はないし、僕も彼女に何かを要求する権利はない。僕は今後とも、ずっと彼女のことを、愛情と感謝の念を込めて考えるだろうし、なにごとがあっても、僕は彼女との関係を悔いる気持ちにもなるまい。しかし、もちろん僕は、君にここに来て、夫婦愛人同居《メナージュ・ア・トロワ》で暮らしてくれと頼むつもりはない。僕は間もなく、自分だけのアパートに移る……

　そう、これでいいのだ、とフィリップは勘定を支払いながら思った。いまのところは手紙を出すつもりはないが、いよいよとなったら、こう書けば万事うまくゆくはずだ。

「このことは認めなくちゃいけないと思います」とフィリップは、QXYZ局のマイクロホンに向かって熱を込めて喋った。「つまり、人民公園を最初に思いついた人々は、体制側と対決するための問題点を探していた、急進派だったということを。それは、急進的左翼による本質的に政治的行為で、法と秩序を守る機関が力を極端な形で行使するように挑発し、その結果、この一応民主的と思われている社会は、実は全体主義的で、威圧的で、狭量であるという革命理論の正しさを立証することを目論んだものなのです」

「先生のおっしゃることを正しく理解したとすれば、スワロー教授」と鼻声の電話の主は言った。「人民公園運動を始めた連中が、その後に起こった一切の暴力事件の責任を負うべきだということになるわけですね?」

「そういうことになるの、フィル?」とブーンが割り込んだ。

「ある意味では、そうです。でも、もう一つの意味があるんです。その革命理論の正しさが証明されたという、もっと重要ではないかと思われる意味が。つまり、二千人の州兵が、この小さなコミュニティーに野営し、ヘリコプターが一日中頭上をぶんぶんと飛び、夜間は外出禁止令が出され、通りでは人が撃たれたり、催涙ガス弾を投げられたり、無差別に逮捕されたりしているわけですが、それがすべて一つの小さな公園を造る運動を弾圧するためとあっては、いまの社会制度に何か間違ったところがあるようだと、認めざるを得ません。同様に、人民公園を造ろうという考えは、その考えを思いついた人間にとっては一つの政治的策略だったかもしれませんが、それが実現されていく過程で、それは真正にして有意義な考えになったとも言えましょう。あなたの質問をはぐらかしたことにならなければいいのですが」

「結構です」と彼のイヤホーンの中で声がした。「結構です。大変面白かった。ところで、スワロー教授、こんなふうなことが、イギリスのあなたご自身の大学で起こったことがありますか?」

「いや、ありません」とフィリップは言った。

「電話をどうもありがとう」とブーンが言った。

「どうも」と電話の主が言った。

ブーンは、聴取者からの電話をコントロールしているスイッチをひょいとひねり、マイクロホンに向かって、局名を抑揚をつけて言った。彼の左手にはギプスが嵌まっていて、それには次のような文句が書いてあった。「シャムロックとアディソンの交叉点で、五月十七日、土曜日、アーケイディア郡保安官代理たちに折らる。目撃者は名乗られたし」。「あー、あとちょうど一人か二人の電話を受ける時間があるのね」とブーンは言った。赤い光がピカピカ光った。「ハロー、こんばんは、こちらチャールズ・ブーン。ゲストはフィリップ・スワロー教授。どんなご意見?」

今度は老婦人だった。彼女の間延びした震え声を聞いて、ブーンが絶望したように片目をぐるりと回したところから見て、どうやら彼女は常連のようだった。

「ねえ、教授」と彼女は言った。「近頃の若者にねえ、自制と克己について大学で教えることが必要だとは思わないこと?」

「そう——」

「ところでねえ、あたしが娘の頃——ほんのちょっと前のことだけど、ほんと、へっ、へっ……あたしがいくつか、当ててみない、教授?」

チャールズ・ブーンは、容赦なく割って入った。「オーケイ、おばあちゃん、何が言いたいの? 娘のいちばん大事な友人はエヌ=オー、すなわちNO、駄目よ、ということなの?」

わずかな沈黙ののち、震え声が流れてきた。「ああら、驚いたわあ、ブーンさん。あたしが言いたかったのはねえ、まさにそれなのよ」

「これについては、どう、フィル?」とチャールズ・ブーンは言った。「エヌ=オー、すなわちNOが現代の万能薬という考えについて何か意見ある?」ブーンは、目の前のコークを、瓶からひと口飲み、慣れた調子で音を立てずにげっぷをした。フィリップは、ブーンの左手のガラスのパネル越しに、音響技師がつまみとダイヤルに向かって欠伸をしているのを見ることができた。音響技師は、恩知らずにも、かなり退屈している様子だった。フィリップは、少しも退屈していなかった。放送を心から楽しんでいた。二時間近くものあいだ、考えられる限りのあらゆる問題について、チャールズ・ブーン・ショーの聴取者に、自由主義的な知恵を気前よく授けていたのである——人民公園、麻薬、法と秩序、学問的水準、ベトナム、環境問題、核実験、堕胎、エンカウンターグループ、アングラ出版、小説の死について。そして、いまでも、老婦人のために、性革命について適当なひとことを見つけるのに十分なエネルギーと熱意を残していたのである。

「そう」と彼は言った。「もちろん、性道徳はいつも世代間の争いの種でした。しかし、いまでは、人は昔より、こうした問題についてもっと正直になっていて、偽善的なところが減ってきています。

それは、よいことに違いないと、僕は思います」

チャールズ・ブーンは、もはやこの話題に我慢ができなかった。老婦人からの電話を切り、ショーをお仕舞いにしようとしかけた。赤い光が、ふたたびピカピカとした。彼は、オーケイ、もう一つだけ、最後に電話を受け付けようと言った。電話の声は遠かったが、ごくはっきりと聞こえた。

「フィリップ、あなたなの？」

「ヒラリー！」

「やっとね！」

「こりゃ驚いた！　どこにいるんだい？」

「家《うち》よ、もちろん。最近のわたしの苦労なんか、あなたには想像できないでしょうね」

「君はいま、僕とは話せないんだ」

「いま話さなければ、もう機会はないわ、フィリップ」

チャールズ・ブーンは、まるで大気圏外の空間から聞こえてきた会話を耳にしたかのように、怪我をしていないほうの手でイヤホーンをしっかりつかみ、椅子に坐ったまま、上半身をぐっと起こした。ガラスの仕切りの後ろの音響技師は欠伸をするのをやめ、必死にサインを送っていた。

「これは、間違ってつながれた私的な電話です」とフィリップは言った。「切ってください」

「できるものなら、そうしてみなさいよ、フィリップ」とヒラリーは言った。「まる一時間、あなたと連絡をとろうとしてたのよ」

「一体全体、どうやって電話番号を知ったんだい？」

「ザップ夫人が教えてくれたのよ」

「ひょっとしてあの人は、それがラジオ番組の電話番号だって言ったかい？」

「え？　あの人は、あなたがわたしに連絡をとりたがってるって言ったわ。わたしの誕生日のことなの？」

「こりゃ大変だ。すっかり忘れてた」

「そんなことはどうだっていいのよ」

「ねえ、ヒラリー。君は電話を切らなくちゃいけない」。彼は、緑色の粗いラシャを張ったテーブル越しに、コントロール・スイッチに手を伸ばしたが、ブーンは悪魔的な笑いを浮かべながら、ギプスの嵌まっているほうの腕でフィリップの手を遮り、音量を上げるよう、音響技師にサインを送った。ブーンの方向の定まらない片目は、興奮できょときょとと四方八方に素早く動いていた。「用はなんだい、ヒラリー？」とフィリップは、苦悶の色を浮かべながら訊いた。

「あなたは、すぐ帰ってこなきゃ駄目、フィリップ。わたしたちの結婚生活を救いたいのなら」

フィリップは、短くヒステリックに笑った。

「なぜ笑うのよ？」

「大体同じことを、君に手紙で書こうとしてたのさ」

「冗談を言ってるんじゃないのよ、フィリップ」

「僕もさ。ところで、僕らの話を何人の人が聴いてるのか分かるかい？」

「何をおっしゃってるのか分からないわ」

「まさにそうさ。だから電話を切ってくれないか」

「あなたがそんな気持ちなら……わたしが十中八九浮気しそうだってことがお分かりになると思ったんだけど」

「僕は、もう浮気してるのさ！」と彼は叫んだ。「でも、そのことを全世界に向かって言いたくはないんだ」

それを聞くと、ヒラリーはやっと黙った。喘ぎ声がし、沈黙が続き、ガチャリという音がした。

「凄い」とチャールズ・ブーンは言った。そして赤と緑の光が消え、とうとうマイクロホンの電流も切れた。「凄い。センセーショナルね。ファンタスチックな放送ね」

晴れのひと続き《スペル》が何度かあるだろうという天気予報だった。その最初のものが、モリスを朝早く目覚めさせた。陽光が、薄い木綿のカーテンを通して彼の顔にじかに当たったのである。晴れのスペル。「こうした晴れの魔法《スペル》をかけてるのは誰なんです？」と彼は、ラミッジの知人の誰彼に訊いたものだった。「どんな魔女が、晴れのスペルをかけて時間を無駄にしてるんです？」しかし、ほかの誰も、それが滑稽とも思っていないようだった。そしていまでは、彼でさえも、この風変わりな気象学上の慣用句に慣れつつあった。「ほぼ、この季節の平均の気温」「かなり涼しい」「ところにより俄《にわか》雨《あめ》、時々晴れ」。こうした言葉の不正確さも、もはや彼を悩まさなくなった。それは、非常に多くのイギリス的慣用法と同じく、天候から劇的要素を取り除こうという目論見を持った、言い抜けと妥協の言語だと解釈して、素直に受け入れた。ここでは、「低い」とか「高い」とか言わない。すべては適度で、穏やかで、中庸なのだ。

彼はしばらく仰向けになり、陽光と、スワロー家の来客用寝室を飾っている、陽光と同じくらいまぶしい花模様の壁紙に顔を向けて目を閉じ、家がまた新しい日を迎えて目覚める音に耳を澄ました。建物全体が伸びをし、老人でいっぱいの簡易宿泊所さながらの呻き声をあげた。床板が軋み、鉛管がひいひい泣いたり鼓動したりし、ドアの蝶番がきいきい言い、窓が窓枠の中でがたがたと鳴った。騒音は、耳を聾さんばかりだった。モリスは、長々しいおならをして自分も一枚加わったが、おかげで、マットレスから体が浮き上がりそうになった。それは、夜明けに対する、彼のいつもの挨拶だった。ラミッジの何か（おそらく水だろう）のせいで、腸にひどくガスが溜まるようになったのだ。

彼の耳は、踊り場に足音がしたので、ぴくりと動いた。ヒラリーだろうか？　彼はベッドから飛び出し、窓に駆け寄り、窓をさっと開け、夜具を猛烈な勢いで、ぱたぱたと上下に振った。

すべては徒労だった。足の主は、メアリー・メイクピースだった。彼は、重々しい妊婦特有の足取りに気づいたのだ。一瞬、ヒラリーが前非を悔い、起床ラッパの鳴る前に、素早く「干し草の中で転がる」（「性交する」の意）ために、そっと彼の部屋に入ろうとしたのだと考えたのである。彼は窓をぱたんと閉め、震えながら片足跳びでベッドに戻った。事実、ほんの少しで、昨夜、ヒラリーと褥《しとね》を共にするところだったのだ。

彼女は、誕生日なのにスワローからなんの贈り物も、カードさえも来なかったので、しょんぼりしていた。「あの人は、わたしが欲しいなんて思っていないのに、薔薇をインターフローラから送ってくるかと思えば、わたしの誕生日を平気で忘れてしまうんですからね」と彼女は、口を歪めて苦笑しながら不平を言った。「あの人ったら、こういうことは、まるで駄目なの。いつも子供に言われて気づくのよ」。モリスは、彼女を元気づけるため、外に食事に行こうと誘った。彼女は躊躇した。彼は強く勧めた。メアリーが賛成した。アマンダも。ヒラリーは、誘いに応ずることにした。シャワーを浴び、髪を洗い、これまで彼の見たことのなかった、魅惑的な黒のマキシに着替えた。襟刳《えりぐ》りが深かったので、肩と胸の滑らかなクリーム色の肌が、これ見よがしに現われていた。「いやあ、君は素敵だ」とモリスは本心から言った。彼女は、乳房のあいだの窪みまで赤くなった。彼女は、二杯目のドライマティーニを飲み干すまで、肩紐をいじったり、ショールを肩に引き寄せたりした。その後は、レストランのテーブルに屈託なげに身をもたせ、彼がドレスの中をためつすがめつするように長いあいだ見つめても、気にしないようだった。

彼は初め、彼女をラミッジのまずまずの小さなイタリア料理店に連れて行き、そのあとで「ペトロネラ」に案内した。そこは、駅の近くの地下にある小さなクラブで、たいていいつも、一応まともな音楽の演奏があり、客はうんざりするほど思春期の少年少女ばかりということもなかった。その晩のエンターテインメントを提供していたのは、「アーサー王の死」という、まあまあのフォークブルースのグループと、愁い顔の少女歌手だった。少女歌手は、ジョーン・バエズと、その同類のヴォーカリストのレコード曲の寄せ集めを歌っていた。しかし、それでも悪くはなかった。たとえば、ヘヴィーなロックを演奏するバンドだったら、ヒラリーは全然気に入らなかっただろう。ともかくも彼女は楽しんでいるようで、チューダー王朝様式のアドビー煉瓦の室内装飾を物珍しそうに眺め、一曲が終わるごとに盛んに拍手し、「ラミッジに、こんなところがあるなんて知らなかったわ。どうやって見つけたの?」と言った。「ペトロネラ」とかそれに類した十余の場所は、毎夕、地元の新聞の広告に載るということを、彼は指摘したくなかった。そんなことをすれば、相手を貶《おとし》めるように見えただろう。だが、ヒラリーとその仲間集団《ピア・グループ》が、自分たちの住んでいる都市で起こっていることのほとんどに、まったく目を向けていないのも事実だった。信じがたいことだが、ラミッジにも、一種の流行の尖端をゆく場所があるのだ。もっとも、そのいくつかは、探し出すのに大いに苦労しなくてはならないけれども——たとえばゲイ・クラブとか、あるいはオーベリーのゲットーの、インド人経営のいかがわしいバーとか——しかし、やはり面白くて、簡単に行ける場所もある。たとえば、ラミッジで最高のホテル、リッツのカクテルバー。土曜日の晩ともなると、自動車工場の労働者が女房やガールフレンドを連れて盛大にアルコールを消費しにやってくる。高級な雰囲気を維持しようと、ホテル側がいくらアルコールの値段を吊り上げても、自動車工場の労働者は、びくともしない。彼らはテーブルのまわりに集まったり、カウンターのスツールに腰を下ろしたりし、女たちは、ずんぐりして肩幅の広い同伴者の頭上高く、積雲のごとく聳える、途方もなく大きい、ドーム形に高く結った髪型の鬘《かつら》のバランスをとる。同伴者のほうは、粋な新調の背広の袖から、皮膚がごわごわして角質化した両手を突き出してぎごちなく坐り、次から次へと、ダイキリ、ウイスキーサワー、ホワイト・レディー、オレンジ・ブラッサムズ、そして、コンテストに入賞したバーテンダー、ハロルドの考案した特別品――マッシュルーム・クラウド、スーパーチャージャー、ファイヤーボール、ラミッジ・デュー――を注文する……「いつか君を、そこに連れて行ってあげよう」と彼はヒラリーに約束した。

「驚いたわ、あなたはなんにでも精通してるみたいね、モリス。あなたはラミッジに、もう何年も住んでるって、誰だって思うでしょうよ」

「時には、そんな気がするね」と、彼は軽い冗談を言った。

「ユーフォーリアにお帰りになる日を、心待ちになさっているでしょうね」

「そう、よく分からないんだ。第一回のラミッジ・グランプリを見逃すのは残念だろうな」

「確かに、気候のこととか……ご家族のこととかがあるでしょうね？」

「双子《ツイン》に再会するのは楽しみさ。でも、それが最後になるだろうな。デジレは離婚したがってるのさ」

ジンでほんのり赤くなったヒラリーの目に、涙がいっぱいに溜まった。「お気の毒ね」と彼女は言った。

彼は肩を竦め、例のストイックで疲れたような、ハンフリー・ボガード張りの表情を浮かべた。ヒラリーの頭の後ろには薔薇色のガラスの鏡があり、彼は、ヒラリーの襟刳りの中を見下ろしていない時は、目立たぬようにほんの少し、顔の表情を調節できたのだ。

「仲直りなさるチャンスはないのかしら?」と彼女は訊いた。

「僕がイギリスに来ることで、事情が変わるんじゃないかと期待してたんだ。でも、あれの手紙の書きっぷりから見て、あれの決心は固いようなのさ」

「お気の毒ね」と彼女は、また言った。

「アーサー王の死」の少女は、ジュディー・コリンズをなかなかうまく真似て、「フー・ノーズ・ホエア・ザ・タイム・ゴーズ?」を歌っていた。「君とフィリップのあいだには、どんな……問題もないの?」と、彼は思い切って訊いた。

「あら、ないわ、全然。そう、全然っていうのは——」彼女は当惑して言葉を切った。

彼はテーブル越しに手を伸ばし、彼女の手に自分の手を重ねた。「メラニーのことは知ってるのさ」

「ええ」。彼女は、関節のところに毛がふんだんに生えている、彼の大きな褐色の手を、じっと見た。熊の前足みたい、とデジレはよく言っていたが、ヒラリーは怯まなかった。「今度が初めてなの」と彼女は言った。

「どうして初めてだって分かる?」

「あら、わたしには分かってるのよ」と言って彼女は、彼の顔を見上げた。「相手が、よりによってあなたの娘さんだったなんて、ごめんなさいね」

こうした種類の詫びに対する正しい応え方があるとしても、モリスは思いつかなかった。彼は、また肩を竦め、「で、君はご主人を許したの？」と言った。

「ええ、そうよ、そうだと思うわ」

「デジレが君くらい物分かりがよければなあ」と言って、彼は溜め息をついた。

「奥さんは、わたしの場合より、許すことがたくさんおありじゃないの？」と彼女は、おずおずと訊いた。

彼は、プレイボーイ気取りで、にやりとした。「たぶんね」

少女歌手は、リードギター奏者とベースギター奏者と一緒に、ピーター、ポール＆マリーを真似て、「パフ・ザ・マジック・ドラゴン」を歌っていた。リードギターがアンサンブルの欠点だ、とモリスは断定した。たぶん、やつがアーサーなんだろう。それならば、このグループの名前は「この上もなく願わしい大終焉」（『ハムレット』の一句）を表わしているわけだ。「河岸《かし》を変えようか？」と彼は言った。もうどこのパブも閉まってしまったので、「ペトロネラ」は、さほど洗練されていない客や、大酒飲みや、誰にも相手にされない娼婦でいっぱいになりつつあった。「アーサー王の死」の演奏はいまにも終わり、騒々しいディスコが始まりそうだった。モリスは、もっぱら四〇年代のスイングのレコードが詰まっているジュークボックスのあるロードハウス（郊外の街道沿いの簡易ホテル、レストラン、酒場）を知っていた。

「もう帰らなくちゃいけないんじゃないかしら」とヒラリーが言った。

モリスは、腕時計にちらりと目をやった。「なんで急ぐんだい？　メアリーが子供の面倒を見てるじゃないか」

「それにしてもね。だんだん眠くなるわ。一晩に、こんなにお酒を飲むのに慣れてないのよ」

ロータスの中で、ヒラリーは頭をヘッドレストにもたせかけて目を閉じた。「素敵な晩だったわ、モリス。どうもありがとう」

「どういたしまして」。彼は身を乗り出し、試しに彼女の唇にキスをしてみた。彼女は、彼の首に手を回し、くつろいだ気分で愉しみながら、それに応じた。モリスは、やはり彼女を家に送ろうと心に決めた。

帰ると、家中寝静まっていた。二人は、黙って爪先立ちで歩いた。ヒラリーが翌日の朝食用の食器をテーブルに並べているあいだに、モリスは浴室に行き、手早く陰部を洗い、歯を磨き、綺麗なパジャマと絹のキモノに着替え、彼女が階段を昇ってくるまで、自分の部屋で期待に胸を躍らせながら待った。数分経ったところで、彼はそっと踊り場を横切り、彼女の寝室に入った。ヒラリーはスリップ姿で化粧テーブルの前に坐り、髪を梳《す》いていた。彼女は、びっくりして振り向いた。

「どうしたの、モリス?」

「僕は、今晩はここに寝ることになるんじゃないかと思ったんだ。君も、そう思っていたんじゃないのかい?」

彼女は、唖然とした顔で首を横に振った。「あら、違うわ、駄目よ」

「なぜさ?」

「ここでは、いや。子供たちがこの家にいてはいや。それにメアリーだっているし」

「なら、どこさ？　なら、いつさ？　あした、僕はオシェイのところに戻るんだ。屋根が直ったんだ」

「それは知ってるわ、ごめんなさいね、モリス」

「さあ、ヒラリー。自由に振る舞うんだ。リラックスしたまえ。君は、すっかりかちかちになってる。ちょっとマッサージをしてあげよう」。彼はヒラリーの背後に近づき、彼女の項《うなじ》に両手を置き、彼女の肩の筋肉を指で揉みほぐしはじめた。だが、彼女はリラックスせず、首をこわばらせ、顔をそむけていた。そのため、鏡の中の二人は、絞殺者と被害者に似ていた。「ごめんなさいね、モリス、どうしても駄目なの」と彼女は小声で言った。

「分かった」と彼は冷たく言って、鏡の前で身じろぎもしない彼女のそばを離れた。

数分後、二人はまた踊り場で出会った。寝室と浴室を往復する途中で。ヒラリーは、ナイトドレスの上にガウンを羽織り、顔を化粧クリームで光らせていた。彼は、陰鬱で、怒ったように見えたに違いない。というのも、彼女は通りすがりに、彼の腕にそっと触ったからだ。

「モリス、ごめんなさいね」と彼女は囁いた。

「忘れたまえ」

「できれば、あなたと……本当は……あなたはとても優しかった」。彼女は、ふらっと体を彼にもたせかけた。彼は彼女を抱きとめ、唇にキスをし、手をガウンの下に滑り込ませた。万事順調かと思われた時、近くの床板が軋った。彼女は、さっと身を振りほどき、自分の寝室に駆け込んだ。もちろん、あたりには誰もいなかった。例によって、この呪わしい家が、ひとりごとを言ったのだ。ヒラリーの話では、古い木材が伸びたり縮んだりするのは、セントラルヒーティングのせいだった。それは考えられることだった。

来客用寝室の床板には、大きな隙間があった。そこを通して、ベーコンとコーヒーの旨そうな芳香が、下の台所から染み出しはじめた。モリスは、もう起きる時間だと思い定めた。

台所に降りると、前側に上から下までボタンのついたヒラリーの上っ張りを、ふくれた腹の上でどうにか合わせて着ているメアリー・メイクピースが、三人の子供たちのために朝食の用意をしていた。

「ゆうべ、ヒラリーに何をしたの?」と彼女は挨拶代わりに言った。

「どういう意味だい?」

「今朝は、あの人、全然姿を見せないのよ。強いお酒をたっぷり飲ませちゃったんでしょ?」

「マティーニ、二杯だけさ」

「ベーコンに卵つける?」

「あー、二つもらおう、スクランブルエッグでね」

「ここはハワード・ジョンソンの店（アメリカのチェーンのドライブ・イン・カフェ）とでも思ってるの?」

「そうなんだ。で、黄金色でぱりっとしたランチ・フライド・ポテト（ランチ、すなわち大農場の農家の台所で揚げたポテトのことで、ハワード・ジョンソンの店のメニューに使われている言葉）を別に注文させてもらいたいな」。彼は、コーンフレークのボウルを前に、口をぽかんと開けているマシューにウインクした。スワロー家の子供たちは、朝食のテーブル越しに交わされる、大人の当意即妙なやりとりに慣れていなかった。

「モリス、学校に行くついでに、駅まで連れてってもらえないかしら?」

「いいとも、どこかに旅行かい?」

「ダラム州にある、先祖のお墓参りをしようと思うって話したのを覚えてるでしょ?」

「そこは、ここから遠いんじゃないかい?」

「ダラムに一晩泊まるわ。あした帰ってくる」

モリスは溜め息をついた。「あしたは、僕はもうここにはいないだろうよ。オシェイが屋根を直したんで、フラットに戻るんだ。ここの料理が恋しくなるだろうな」

「あの家に戻るのは怖くない?」

「うん、そう、こういう諺があるのを知ってるだろう——凍った尿の塊は、同じ場所には二度と落ちない」

「さあ、子供たち、急がないと学校に遅れるわよ」。メアリーは、スクランブルエッグとベーコンの皿をモリスの前に置いた。彼は、かたじけないといった顔で、がつがつと食べた。

「ねえ、メアリー」と彼は、子供たちが部屋を出て行くと言った。「君の才能は、未婚の母だったら無駄になっちまうよ。新教徒《プロテスタント》になるよう、君の神父を説得したらどうだい? そうすりゃ、やつは君と正式に結婚できるわけだ」

「あなたがそう言うのは、偶然にしちゃ妙ね」と彼女は答え、ポケットから航空便用の封筒を取り出し、ひらひらと振った。「あの人は、神父をやめて平信徒になったって書いてきたところなの」

「そいつはいい！　やつは君と結婚したいんだね？」

「ともかく、あたしと寝たいのよ」

「君はどうするんだい？」

「考えてるの。ヒラリーはどうしちゃったのかしら？　出掛ける前に、あの人に言っとかなくちゃいけないことがあるのよ」

アマンダが、学校の制服姿でドアのところに現われた――濃い海老茶色のブレザー、白いシャツとネクタイ、グレーのスカート。ラミッジ女子高等学校の生徒は、飛び切り短いスカートをはいているので、人魚とかケンタウロスのような、二つの形態を併せ持った神話上の生物に似ていた。腰から上は、すべて取り澄まして厳しく、腰から下は、すっかり剝き出しの二叉《ふたまた》の動物。近くのバスの停留所は、朝のいまの時間になると、ニンフ熱愛者にとっての天国と化する。アマンダは、モリスにじろじろ見られて顔を赤らめた。そして、「行ってきます、メアリー」と言った。

「マンディー、その前に、ちょっと二階に走って行って、お母さんに紅茶か何か飲みますかって訊いてくれない？」

「お母さんは二階にはいないわ。お父さんの書斎よ」

「本当？　今晩の食事のことを言っとかなくちゃならないわ」。メアリーは、急いで出て行った。

「再来週、ビージーズが町でコンサートをやるそうだね」とモリスはアマンダに言った。「チケットを買おうか?」

アマンダの目が輝いた。「ええ、是非お願い!」

「たぶん、メアリーも僕らと一緒に行くだろうよ。お母さんだってね。君はビージーズが分かるかい?」とモリスは、戻ってきたメアリーに訊いた。

「連中には我慢ならないわ。アマンダ、もう出掛けたほうがいいわ。お母さんは、まだ電話中よ」

ヒラリーは、メアリーが出発する時間になっても、まだ電話をしていた。メアリーは、モリスがロータスをバックさせて道路に出しているあいだに、ヒラリーに宛てたメモを走り書きした。ロータスの排気ガスは、太いバリトンでぶうんという音を発し、ために家の窓は枠の中でがたがたと鳴った。

「君の列車は何時に出るの?」と彼は、メアリーが腹を用心深く動かして助手席に体を沈めている時に訊いた。

「八時五十分。間に合う?」

「大丈夫」

「この車は妊婦向きに作られてるんじゃないでしょ?」

「シートはリクライニングになってるんだ。どうだね?」

「それは素敵。緊張をほぐす練習をしてもいいかしら?」

「いいとも」

車が走り出したかと思うと、たちまち二人は、ミッドランド通りのラッシュアワーの車の列の最後尾にぶつかってしまった。バスの停留所に並んでいる人々は、メアリー・メイクピースが、ロータスのバケットシートの中で、浅い呼吸法を練習しているのを不思議そうに眺めた。

「そりゃ、一体なんだい？」とモリスは尋ねた。

「サイコプロフィラクシス（心理学的条件作りによる自然分娩法）なの。無痛分娩のためのね。ヒラリーに教えてもらってるの」

「君は信じているのかい？」

「もちろんよ。ロシア人は、もう何年もこの方法を使ってるわ」

「あそこじゃ麻酔剤が足りないからに過ぎないさ、きっと」

「女の一生でいちばん大事な時に、誰が麻酔剤なんか欲しがるものですか」

「デジレは、病院の中で九ヵ月たっぷり、人事不省にしておいてもらいたがったものさ」

「奥さんは洗脳されちゃったのよ、こういう表現を許してくださるならね。妊娠というのは、医者だけが治し方を心得てる、一種の病気だと女に思い込ませるのに、医者たちは成功したってわけ」

「オシェイは、そういったことをどう考えているんだろう？」

「あの人は、昔ながらの陣痛はいいものだって思ってるわよ」

「そうだろうな。ねえ、メアリー、僕は、なんで君があの男の手に自分の体をあずけるのか分からないんだ。あの男は、昔のB級映画に出てくる、撃たれたギャングから弾丸を摘出する医者に似てるよ」

「それが、ここのやり方なのよ。病院に紹介してもらうには、近くの医者に登録しなくちゃいけないの。オシェイは、あたしの知ってるただ一人の医者だったわけ」

「やつが君の体を調べると思うと、いやだね……そうさ、やつの爪には垢が溜まってるんだぜ！」

「あら、あの人は、そういったことは病院任せなの。あの人は、一度だけ胎児の具合を診てくれたけど、とってもばつが悪そうだったわ。壁に懸かっている聖心のひどい絵から目を離さずに、お祈りをあげているみたいに、声をひそめて何やらぶつぶつ言ってたわ」

モリスは笑った。「それがオシェイさ」

「何もかも薄気味悪かったわ。あの人の看護婦がいたけど――」

「看護婦？」

「黒い髪の歯なし女――」

「そりゃ看護婦じゃない。バーナデットだよ、アイルランド人の下働きの女中さ」

「でも、看護婦の制服を着てたわよ」

「まやかしさ。オシェイは金をけちってるだけさ」

「ともかく、あの娘《こ》は、部屋の隅から野獣みたいな目つきで、ずっとあたしを睨んでたわ。でも、ひょっとしたら、微笑みかけていただけで、それが噛みつきそうな顔に見えたのかもしれない」

「あの娘は微笑んでいたんじゃないんだ、メアリー。僕だったら、バーナデットに近づかないね。

あの娘は妬《や》いてるんだ」

「あたしを？」

「僕が君を妊娠させたと思ってるのさ」

「まさか！」

「そんなにびっくりしたような声を出すなよ。僕だって、その能力は十二分にあるんだぜ。君の列車が出るのは何時だって？　八時五十分？」

「そうよ」

「なら、ちょっとばかり法律を破らにゃならんだろうな」

「暢気《のんき》にやってよ、モリス。そんなに大事な用じゃないんだから」

交通は、環状道路の内回り線の交叉点まで、一マイル近くも渋滞しているらしかった。モリスは列から抜け出し、加速音を発しながら道路の反対車線に車を進めた。度肝を抜かれたドライバーたちは、後ろで警笛を鳴らして抗議した。環状道路の内回り線に着く寸前、俗に病人車（身体障害者用の三輪自動車）と呼ばれている車（モリスは、「車輪付きの安楽死」と呼んだほうが当たっていると思った――あの馬鹿げた箱入りの三輪車の前輪がパンクしたら、それでお陀仏だ）が、うまい具合に立ち往生し、ロータスがまたもとの列に戻れるスペースが出来た。

「どんなもんだい」と彼は、得意になって言った。しかし、運の悪いことに、交通整理の警官がモリスの、その割り込みぶりを見ていた。警官は、上着のポケットのボタンを外しながら近づいてきた。

「あら、大変」とメアリー・メイクピースが言った。「あなた、交通違反切符を渡されるわよ」

「あの速く息をする練習を、またしてくれないか？」

警官は、車の中を覗くために、体をほとんど二つに折らねばならなかった。目を閉じ、舌を犬のようにだらりと出し、両手で腹をしっかり押さえながら、懸命に喘いでいるメアリー・メイクピースを、モリスは親指で差した。「緊急事態なんです、お巡りさん。この娘さんが産気づいたんです」

「ほう」と警官は言った。「じゃあ、いいでしょう。でも、もっと気をつけて運転してくださいよ。さもないと、お二人とも入院ということになっちまいますからな」。警官は、自分の冗談ににんまりしながら、ほかの車を停めて、赤信号であったけれども二人を通した。モリスは、手を振って感謝の意を表した。彼は、列車の出る五分前に、メアリー・メイクピースを駅に送り届けた。


大学に戻るためモリスは、環状道路の内回り線の、新たに開通したところを通った。そこは、トンネルと立体交叉が楽しくなるほど複雑に組み合わさっている箇所で、開催が予定されているグランプリのサーキットの一部だった。彼はバケットシートにもたれ、プロのレーサーのスタイルで、両腕をまっすぐに伸ばして運転した。いちばん長いトンネルに入り、警官に見られているおそれがないと分かると、片足にぐっと力を入れ、壁から反響するロータスの騒々しい排気音に、満足げに聞き入った。そして、弾丸のようにトンネルから出、家々の屋根よりも高く持ち上がった、傾斜したカーブに入った。そこからは、全市のパノラマが見渡せた。その時、太陽が顔を出し、最近出来たばかりの建物の正面の蒼白いコンクリートや高層ビルや高速道路を、投光照明のように照らし、十九世紀に作られたスラム街と、朽ち果てた工場の陰鬱な団塊から浮き上がらせた。このあたりから展望すると、あたかも、長いあいだ地下に埋められていた二十世紀の一つの都市の種が、いまや、ヴィクトリア朝の建造物という、固くなって痩せた表土を突き破って、光の中に、すくすくと芽を出してきたように見えた。モリスには、それが奇妙なほど心を動かす眺めに感じられた。生まれつつある都市は、見紛いようもなくアメリカ的スタイルのものだからだ――事実、地元の頑迷固陋《ころう》な連中がいつも不平を言っているのは、そのことについてなのだ。彼は、到底思いも寄らぬ場所で、アメリカの新しいフロンティアに不意に出くわしたような、不思議な感情を抱いた。

しかし、確かなことが一つあった。彼らがラジオの音楽の面でアメリカに追いつくのは、ずっと先の話なのだ。鐘塔の鐘が九時を打っていた。彼が大学の正門を車で勢いよく走り抜けると、ラジオ第一放送では、一人のおぞましいディスクジョッキーが、別のおぞましいディスクジョッキーに交替した。警備員が、粋な格好で彼に挨拶した。モリスは、坐り込み《シットイン》をうまく収拾して以来、キャンパスでは有名で一目置かれる人物になり、オレンジ色のロータスは、彼の車であることが、誰にでもすぐ分かるようになった。当然ながら、朝のこんな早い時間だと、駐車するスペースを見つけるのはむずかしくなかった。ラミッジ大学の教員たちは、時間割がかち合うと好んで文句を言ったが、本当の問題は、彼らが午前十時前とか、午後四時以降とか、昼飯時とか、水曜日の午後とか、何時であれ週末とかには教えたがらないということにあった。そうなると、教えることはもとより、郵便物を開ける時間さえ、ほとんどなくなってしまうのだった。紳士にふさわしいこの伝統を知らなかったモリスは、チュートリアルの一つを午前九時始まりとしたので、学生たちは大いにうんざりした。いま彼が車から出て研究室に向かっているのは、そのグループを教えるためなのだ――しかし、彼はそれほど急いでいなかった。学生たちは、決まって遅刻したからだ。

英文学科のあるところは、彼がラミッジに来てから変わった。それはいま、新しく建てられた六角ビルディングの九階だった。この建物は、彼が環状道路の内回り線から展望した建物群の一つだった。引っ越しは復活祭《イースター》の休みの最中に行われたため、誰もが、大いに嘆いたり、歯噛みして悔しがったりした。まことと、イスラエルの民のエジプト脱出も、これに比べれば取るに足りなかった。大学当局は、論理と能率よりも個人の自由を重んずるという、例によって奇矯ではあるが、なんとなく思い遣りのある態度を示し、各教員に、いままでの研究室にある家具のうち、どれとどれを新しい研究室に持って行きたいか、どれとどれを新しいものに替えたいかを自由に決めさせた。その結果、家具の入れ替え作業に当たった者たちは、すっかりまごついてしまい、間違いが続出した。二つの隊列を作った荷運び人夫たちが、運び込んだのと同じくらいの数のテーブルや椅子やファイリング・キャビネットを新館から運び出し、一つの建物から別の建物へと、よろめきながら歩く姿が数日にわたって見られた。新しい建物であるにもかかわらず、その六角ビルディングには、すでに立派な神話があった。それは基本的にプレハブ形式で作られていて、その構造に対する信頼感は、各教員が本棚に載せる本の重量には制限があることが早々と発表されたために損なわれてしまった。教員の中で良心的な者が、引っ越してからの初めの何週間か、台所や浴室用の秤で、むっつりした顔で本の重さを量り、紙片に何桁もの数字を記して合計している姿が見受けられた。各研究室、各教室に入る人数も制限されたが、西側の窓がふさがれたのは、もし西側の部屋の者が窓から一斉に身を乗り出したら建物が倒壊してしまうからだという噂が立った。外側の壁は釉薬《うわぐすり》をかけた陶製のタイルで、それはラミッジの大気による腐蝕にも五百年は耐えうると保証されていたが、劣悪な接着剤でくっつけられたため、早くもそこここで剝落しはじめていた。「落下するタイルに注意」といういくつかの掲示が、この新館に入る道を飾っていた。この警告は余計なものではなかった。モリスが入口の石段を昇りかけると、一枚のタイルが足元に落ちて砕けた。

　概して言うと、引っ越しに関して英文学科の教員が強い不満を漏らしたというのも、驚くには当たらない。しかし新館は、その不満を補って余りある一つの特徴をそなえていた。少なくともモリスの目には、そう映った。それは、パタノスターという風変わりな名（本来は「数珠」の意）を持つ、彼がそれまで見たことのない型のエレベーターだった。パタノスターとは、数珠つなぎになった扉のない箱が、二つのシャフトを絶えず上下するものだった。当然ながら、その動きは普通のエレベーターより遅かった。一連の箱は決して止まることがなく、人は動いている箱に乗らなければならなかったからだ。しかし、この方式だと、退屈しながら待っているということは一切なかった。この方式はまた、エレベーターに乗るという日常的で平凡な行為に、一種の劇的で実存的な深みを与えた。というのも、動く箱の場合、優雅に、かつ果敢な決意をもって飛び乗ったり飛び降りたりするには、タイミングを計らねばならなかったからだ。実際、老人や虚弱な人間にはパタノスターは恐ろしく手強い相手で、彼らの大部分は、階段を苦労して昇り降りするほうを好んだ。確かに、各階にある、赤く塗った、非常の際の安全装置のわきに貼られた掲示も、安心感を与えるものではなかった。**「非常の際、赤いレバーを引いて下さい。パタノスターあるいはその機械に閉じ込められた人を、助け出そうとしないで下さい。可能な限り早急に、補修係が故障を直します」**。いずれ普通のエレベーターも取り付けられるであろうが、ともかくそれは先の話だった。モリスは不平を言わなかった。彼はパタノスターを愛した。たぶん、遊園地の回転木馬とかそれに類したものを楽しんだ子供時代に戻ったのだろう。だが同時に彼は、それはきわめて詩的な機械であるとも思った。とりわけ、自分の乗った箱が、いちばん上といちばん下で闇の中に消え、下がるか上がるかして、ふたたび光の中に出てくる時は。永久運動というものは、永劫回帰の原理にもとづく一切の学説と宇宙論、植物の生長に関する神話、死と再生の原型《アーキタイプ》、歴史循環説、輪廻、およびノースロップ・フライ（一九九一年に没した、世界的に有名なカナダの文芸批評家）の唱える文学様式の理論をまさしく象徴している。

　ところがその日の朝は、彼は九階にまっすぐ行くだけにとどめた。チュートリアルの学生たちが、彼の研究室のドアの横の壁にぐったりともたれ、欠伸をし、体を掻きながら、もう待っていたのだ。彼は学生たちに挨拶し、ドアの錠を開けた。ドアには、彼の名前を書いた紙が、ゴードン・マスターズの名札の上に貼ってあった。彼が中に入るや否や、真向かいの秘書室に通ずるドアが開いて、アリス・スレードが厚い書類の束を握り締めながら、おずおずと入ってきた。

「あら」と彼女は言った。「ご授業ですの、ザップ教授？　この大学院の入学願書についてお訊きしたいことがあるんですけど」

「そう、十時までさ、アリス。いいかい、そのことについては、ルーパート・サトクリフに訊いたらどうかね？」

「はい、分かりました。お邪魔して申し訳ありません」。彼女は、後ずさりしながら出て行った。

「坐りたまえ」と彼は、これじゃあスワローの部屋に戻らなければ駄目だなと思いながら、学生たちに言った。大学当局と学生のあいだの調停役を引き受けるに当たって、彼は、秘書の協力と外線の電話を要求した――大学当局は、ゴードン・マスターズが不意にいなくなったために空いた研究室に彼を移すという形で、すぐさま、かつ経済的に、その要求に応じた。壁に残された跡から、狩猟の記念品がどこに懸かっていたのかが、いまでも分かった。調停者としての彼の仕事は事実上終わったけれども、わざわざスワローの部屋に戻るのも、あまり意味がないように思われた。しかし一方、なんであれ、問題が起こったり、問い合わせがあったり、結論を出さねばならなかったりした場合にはゴードン・マスターズのところに行くよう条件付けられてしまった英文学科秘書は、ルーパート・サトクリフが英文学科主任代行ということになっていたにもかかわらず、根深い帰巣本能に促されるかのように、そういった事柄を、今度は彼、すなわちモリス・ザップのところに持ち込みはじめた。それどころか、サトクリフ自身、それとなく助言と承諾を求めてモリスのもとに来る傾向があった。ほかの教員も同様だった。三十年に及ぶマスターズの圧政的支配から急に解放されたラミッジ大学英文学科は、おのが自由にぼうっとなって怖くなり、舵のない船のように、いや、むしろ、独裁者的船長が、ある暗い夜、最終目的地を記して封印した指令書を持ったまま、突然船から海に落ちてしまった船のように、ぐるぐると同じところを回り出したのだ。乗組員は命令を受けに惰性でいまだにブリッジにやってくるのだが、誰であれ、たまたま船長の椅子に坐っている者から命令を出してもらうと、ただもう大喜びなのだ。

確かに、それは快適な椅子だった――クッション入りの、背が傾く、重役用の回転椅子。その椅子がかくも快適だというだけで、モリスはフィリップ・スワローの部屋に戻る気がしなかったのだ。彼は、その椅子に深くもたれ、両足を机に載せて、葉巻に火を点けた。「さて」と、彼はしおたれた様子の三人の学生たちに向かって言った。「今日は何について論議を戦わせんとするわけかね?」

「ジェイン・オースティン」と、顎ひげを生やした男子学生が、金釘流の手書きの文字で覆われた何枚かのフールスキャップ判の紙の順序を、トランプを切るような手つきでそろえながら、ぼそりと言った。

「ああ、そうだった。トピックはなんだったたね?」

「ジェイン・オースティンの道徳意識について書きました」

「そいつは僕のスタイルじゃないみたいだなあ」

「出されたテーマが分からなかったんです、ザップ教授」

「『ジェイン・オースティンの後期の小説におけるエロスとアガペ』がかね？　どこが問題だったんだね？」

顎ひげの学生は頭を垂れた。モリスは、熱の籠もった解説とはいかなるものであるかを、ちょっとばかり教えてやろうという気分になっていた。アガペとは、と彼は説明した、初期のキリスト教徒が相互の愛情を表現するための饗宴であって、非性的、非個人的愛情を象徴し、ジェイン・オースティンの小説においては、中産階級の農業資本主義社会の連帯感を強めたり、その社会に新しいメンバーを迎え入れたりするための社交的催し——舞踏会とか晩餐会とか物見遊山とかいったもの——によって表わされている。エロスは、もちろん、性的な愛情であって、ジェイン・オースティンにおいては、求愛シーン、二人だけの差し向かいの会話、二人連れ立っての散歩——つまり、ヒロインと、ヒロインが愛している、あるいは愛していると思っている男とのあらゆる出会い——によって表わされている。ジェイン・オースティンの読者は、と彼は葉巻を盛んに振り回しながら強調した、彼女の小説に、肉体的なセックスに対するあからさまな言及がないからといって、彼女が肉体的なセックスに関心がなかったとか、敵意を抱いていたとか誤解してはならない。それどころか、彼女は、決まって、結局はアガペではなくエロスの側についた——つまり、決まって苦痛と悲嘆の種になる社交的催しとか集いのような公的な交わりではなく、恋人同士の私的な交わりの側についた（たとえば、『マンスフィールド・パーク』ではサザートンへの、『エマ』ではボックス・ヒルへの、『説き伏せられて』ではライム・リージスへのグループでの遠出が惨めな結果に終わったことを考えてみたまえ）。

調子の出てきたモリスは、エルトン氏が性的に不能の人間として暗に書かれているのは明白である、なぜなら、ハリエット・スミスが自分のものにした彼の鉛筆には芯がなかったからだ、と論証した。また、『説き伏せられて』の中で、ウェントワース大佐がアン・エリオットの首にしがみついている幼児のウォルターを持ち上げた瞬間について言えば……彼はテキストの『説き伏せられて』を、さっと手にして、感情を込めて読みはじめた。

「『……彼女は、ウォルターから自由になったのに気づいた……ウォルターは、有無を言わせぬ勢いで運び去られてしまった。そうしたのはウェントワース大佐だと悟る暇もなかった……真相を知って彼女は、さまざまな感情に襲われ、まったく口が利けなくなった。彼に礼を言うことさえできなかった。心を千々《ちぢ》に乱しながら、チャールズ坊やの上に身をかがめることができるのみであった』。どうだね？」と彼は敬虔な面持ちで言葉を切った。「これがオルガスムスでなかったら、一体なんなんだね？」彼は、呆然としている三つの顔を見上げた。内線の電話が鳴った。

電話の主は副学長の秘書で、午前中に副学長に会う暇があるかどうか、モリスに問い合わせてきたのだった。学友会自治委員会の委員長（学友会長が兼務）が、大学の昇進・任命人事委員会に学生代表を送る件について難癖をつけてきたのか、とモリスは尋ねた。分かりませんと秘書は言ったけれども、モリスは、自分の推測が当たっているほうに喜んで賭けようと思った。彼は、学友会自治委員会の委員長が、人事委員会に学生代表を出席させよという要求を、いともあっさりと撤回したことに、いまだにびっくりしていたからだ。委員長の戦闘的な取り巻きが、その問題を蒸し返すようにと委員長に圧力をかけたのに決まっている。モリスは、卓上日記に、「十時半に面会」と走り書きしてから、心得顔に、にやりとした。彼はラミッジ大学のこの紛争で、学生側と大学当局側の調停をしながら、自分が二人の初心者のチェスの試合を横から見ている名人のような気分にたびたびなった――二人の初心者が一手ごとに汗を流している間《かん》に、試合の流れをすっかり予測することができるのだ。ラミッジ大学の教員にとっては、彼の予知能力は薄気味悪く、交渉をまとめる際の見事な腕前は瞠目すべきものだった。彼は、ユーフォーリアであまりに多くの大学紛争を目にしてきたので、大学紛争というものの基本的な筋書き《シナリオ》を諳《そら》んじてしまっていることに、彼らは気づかなかったのだ。

「なんのことを話していたっけね?」と彼は言った。

「『説き伏せられて』……」

「ああ、そうだった」

電話が、また鳴った。「外線からお電話です」とアリス・スレードが言った。

「アリス」とモリスは、溜め息交じりに言った。「授業が終わるまでは、どんな電話も取り次がんでくれたまえ」

「すみません。かけ直して頂くよう、この女の方に言いましょうか?」

「誰だね?」

「スワロー夫人です」

「つないでくれたまえ」

「モリス？」ヒラリーの声は震えを帯びていた。

「やあ」

「授業中か何か？」

「いや、いや、そうでもないんだ」。彼は片手で送話器をふさぎ、学生たちに言った。「『説き伏せられて』のあのシーンを読んで、それがどんなふうにクライマックスに達してゆくかを分析したまえ。あらゆる意味でのクライマックスに」。彼は学生たちの気分を高めようとするかのように、彼らを流し目で見てからヒラリーとの会話を続けた。「何か変わったことでも？」

「ゆうべのお詫びをしたかっただけなの」

「ハニー、詫びなくちゃいけないのは、僕のほうさ」と、不意を突かれた格好のモリスは言った。

「そうじゃないわ。わたしが愚かな小娘みたいに振る舞ったのよ。あなたに気を持たせておいて、いざっていう時に尻込みするなんて。結局、あんなこと、大騒ぎをするには当たらないんじゃない？」

「そうとも、そうとも」。モリスは坐っていた椅子をぐるりと回転させて学生たちに背を向け、低い声で言った。「で、はっきり言って何が？」

「とにかく、あんな楽しい晩は、ここ何年かで初めてだったわ」

「またやろうじゃないか。じきに」

「わたしがお相手で我慢できるかしら？」

「もちろんさ。喜んで」

「嬉しいわ」

しばらく間があった。彼はヒラリーの息遣いを聞くことができた。

「それじゃ、オーケイだね？」と彼は訊いた。

「ええ。モリス……」

「なんだい？」

「今日、あなたのフラットにお戻りになるの？」

「うん、今晩、鞄を取りに行く」

「よかったら、もう一晩お泊まりになってもかまわないって言いたかったの」

「そうなあ……」

「今夜はメアリーは家にいないの。夜、独りで家にいると、時々怖くなるのよ」

「いいとも。泊まろう」

「本当にご迷惑じゃない？」

「いや、いや、迷惑なんかじゃないさ」

「なら、いいけど。それじゃ今晩ね」。彼女は不意に電話を切った。モリスは椅子をぐるりと回して受話器を置き、物思いに沈んだように顎を撫でた。

「僕はレポートを読むんでしょうか、読まないんでしょうか？」と、顎ひげの学生が、苛々したそぶりを、ほんの少し見せながら言った。

「え？　ああ、そう。読みたまえ、読みたまえ」

顎ひげの学生が、ジェイン・オースティンの道徳意識について大儀そうにレポートをゆっくり読んでいるあいだモリスは、ヒラリーが驚くべき電話をかけてきたことの裏に隠された意味について、思いを巡らした。彼女の言ったことは、果たして自分が解釈したとおりなのだろうか？　彼は、顎ひげの学生の読むレポートに注意を集中することができなかったので、鐘塔の時計が十時を打つ音がすると、ほっとした。学生たちが、足を引きずるようにして部屋から出て行くと、入れ替わりに、ルーパート・サトクリフが足を引きずるようにして入ってきた。サトクリフは背の高い、猫背のメランコリックな人物で、鼻の尖端に絶えずずり落ちてくる、具合の悪い眼鏡をかけていた。サトクリフは英文学科でロマン主義を教えていたが、喜びの感情に不足している男で、マスターズが去って英文学科主任代行になっても、どうやら精神が昂揚しなかったようだった。

「ああ、ザップ。ほんの二、三分、暇があるだろうか？」

「コーヒーでも飲みながら話そうか？」

「そりゃまずいな。教員休憩室じゃ駄目なのさ。かなり微妙な問題なんでね」。サトクリフは、これから謀《はかりごと》を巡らそうとするかのように、ドアを閉め、爪先立ちでモリスのほうに近寄った。「こいつは大学院の入学願書なんだが――」サトクリフは一束の書類（アリス・スレードが前に持ってきたもの）をモリスの机の上に置いた。「このうちの、どれとどれを学部委員会に出して承認してもらうかを決めなくちゃいけないんだ」

「それで？」

「うん、この中に、ヒラリー・スワローのが入ってるんだ。スワローの女房さ。知ってるだろうが」

「ああ、知ってる。僕も彼女の推薦者の一人さ」

「こいつは驚いたなあ、本当かい？　気がつかなかったなあ。なら、君はこの件については何もかも知ってるんだね？」

「そう、いくらかはね。何が問題なんだい？　彼女は修士課程の途中で結婚して退学したのさ。いまじゃ子供も大きくなったんで、復学して研究を続けたがってるんだ」

「そりゃ大変結構なんだけど、そうなると、僕らはかなり具合の悪い立場に置かれるわけなんだ。つまり、同僚の妻が……」

サトクリフは独身主義者だった。本物の旧式な独身主義者で、ゲイとかヒップとは類を異にしていた——死ぬほど女が怖かったのである。彼は、英文学科の教員のうちの二人の女性を、名誉男性として扱っていた。女房を持たざるを得ない同僚は、いつもちゃんと女房を家に置いて、人前に出すなどという、はしたない真似はしないくらいの心がけでいてもらいたいものだということを、彼はいつも、それとなく仄めかした。「スワローのやつは、女房が正式に願書を出す前に、われわれに相談くらいしてくれたってよかったと思うな」と彼は、溜め息交じりに言った。

「そのことについては、スワローは何も知らないと思うよ」とモリスは、気楽な調子で言った。

サトクリフの眼鏡が、危うく鼻から跳ね落ちるところだった。「つまり君は——彼女がスワローをだ、ましてる、って言うのかい？」

「いや、いや。彼女は依怙贔屓《えこひいき》なしに、実力で判定してもらいたいって思ってるのさ」サトクリフは疑わしげだった。「そりゃ大変結構なんだけど」と不満げに言った。「でも、もし彼女が入ってきたら、誰が指導するんだい？」

「君に指導してもらいたがってるんだと思うよ、ルーパート」とモリスは、悪戯っぽく言った。

「とんでもない！」サトクリフは、ヒラリーが戸棚から自分を目掛けて飛び出してきて、どうしてもわたしを指導して、と要求するのを恐れてでもいるかのように、書類の束をつかんでドアに向かった。そして、ドアのノブに手を掛けたまま、立ち止まった。「ところで、午前中の学科会議に出るかい？」

「よく分からないんだ、ルーパート」とモリスは言って重役用の椅子から立ち上がり、肩をすぼめて上着を着た。「副学長と十時半に会う約束があるもんでね」

「そいつは残念だな。君に会議の司会をしてもらいたいと思ってたんだ。来学期の講義のプログラムについて話し合わなくちゃいけないんだ。甲論乙駁《こうろんおつばく》ってことになるに決まってるさ。マスターズがいなくなってからは、侃々諤々《かんかんがくがく》の議論だからな……」

サトクリフは、のっそりと研究室の外に出た。モリスもあとに続き、ドアの鍵をかけていると、ボブ・バズビーが、小銭と鍵をポケットの中でじゃらじゃら言わせながら、廊下を走ってきた。

「モリス！」とバズビーは、息を切らしながら言った。「君がつかまえられてよかった。会議に出るかい?」

モリスは、出席できそうもない事情を説明した。バズビーは暗い顔をした。「そりゃ残念だなあ。サトクリフが司会をするんだろうが、やつは救いがたいからなあ。デンプシーは言語学を必修にするって案を、強引に通そうとするんじゃないかと思うんだ」

「それが悪いことなのかい?」

バズビーは目を剝いた。「そうさ、もちろん悪いことさ。教員セミナーで、君がデンプシーの発表をこっぴどくやっつけたんで、僕は思ったんだが……」

「僕は、やつの発表を攻撃したんであって、やつの専門を攻撃したんじゃないのさ。僕は、言語学自体には、なんの含むところはないのさ」

「でも、実際問題として、ここじゃあ、デンプシーイコール言語学なんだ」とバズビーは言った。「言語学必修ということは、学生にとってはデンプシー必修ということで、学生といえども、そんな目に遭うのは可哀相さ」

「君の言うことには一理あるかもしれないな、ボブ」とモリスは言った。モリスは、ロビン・デンプシーに対して正反対の二つの感情を同時に覚えていた。ある意味でデンプシーは、一応プロフェッショナルの学者として認めうる、英文学科の唯一の人物だった。勤勉で、野心的で、実際的だった。奇癖も、妙な考えも持っていなかった。若かりし頃のモリス自身によく似ていて(当然ながら、モリスほど才気煥発ではないという点を除いての話だが)、事実、これまでに、モリスと親交を結ぶきっかけを、あるいは少なくともモリスとのつながりを作ろうという態度を、時おり示した。ところがモリスは、自分に近づこうとする、そうしたデンプシーの態度に、われながら驚くほどの抵抗を感じた。モリスは、デンプシーと一緒になって、ラミッジ大学のほかの教員を見下《みくだ》す気になれなかったのだ。たとえ彼らが多くの点で奇矯な連中であれ、モリスは彼らとうまが合った。学者としての人生で、この五ヵ月ほど伸び伸びできたことはなかった。「ねえ、ボブ」とモリスは言った。「副学長に会う約束があるんだ」

「そうだったな。僕も行かなくちゃ」とバズビーは言って、教員休憩室のほうに、てくてくと歩いて行った。そして、「できたら会議に出てくれたまえ！」と肩越しに振り返って叫んだ。モリスは、なろうことなら会議に出たくなかった。ラミッジ大学の教員会は、マスターズの気紛れな独裁体制のもとで、まったくひどいものだったが、マスターズが去って以来教員会は、『不思議の国のアリス』の気違い帽子屋のティーパーティーを、明確な意思決定の鑑《かがみ》に思わせるようになった。

モリスは、パタノスターに柔軟な動作でタイミングよく乗り、ゆっくりと一階に降りて行った。明るい大気の中に姿を現わすと（またも晴れのひと続き《スペル》が始まっていた）、鐘塔の時計が三十分を打った。彼は、歩を速めた。そうしたのは、よいことだった。というのも、またしても一枚のタイルが、跳ねながら飛ぶ弾丸のようなパチッという音を発して落下し、彼の後ろで飛び散ったからだ。これはもう、面白いなんてものじゃない、と彼は、いまや巨大なクロスワードパズルに似てきた、建物の正面を見上げながら考えた。遠からず、誰かが非業の最期を遂げ、大学は百万ドルの賠償を支払えと訴えられるだろう。このことを忘れずに副学長に話しておこう。

「ああ、ザップ！　よく来てくれた、かたじけない」と副学長は、モリスが案内されて部屋の中に入ると、机の前の椅子から半分身を起こして、つぶやくように言った。長い毛の絨毯を踏み分けるようにして歩み寄ったモリスは、自分のほうに力なく伸びている手を握った。スチュワート・ストラウドは、背が高く、がっしりした体格の男だったが、極度に物憂く、無気力であるというふりをしていた。ほとんどいつも囁くような声でしか話さず、病める老人を思わせる用心深さで歩いた。いま、身を起こして握手をしたために体力を消耗し切ってしまったとでもいうように、椅子にふたたび深く身を沈め、「椅子をこっちに寄せたまえ、君」と言った。「紙巻煙草《シガレット》は？」彼は、机の上の木製の煙草入れを、モリスのほうに押しやろうとする、弱々しい仕草をした。

「僕は葉巻《シガー》にさせてもらいましょう。あなたも一ついかがです？」

「いや、いや、いや」。副学長は微笑して、けだるそうに首を横に振った。「一、二の、ちょっとした問題に関して、君の助言を聞きたいんだ」。そして、両肘を椅子の腕に置いて指を組み合わせ、顎を載せる棚を作った。

「人事問題ですか？」

棚は崩れ、一瞬、副学長の顎が陥没した。「どうして知ってるのかね？」

「学生が人事委員会から締め出されて、そのまま黙っていることはないと思ったからですよ」

ストラウドの顔は晴れやかになった。「いや、学生とはなんの関係もないんだ、君」。彼は、精力的とも言えるほどの打ち消す身振りを、あえてした。「ああいった不愉快なことは、君のおかげですっかり片付いた。いや、今度の問題は、もっぱら教員に関するもので、極秘事項なんだ。ここにあるのは――」と言って彼は、机の上に置かれたマニラ紙のファイルを、顎で示した。机の上には、ほかに何もなかった。「各学部から出された上級講師の候補者リストだ。今日の午後の人事委員会に出されるんだがね。英文学科からは二人が候補だ。君もたぶん知っているロビン・デンプシーと、いまユーフォーリアにいる、君と同じ立場にある人物さ」

「フィリップ・スワロー？」

「そのとおり。問題は、初め思っていたより、上級講師の口が少ないってことだ。で、このうちの一人が貧乏籤《くじ》を引かなきゃならんだろう。問題は、どっちが、ということだ。どっちのほうが適任なのかね？　君の意見が聞きたいんだ、ザップ。この厄介な問題については、君の意見を本当にごく高く評価するつもりだ」。ストラウドは、ぐったりと椅子にもたれ込み、いつになく長いスピーチのあとの疲労で目を閉じ、「ファイルを見てくれたまえ、君、参考になるんだったら」と、つぶやくように言った。

そのファイルは、モリスがすでに知っていることを裏付けたに過ぎなかった。デンプシーは、研究ぶりと、発表された業績を考えると、ずば抜けて強力な候補者だった。一方、スワローが推薦されたのは、古参であり、大学に一般的に奉仕したからだった。教員としては、二人に優劣をつける、なんの根拠もなかった。いつもならば、モリスは頭脳を支持して、デンプシーを推すのに躊躇しなかっただろう。大学に対する奉仕などは、つまらぬものだ。学問上の現実政策《レアルポリティーク》の法則に照らして考えれば、もしデンプシーが早急に昇進しないなら、ほかの大学に移るかもしれないが、一方、スワローはそのまま残って、昇進しようとしまいと、これまでどおり、退屈で良心的なやり方で仕事を続けていくだろう。さらにモリスは、仮にデンプシーに深い個人的親愛感を抱いていないとしても、フィリップ・スワローを積極的に嫌う、いくつかの立派な理由を持っていた。スワローは、彼の娘と寝、『タイムズ文芸付録』で彼の論文をさんざんにこきおろし、おそらく間抜けだまし《ブービー・トラップ》のつもりで、あの戸棚に空き缶を詰め込んだのだ。この男の運命が自分の手に委ねられることになったのは、彼にしてみれば不思議で、かつ満足感をもたらすはずの偶然の悪戯だった。ところがモリスは、心の中で首斬り役人用の斧の刃に指で触り、目の前の首斬り台に伸べられた、剝き出しのフィリップ・スワローの首をつくづくと眺めながらも、躊躇した。結局のところ、いま危《き》殆《たい》に瀕しているのは、スワローの幸福と出世だけではないのだ。ヒラリーと子供たちも関わっているのだ。モリスは、彼らの幸せに、胸が熱くなるほどの関心を抱いた。スワローが昇進すれば、スワロー一家に、もっとパンがもたらされるわけなのだ。もう一晩泊まるようにという、ヒラリーの言葉が何を意味するにせよ、自分の口添えもあってフィリップが昇進したというニュースで、彼女の歓待ぶりは、ただもう温かさを増すばかりだと、彼は思わざるを得なかった。そうではないだろうか？　そのとおりだ。

「そう、スワローを昇進させるんですな」とモリスは言って、ファイルを返した。

「本当かね？」とストラウドは、大儀そうにゆっくりと言った。「君は、もう一人の男のほうを推すと思ったんだがね。彼のほうが学者として優れているようだが」

「デンプシーの発表したものは悪くはないけれども、見掛け倒しで内容に乏しいですな。彼は言語学で、本当には決して成功せんでしょう。ＭＩＴ（マサチューセッツ工科大学。言語学の分野でも有名）の上級クラスの学生は、彼を優に負かしてしまうでしょうな」

「そうかね？」

「それに、彼は英文学科じゃ人気がない。もし、ほかの非常に大勢の年長の者を差し置いて彼を昇進させると、上を下への大騒ぎになるでしょうな。それでなくとも英文学科が集団妄想症《パラノイア》に罹りそうになっているのに、事態をこれ以上悪くするのは愚ですな」

「まことにもってそのとおり」とストラウドはつぶやいて、金張りの万年筆で、候補者名のリストに、小さな、しかし宿命的な印《しるし》をつけた。「大いに感謝するよ、君」

「どういたしまして」とモリスは言って、立ち上がった。

「まだ行かんでくれたまえ、君。まだほかに君と――」

副学長は言葉を切り、不意に開いた、秘書室に通ずるドアを憤然とした面持ちで睨んだ。秘書が、敷居のところにおずおずと立っていた。「うん？　なんだね、ヘレン？　邪魔をしてはならんと言っておいただろう」。彼は苛立ったせいで、きびきびしているとも言える態度をとった。

「すみません、副学長。でも、二人のお客様と……警備部のビッグズさんがお見えですので。とても大事なことだそうです」

「ザップ教授がお帰りになるまで、待ってくださるように言ってくれると――」

「でも、みなさんはザップ教授にご用なんです。生き死にに関わる問題だそうです」

ストラウドは、モリスに向かって片方の眉を上げた。モリスは訳が分からないというふうに肩を竦めたが、一抹の不安を覚えた。メアリー・メイクピースが、八時五十分発のダラム行きの列車の中で出産したのだろうか?

「そうか、分かった。お通ししたまえ」と副学長は言った。

三人の男が部屋に入ってきた。一人は、大学の構内警備部の部長だった。ほかの二人は、さる田舎の私立精神病院の医者と看護人だと自己紹介した。その二人は、不意に訪ねて来た理由を、単刀直入に話した。マスターズ教授が昨晩、病院から脱走し、おそらく大学に向かっていると考えられる。残念ながら、彼がある人々、とりわけザップ教授に危害を加えるつもりではないかと思われるふしがある。

「僕にだって?」とモリスは叫んだ。「なぜ僕に? あのご老体に、僕が何をしたっていうんです?」

「うちのスタッフの一人が作ったメモから判断しますと」と、医者はモリスを好奇の眼差しで見ながら言った。「マスターズ教授は、あなたを最近の大学紛争に結びつけているようなのです。長老の教員の権威を弱めるために、あなたが学生と結託したと感じているんです」

「あいつはクヴィスリング(ノルウェーのナチの傀儡政権の首相。一九四五年に銃殺刑に処された)だって、やつは言ってますぜ、先生」と言って、看護人は親愛感を込めて、にやりとした。「自分を追っ払うために、先生が策動したともね」

「そりゃ馬鹿げてる！　やつは自分の自由意思で辞職したんだ」とモリスはストラウドのほうを、訴えるように見ながら叫んだが、ストラウドは咳をして、目を伏せた。

「そう、われわれは、ちょっとばかり説得しなくちゃいけなかったがね」とストラウドは、つぶやくように言った。

「マスターズ教授は、もちろん病人です」と医者は言った。「妄想に取り憑かれやすい。しかし、わたしの見るところでは、ザップ教授――あなたにお会いしようと、まず英文学科のほうに行ったんです――あなたは、マスターズ教授が使っていた部屋に入っておられる――」

「それは単なる偶然です！」

「そのとおりでしょう。しかし、まさにそれは、マスターズ教授の妄想に正当な理由を与えるような事柄ですな。もし、彼がそれに気づいたらですが」

「僕は、すぐにもとの自分の部屋に戻ろう」

「ザップ教授。ご自分の身の安全のために、われわれがマスターズ教授の居所《いどころ》を突き止め、マスターズ教授を病院に無事連れ戻すまで、大学に一切近づかないほうがよろしかろうと存じますが。そう、彼が凶器を持っているかもしれないのを、われわれは恐れてるんでして……」

「まあ、まあ、ドクター」と副学長は言った。「あんまり心配せんでください」

「でも、心配な事態です、先生」と、警備部の部長が初めて口を利いた。「何はともあれ、マスターズ教授は旧軍人で狩猟家ですから。名射手だと聞いています」

「こりゃ大変だ」とモリスは、先程の出来事を思い出し、いまになってぶるぶると震えた。「あのタイルだ」

「どのタイルだね？」と副学長が訊いた。

「僕は今日、二度狙い撃ちされたのに気づかなかったんだ。僕は、あんたたちの忌々しい新館から、タイルが落ちただけのことかと思ったんだ。いや驚いた、僕は殺されたかもしれなかったんだ。あの気違い爺《じじい》が僕を狙撃したんだ、分かる？　やつはきっと、眼鏡照準器を持って時計台に登ってたんだ。この国は平和な国とばかり思っていたがね！　僕は四十年合衆国に住んでいるけど、誰かが腹立ち紛れに銃を発射した音なんて、ただの一度も聞いたことがない。なのに、ここに来ると、こういうざまだ！」モリスは、自分が怒鳴りちらしているのに、ようやく気づいた。

「落ち着きたまえ、ザップ」と、副学長がつぶやくように言った。

「すみません」とモリスは、もぐもぐと口の中で言った。「ただ、自分が知らずに、危うく死ぬところだったのが分かって、ショックを受けただけですよ」

「いや、至極当然な話だ」とストラウドは言った。「まっすぐ帰って、このちょっとした問題が片付くまで、じっと家の中にいたらどうかね？」

「それがいちばん賢明と思いますな」と医者は言った。

「そうするとしますか」とモリスは言ってドアに向かったが、自分のあとから誰も来ないのに気づくと、歩をゆるめ、振り返った。机のまわりに集まった四人の男は、励ますように彼に微笑みかけた。護衛を頼むにはあまりに誇りの高かったモリスは、別れの身振りをしてから秘書室を通って、決然と大手を振って廊下に出たが、本部の階段を降りると、車の鍵《キー》を研究室に置いてきてしまったことを、やっと思い出した。大学を出る前に、六角ビルディングに戻らねばならないわけだった。彼は、自分と鐘塔のあいだに絶えず遮蔽物があるように複雑な回り道をし、地階の裏口から、六角ビルディングの中に入った。そして、いちばん下から乗ったパタノスターで、九階へと静かに運ばれて行った。九階の踊り場に出て、モリスが最初に目にしたのは、かつての自分の研究室のドアから、モリスの名を書いて一時的に貼った紙片を、びりびりと引き剝がしているゴードン・マスターズの姿だった。モリスは、凍りついたように動けなくなった。紙片を踵《かかと》で踏み躙《にじ》っていたマスターズは顔を上げ、目の前にいるのが誰だか分かったような分からないような、きょとんとした表情を浮かべた。両眼は、狂的に爛々《らんらん》と光っていた。マスターズは、櫛を入れていない口ひげを嚙んだり引っ張ったりしながら、一歩前に出てきた。モリスは大急ぎでパタノスターのところに戻り、上に運ばれて行った。マスターズが、パタノスターのシャフトのまわりを螺旋状に巡っている階段を駆け上がる音が聞こえた。マスターズが各階の踊り場に着くたびに、モリスの姿は、上方にすっと消えた。十二階でモリスは、追跡者を撒《ま》いてしまおうと考え、パタノスターから飛び降りて下りの箱に乗ったが、マスターズに、そこをちらりと見られてしまった。モリスは、マスターズが、すぐ上の箱に飛び乗る、ドシンという重々しい音を聞いた。モリスは六階でさっと降り、上りの箱に乗った。彼が、ふたたび九階で降りようと身構えていると、マスターズの足が見えてきた。そこで彼は慌てて後ろ向きになり、上方への旅を続けた。恐怖で痺れた彼は、十階、十一階、十二階、十三階を過ぎ、機械が軋み、光が煌く地獄の辺土に入って行った。そこは、シャフトのてっぺんだった。彼の乗っていた箱は横にガタガタと動き、それから下がりはじめた。モリスは十三階で飛び降り、次の手を考えた。彼が踊り場に突っ立って考え込んでいると、マスターズが逆立ちをしながら目の前に現われ、ゆっくりと下って行った。二人は、互いに目をぱちくりさせて見つめ合っていたが、やがてマスターズは、モリスの視界から消え去った。パタノスターの最上階のさらに上まで運ばれたマスターズは、下りの時は箱がひっくり返るものと思い込み、逆立ちをすれば、箱が逆さになった場合、天井から床に無事に落ちると踏んだのだとモリスが推測したのは、ずっとあとのことだった。

今度はモリスは、マスターズが疲れも知らぬげに十三階を目指して駆け上がってくる音を聞いた。モリスは下りのパタノスターに飛び乗った。モリスが十一階を過ぎると、マスターズは目の前をさっと駆け抜けたが、横目でモリスの姿をちらりと捉え、滑って止まり、モリスのすぐ上の箱に飛び乗った。モリスは七階まで降り、踊り場を横切って、今度は十階まで昇り、また踊り場を横切り、敵の姿がないかどうかを確かめながら九階を過ぎ、大丈夫だと分かってから、ふたたび昇るために八階で降りた。そして、上りのパタノスターに乗ろうと、踊り場を跳ぶようにして横切ると、反対の方向に敏捷に体を運んでいるマスターズと擦れ違った。

モリスは十階に昇り、踊り場を横切って七階に下がり、十一階に昇り、十階に下がり、十二階に昇り、九階に下がり、十二階に昇り、十一階に下がり、また上に昇り、てっぺんを越え、十三階で降りた。

するとマスターズが、パタノスターの上りのシャフトを見つめながら、モリスに背を向けて立っていた。モリスは十分に狙いをつけ、力まかせにマスターズをパタノスターの中に突き飛ばした。マスターズは地獄の辺土に運ばれて行った。マスターズの足が見えなくなるや、モリスは壁に嵌め込まれている安全装置のシールを破り、赤いレバーを引いた。動いていた一連の箱は不意にガクンと止まり、ベルがけたたましく鳴り出した。非常にかすかな、くぐもった叫び声と、拳で壁をドンドンと叩く音が、シャフトのてっぺんから聞こえてきた。

ヒラリーはドアを開けた時、何か心にかかることがあるかのように、眉をひそめていた。彼女はモリスの姿を認めると、蒼ざめ、続いて赤くなり、「あら」と消え入るような声で言った。「あなたでしたの。お電話しようと思っていたところなの」

「またかい?」

彼女は彼を中に入れ、ドアを閉めた。「なんで戻ってらしたの?」

「僕には分からんさ。で、これからどういうことになるんですかね?」彼は、グルーチョ・マルクスのように眉毛をぴくぴくさせた。

ヒラリーは、暗い表情を変えなかった。「今日は授業じゃないんですの?」

「話せば長いことながら、さ。そいつを玄関で聞きたいかい、それとも坐って聞きたいかい?」ヒラリーは、依然として玄関のドアのところに佇んでいた。

「あなたが今晩お泊まりになるのは、結局のところ、いい考えとは思われないって言うつもりだったの」。彼女は、彼の目を見ないようにしながら、ごく早口で言った。

「へえ? なぜさ?」

「いい考えじゃないって思うだけ」

「分かった。君のお望みとあらばね。じゃ、いま鞄をオシェイのところに運ぼう」。彼は、階段のほうに向かった。

「ごめんなさいね」

「ヒラリー」とモリスは、階段の一段目に足をかけたまま、振り返らずに、疲れたような調子で言った。「僕と寝たくないっていうのは君の勝手だけど、お願いだから、年中、ごめんなさいって言わんでくれたまえ」

「ごめ――」彼女は、ぐっと言葉を呑み込んだ。「お昼はお済みになって?」

「いや」

「家には何もないようなの。午前中に買い物に出ればよかったんだけど。スープの缶詰でも開けるわ」

「かまわないでくれたまえ」

「手間はかからないわ」

モリスは、スーツケースを取りに来客用寝室に行った。下に降りると、ヒラリーは台所にいて、シチュー鍋の中のアスパラガス・スープのクリームを掻き回す合間に、クルトンを揚げていた。二人は、台所のテーブルで食べた。モリスは、マスターズを相手に演じた活劇について一部始終を話したが、ヒラリーの反応は驚くほど平静だった――事実、彼女は、ほとんど聞いてもいないようで、物静かに、「本当?」とか「あらまあ」とか「なんて怖いんでしょ」とか小声で言うだけだった。それも、ほんのちょっとタイミングがずれていた。

「僕の話は本当だと思ってるんだろうね?」と彼は、ついに堪《たま》りかねて訊いた。「それとも、僕の話は作り話だとでも思ってるのかい?」

「じゃあ、作り話なの?」

「違うさ」

「なら、もちろん、あなたの話を信じるわ、モリス。で、次にどうなったの?」

「君は、いやに落ち着いて聞いているようだね。君の態度を見ていると、こういうことは毎週起こると、誰だって思ってしまうよ。次にどうなったかは、知らない。僕は警備部に電話して、マスターズがパタノスターのてっぺんに閉じ込められたって言ってから、ここを先途と逃げ出したのさ……やあ、こいつは旨い」。彼は、むさぼるように音を立ててスープを飲み、「ところで」と言った。「君のご主人は、今度昇進するよ」

「なんですって？」ヒラリーはスープのスプーンを置いた。

「君のご主人は上級講師になるんだ」

「フィリップが？」

「そのとおり」

「でも、なぜ？　あの人には、その資格はないわ」

「僕も君に賛成したい気がするけど、君は喜ぶと思ったね」

「あの人が上級講師になるって、どうして知ってるの？」

モリスは説明した。

「そういうわけなの」とヒラリーは、ゆっくり言った。「フィリップのために、いんちきをしたのね」

「でも、僕一人の力で、そうなったとは言わないよ」とモリスは謙遜して言った。「ストラウドが正しい方向に行くように、ちょっと押してやっただけさ」

「まったくひどい話だと思うわ」

「え？」

「不正だわ。善かれ悪しかれ、人の一生が、そんなふうに決められてしまうと思うといやね」

モリスは、わざとガチャンとスプーンを置き、台所の壁に向かって訴えるように言った。「へえ、それがお礼なんですかね――」

「お礼？　なら、わたしは感謝することになってるの？　まるで映画みたい。なんて言ったかしら、そう、配役《キャスティング》の寝椅子《カウチ》（女優がよい役をもらうためにキャスティング・ディレクターに身を任せること）ね。アメリカのあなたの研究室には、昇進の寝椅子《プロモーション・カウチ》があるの？」ヒラリーは、いまにも泣き出さんばかりだった。

「一体、どうしたんだい、ヒラリー？」モリスは、諄々《じゅんじゅん》と説いて聞かせた。「フィリップがロビン・デンプシーみたいに自分を売り込みさえしたら、もっと出世するのにって君は何回言ったかね？　そうさ、僕が代わってフィリップを売り込んだのさ」

「お見事ね。それが徒労でないことを祈るだけよ」

「どういう意味だい？」

「もし、あの人がラミッジに帰ってこないとしたら？」

「何を言ってるのさ？　帰ってこなくちゃならないだろうが？」

「分からないわ」。ヒラリーは、いまや泣いていた。とても大きな涙の粒が、水溜りに落ちる雨の雫のように、スープの中に、ポトン、ポトンと落ちた。

モリスは立ち上がり、テーブルの反対側に行った。そして、彼女の両肩に手を置き、優しく体を揺すった。「一体全体、どうしたのさ、まったく？」

「今朝、フィリップに電話したの。ゆうべのことがあってから……あの人に帰ってきてもらいたくなったの。すぐに。あの人ったら、ひどいの。浮気してるって言うの――」

「メラニーとかい？」

「分からないわ。相手が誰だってかまわないわ。自分がほんとに馬鹿みたいに思えたわ。わたしときたら、あなたとゆうべキスをしたので、あなたと寝たいと思ったので、罪の意識に苛まれ――」

「本当にそう思ったのかい、ヒラリー？」

「もちろんよ」

「なら、僕らは待つことなんかないじゃないか」。モリスは彼女を引っ張って立たせようとしたが、彼女は首を横に振り、椅子にしがみついた。

「いやなの。いまはその気分になれないの」

「なぜさ？　そもそも、なんで君は、もう一晩泊まるように僕に頼んだのさ？」

ヒラリーは、ティッシュで洟をかんだ。「考えを変えたの」

「なら、もう一度変えたまえ。いまがチャンスだ。家には僕ら二人しかいない。さあ、ヒラリー、僕ら二人とも、いくらかの愛が必要なんだ」

いまや、彼は彼女の背後に立ち、前夜にしたように、彼女の首と肩の筋肉を、そっと揉みほぐした。今度は彼女は抗わず、彼に身をもたせて目を閉じた。彼は、彼女のブラウスのボタンを外し、両手を滑り込ませて両の乳房をつかんだ。

「いいわ」とヒラリーは言った。「二階に行きましょう」

「モリス」とヒラリーは言って、モリスの肩を揺すった。「起きて」

モリスは目を開けた。薔薇色の顔をして、ピンクのガウンを羽織ったヒラリーが、取り澄ました格好で、ベッドの端に坐っていた。ベッドサイド・テーブルの上には、二つのカップが湯気を立てていた。彼は、針金のような一本の陰毛を下唇から取り、「何時だい？」と言った。

「三時を回ったところ。紅茶を淹れたわ」

モリスは起き直り、舌が火傷をするくらい熱い紅茶を啜った。そして、カップの縁越しに、ヒラリーと目を合わせた。彼女は、顔を赤らめた。「ねえ」と彼は優しく言った。「素晴らしかったよ。実にいい気分だ。君はどうだい？」

「素敵だったわ」

「君が素敵なのさ」

ヒラリーは、にこりとした。「おおげさに言わないでよ、モリス」

「僕は真面目さ。君は素敵な女だ、自分で分かるかい？」

「わたしは太っていて、四十よ」

「それが別に悪いってことはない。僕だってそうさ」

「あなたが、ほら、あのキスをしはじめた時に、頭を叩いちゃって、ごめんなさいね。わたしは、あんまりソフィスティケートされてないのよ」

「そこがいいのさ。ところが、デジレときたら――」

ヒラリーは、明るさを少しばかり失った。「奥さんのことを話すのはやめにしましょうよ。フィリップのことも。ともかく、いまはね」

「分かった」とモリスは言った。「じゃ、その代わりネッキングをしよう」。彼は、彼女をベッドの上に引き寄せた。

「駄目よ、モリス！」と彼女は、弱々しく抗いながら言った。「子供たちがじきに帰ってくるわ」

「時間はたっぷりあるさ」と彼は答え、また交わることができると知って、嬉しくなった。階下の廊下で、電話が鳴り出した。

「電話だわ」とヒラリーは呻くように言った。

「勝手に鳴らせておけ」

しかし、ヒラリーは身をふりほどいた。「万一、子供たちに何かあったら、わたしは自分を決して許せないでしょうよ」

「じゃ、早くしたまえ」

ヒラリーは、じきに戻ってきたが、びっくりしたように、目を大きく見開いていた。

「あなたに電話よ」と彼女は言った。「副学長から」

モリスは、パンツ姿で廊下に立って電話を受けた。

「ああ、ザップ。呼び出したりして、まことにすまない」と、副学長はつぶやくように言った。「例の冒険のあとで気分はどうかね？」

「いまは実にいい気分ですよ。マスターズはどうなりました？」

「マスターズ教授は、ありがたいことに、病院に連れ戻された」

「そりゃよかったですな」

「彼をエレベーターに閉じ込めるとは、君は実に頭の回転が速い。まったくお見事。お祝いを言わせてくれたまえ」

「どうも」

「今朝の話だがね。わたしは、いま人事委員会から戻ったところなんだ。スワローが上級講師になる件は、つつがなく、うまくいった。それを知って、君も嬉しかろう」

「ええ」

「で、ドクター・スミザーズが入ってきた時、君に別のことを訊こうとしていたのを覚えていると思うが」

「覚えていますが?」

「なんだか分からなかったかね?」

「ええ」

「ごく率直に言うと、英文学の教授の椅子に応募してみようと考えたことがないかどうか、訊きたいと思っていたんだ」

「この大学の?」

「そのとおり」

「いや、ありませんなあ。一度も考えたことはありませんなあ。英文学科の主任にアメリカ人がなるなんて、いやでしょうが。スタッフも我慢できんでしょうし――」

「話は逆なんだよ、君。この問題で打診してみた英文学科の連中は、そろって君の名前を出した。その裏に、知らない悪魔より知ってる悪魔のほうがまし、といった態度がないとは言わないが、どうやら君は、英文学科をうまく運営する能力のある人物という印象を、連中に与えたらしい。君は、坐り込み《シットイン》のごたごたを解決するのに貢献したからには、スタッフも学生も含め、この大学全体に楽々と受け入れられるのは、言うまでもないくらいだ。わたし個人としても、君に来てもらえれば嬉しい。単刀直入に言えば、君が望めば、教授の椅子は君のものだ」

「まことにありがたいお話です」とモリスは言った。「大変な名誉です。でも、安心して眠れんでしょうなあ。マスターズが、また逃げ出したらどうなります？　僕に対する疑念が、やはり正しいものだったと彼は思うでしょうから」

「それは心配するには及ばんよ、君」とストラウドは、相手を宥めるような調子で、つぶやくように言った。「君は今日、マスターズが自分を狙って撃ったと信じ込んだに違いないと思う。しかし、彼が武器を持っていたという証拠も、特に君に危害を加えようとしていたという証拠もない」

「なら、なんでやつは、僕を新館中、追い回したんです？」とモリスは訊いた。「僕の両頰にキスをするためですかね？」

「彼は、君と話したかったのさ」

「僕と話したかった？」

「ずっと前、彼は『タイムズ文芸付録』で、君の本の一冊をこっぴどくやっつけたということだね。で、彼は君がそのことに気づき、恨みに思ってるんじゃないかと考えたのさ。それで少しは呑み込めたかね?」

「ええ、そう思いますな。ねえ、副学長、教授の件についてはは考えてみましょう」

「是非そうしてくれたまえ、君。急ぐことはない」

「俸給はどのくらいです?」

「さよう、それは今後の話し合いで決めるさ。大学には、特別な場合に自由裁量で追加手当が出せる財源がある。君の場合は、きわめて特別な場合と見なされるのは確かだ」

モリスは、浴室にいるヒラリーを見つけた。彼女は、途轍もなく大きい、鉤爪状の足のついた、ヴィクトリア朝の浴槽に横になっていたが、彼が飛び込んでくると、乳房と恥骨を、手拭と糸瓜《へちま》で隠した。

「さあ、さあ!」と彼は言った。「上品ぶってる場合じゃない。前に詰めたまえ。僕は君の後ろに入る」

「馬鹿ね、モリス。副学長の用件はなに?」

「君の背中をこすってやろう」。彼はパンツを脱いで浴槽に入った。湯は危険なほどに持ち上がり、溢れ防止の排水口から流れ出した。

「モリス! あなた、気が変よ。わたしは出るわ」

だが、彼女は出なかった。そして、体を前方に傾け、彼が背中をこすると、うっとりとしたように、肩をくねらせた。

「フィリップはゴードン・マスターズから本を借りたことがあるかい?」と彼は訊いた。

「しょっちゅうよ。なぜ?」

「大したことじゃない」

彼は、彼女を膝のあいだに引き寄せ、大きなメロンの形の乳房に石鹸を塗りはじめた。

「ああ、いい気持ち」と彼女は、呻くように言った。「子供たちが帰ってくる前に、どうやってここから出ようかしら?」

「リラックスしたまえ。時間はたっぷりある」

「副学長の用件はなに?」

「僕に英文学科の教授の椅子を提供してくれたのさ」

ヒラリーは、振り向いて彼を見ようとして浴槽の底で滑り、危うく湯の中に沈みそうになった。

「なんですって――ゴードン・マスターズの椅子を?」

「そうさ」

「で、あなたはなんてお返事したの?」

「考えてみましょうって言ったのさ」

ヒラリーは体を濯《ゆす》ぎ、浴槽の外に出た。「大変なことね。イギリスに定住しても大丈夫なの?」

「いまのところは、その考えは非常に魅力的なんだ」と彼は意味深長に言った。

「馬鹿なこと言わないでよ、モリス」。彼女は、バスタオルで慎ましく体を覆った。「これは単なるエピソードだって十分に承知してるでしょ」

「なんでそう言うんだね？」

彼女は、鋭く彼をちらりと見た。「あなたの人生には、これまで何人の女がいたの？」

それを聞いて彼は、生ぬるい湯の中で落ち着かなげに体を動かし、蛇口をひねって湯を足した。

「その質問はフェアじゃないな。ある年齢に達すると、男はたった一人の女で満足できるようになる。安定性《スタビリティー》を必要とするのさ」

「おまけに、フィリップがじきに帰ってくるわ」

「帰ってこないって、君は言ったと思ったけど？」

「あら、それは長いあいだのことじゃないわ。あの人は尻尾を巻いて帰ってくるわ。だから、本当にスタビリティーを必要とする人が、まさにいるってわけよ」

「彼をデジレにくっつけることができるかもしれないな」とモリスは冗談を飛ばした。

「可哀相なデジレ。あの人は、もうたっぷり苦労したんじゃないの？」電話が鳴りはじめた。「お願いだから、急いで服を着てね、モリス」。彼女は、ガウンを羽織って浴室から出て行った。

モリスは、自分の性器をいじりながら、そしてヒラリーの質問について考えながら、深い浴槽に半分体を浮かせて横になった。果たして自分は、イギリスに定住して大丈夫だろうか？　六ヵ月前だったら、この質問は馬鹿げたものだったろうし、答えも即座に出ただろう。しかし、いまは、それほど確信がなかった……それは、学者としてのこれからの自分の人生をどうするかという問題に対する、曲がりなりにも一つの解決になろう。確かに、ラミッジ大学は世界最高の大学ではないけれども、精力的で、さまざまなアイディアに満ちた人間が行政的手腕を発揮するチャンスは大いにある。ラミッジ大学で、英文学科の主任として絶対的な権力を振るったアメリカ人の教授は、まずいない。いったん運転席に坐れば、自分の好きなようにできるのだ。自分ほどの専門知識と精力と国際的なつながりがあれば、ラミッジ大学を有名にすることが実際にできる。それは、面白いとも言えよう……モリスは、ラミッジ大学での、みずからのナポレオン的将来を思い描きはじめた。英文学科のガタが来ている中世風の講義要目を一掃し、その代わりに、一九〇〇年以降の英文学の発展にも、いくらかの考慮を払うように作られた、一点の非の打ち所のない、論理的なコース制度を導入する。大学院に、ジェイン・オースティン研究センターを設置する。学生にタイプライターの使用を義務づける。学生紛争で逃れてきた優秀なアメリカ人の学者を雇う。いくつもの学会を催し、新しい定期刊行物を出す……

彼は、ヒラリーが電話の受話器を置いた、チリンという音を聞いた。そして、浴槽の栓の鎖を足の親指でぐいと引っ張った。湯は次第に減っていき、膝、腹、陰茎、胸、肩の小島、続いて列島、さらに大陸が出来ていった。家庭生活について言えば、イギリスに定住しても、自分は失うものは何もない。もし、デジレがどうしても別れて双子《ツイン》をニューヨークに一緒に連れて行くと言い張れば、ラミッジからニューヨークに行くにしても、ユーフォーリアからニューヨークに行くにしても、距離的には結局同じだ。あるいは、デジレを説いて、ヨーロッパでもう一度結婚生活をやり直すことにだってなるかもしれない。ラミッジが、まさにデジレの考えるヨーロッパというわけではないが、でも、その気になったら、ラミッジ空港から五十分でパリに行ける……

最後の湯が、彼の脚と尻の毛を引っ張りながら、ごぼごぼと音を立てて流れ去った。彼は、岸に打ち上げられた漂流者のように、濡れたまま裸で、浴槽の底に横になっていた。ガリヴァー、クルーソー。新生活が始まるのだろうか？

ヒラリーが入ってきた。

「分かった、分かった」と彼は言った。「もう出るよ」。その時、彼女が不思議な表情を浮かべているのに彼は気づいた。「どうしたんだい？」

「いまの電話だけど……」

「ああ。誰からだい？　副学長が思い直したとでもいうのかい？」

「デジレからよ」

「デ、デジレ！　なんで僕を呼ばなかったんだ？」彼は浴槽から飛び出し、タオルをひっつかんだ。

「あの人は、あなたと話したくなかったのよ」とヒラリーは言った。「あの人は、わたしと話したかったのよ」

「君と？　じゃあ、デジレはなんて言ったのさ？」

「フィリップの浮気の相手の女は……」

「うん？」

「あの人なのよ。デジレなのよ」

「君はからかってるな」

「いいえ」

「僕は信じないね」

「なぜ？」

「なぜかって？　僕はデジレという女を知っている。あれは男を憎んでるんだ。とりわけ、君のご亭主のような優柔不断な男をね」

「うちの主人《ひと》が優柔不断だって、どうして分かるのよ？」とヒラリーは、幾分むっとして訊いた。

「分かっちゃってるのさ。デジレは猛女《ボール・ブレイカー》だよ。あれは、君のご亭主のような男を、朝飯代わりに食べちまうんだ」

「フィリップには、とても優しくて親切なところがあるわ。たぶんデジレは、気分転換の意味で、そこが気に入ったんでしょうよ」とヒラリーは、よそよそしい調子で言った。

「あの阿魔《ビッチ》め！」とモリスは、浴槽の横をタオルでぴしゃりと叩きながら叫んだ。「裏切り者のビッチめ」

「わたし自身は、あの人は、びっくりするくらい率直だと思うわ。あの人は、今朝のわたしとフィリップの話を聞いたって言ったわ――どうやってかは全然分からないけど。なぜって、あの人の家に電話したら、あの人は別の電話番号を教えてくれたんですもの……でも、とにかくあの人は、わたしたちの話を全部聞いて、わたしに真相を話すのがフェアだと思ったわけよ。フィリップは、本当のことをわたしに言う勇気がなかったのよ。当然のことだけど、わたしも正直でなくちゃいけないと感じたの」

「つまり、君は言っちゃったのかい……今日の午後のことを?」

「もちろんよ。とりわけフィリップには知ってもらいたかったの」

「デジレはなんて言った?」と、彼は怖々《こわごわ》と訊いた。

「あの人は」とヒラリーは答えた。「いまの事態について話し合うために、どこかで会う必要があるんじゃないかって言ったわ」

「君とデジレが?」

「わたしたち、みんなが。フィリップも加えて。首脳会議《サミット》のようなものって、あの人は言ったわ」

6

結末《エンディング》

屋外シーン　スクリーンの左から右へと飛んでいるBOACのVC10——午後、晴れた空。音　ジェットエンジン。

場面転換

屋内シーン　VC10——午後。

カメラのアングル　機内の中央に坐っているモリスとヒラリーに定まる。音　ジェットエンジンの低く弱い騒音。

ヒラリーは、そわそわと、心ここにあらずといった体《てい》で『ハーパーズ』のページをめくっている。モリスは欠伸をし、窓の外を見る。

窓を通してズームアップ。ショット　アメリカの東海岸。ロングアイランド。マンハッタン。

場面転換

屋外シーン　スクリーンの右から左へと飛んでいるTWAのボーイング707——午後、晴れた空。音　エンジンの騒音。

場面転換

屋内シーン　ＴＷＡのボーイング707――午後。音　「ジーズ・フーリッシュ・シングズ」のクールなインストルメンタル版。

クローズアップ　口を少し開け、イヤホーンをつけて眠っているフィリップ。カメラがバックすると、シモーヌ・ド・ボーヴォワールの『第二の性』を読みながら彼の隣に坐っているデジレが現われる。デジレは初めに窓の外を、次に腕時計を、続いてフィリップを見る。彼女は、機内用の娯楽番組のための、彼の頭上のつまみをひねる。音　『三匹の熊』のナレーションに不意に変わる。

録音された声　そして父さん熊が言いました。「誰がわしのベッドで寝てたのかね？」すると、母さん熊が言いました。「誰が――」

フィリップは後ろめたさを覚えて、びくりとして目を覚まし、イヤホーンを捥《も》ぎ取る。

音　ジェットエンジンの低く弱い騒音。

デジレ　（微笑む）起きなさいよ。もうすぐ着くわ。

フィリップ　ニューヨーク？　もうかい？

デジレ　言うまでもないけど、いまの時期には、どのくらい旋回待機させられるか分かったものじゃないわ。

場面転換

モリス　（ヒラリーに）ケネディ空港の上空で何時間も旋回待機させられないといいがね。

場面転換

屋内シーン　VC10――午後。

屋外シーン　VC10――午後。飛行機が真正面から見える。飛行機は高度を下げはじめる。

音　調子が変わっていくジェットエンジンの騒音。

場面転換

屋外シーン　ボーイング707――午後。飛行機が真正面から見える。飛行機は右にバンクしはじめる。音　調子が変わっていくジェットエンジンの騒音。

場面転換

屋内シーン　VC10の操縦室《フライトデッキ》――午後。空を見渡していた英人機長が右を見る。クローズアップ。英人機長は驚いた表情を浮かべる。

場面転換

屋内シーン　ボーイング707の操縦室《フライトデッキ》――午後。クローズアップ　米人機長は恐怖の表情を浮かべる。

場面転換

屋内シーン　VC10の操縦室――午後。英人機長の肩越しに、ぞっとするほど間近に迫ったボーイング707が、衝突を避けようと、バンクしながらVC10の進路を横切るのが見える。英人機長は反対側にバンクするため、制御装置を操作する。

場面転換

屋内シーン　ボーイング707の客席――午後。機体が急激に傾くと、乗客のあいだに驚きと混乱が広がる。音　悲鳴、叫び声等。

場面転換

屋内シーン　ＶＣ10の客席――午後。機体が急激に傾くと、乗客のあいだに驚きと混乱が広がる。音　悲鳴、叫び声等。

場面転換

屋内シーン　ＶＣ10の操縦室――午後。

英人機長　（マイクロホンに向かって冷静に）ハロー、ケネディ航空管制塔。こちら、ＢＯＡＣウイスキー・シュガー・エイト。ニアミスを報告しなければなりません。

場面転換

屋内シーン　ボーイング707の操縦室――午後。

米人機長　（マイクロホンに向かって怒鳴って）貴様ら下で何やってやがんだ！

場面転換

屋内シーン　ＶＣ10の客席――午後。音　ががやがやという話し声――「あれを見た？」「あと数インチでぶつかるところだった」。「いや、危なかった」等。

モリス　（額を拭いながら）神は、われわれに飛べと思《おぼ》し召しなら、僕に図太い神経を与えてくださったろうって、僕はいつも言ってるのさ。

ヒラリー　吐きそうだわ。

場面転換

屋内シーン　ボーイング707の客席——午後。音　がやがやという話し声。

デジレ　（震え声でフィリップに）なんだったの？

フィリップ　危うく別の飛行機にぶつかるところだったんだと思うよ。

デジレ　あら大変！

フェードアウト

フェードインで屋内シーン　マンハッタンの山の手と繁華街の中間のホテルの一室。青い室内装飾——午後の遅い時間。音　かすかに聞こえるテレビの野球解説。スーツケースが二つ、開けて置いてあるが、中身はそのままになっている。ヒラリーは、靴は脱いでいるが服は着たままで、ツインベッドの一つの上に目を閉じて横になっている。モリスは、ワイシャツ姿でテレビの前にうずくまり、自分で作ったスコッチのオンザロックを飲みながら、野球の試合を観ている。サイドテーブルの上のトレーには、瓶や氷やグラスが載っている。ドアをノックする音がする。ショット　ヒラリーの目が、ぱちりと開く。

モリス　はい、どうぞ。

デジレ　（フィリップを従えて入ってくる）モリス？

モリス　ヒラリーは素早く起き直り、足をさっと床に着ける。

デジレ！（飲み物を下に置き、両腕を広げてドアに近づく）ハニー！

デジレはモリスの両手首を巧みにつかんで彼をぴたりと止め、彼の頬にそっとキスしてから手を放す。

デジレ　ハロー、モリス。

モリス　（手首をさすりながら）やあ、君はえらく強くなったものだなあ。

デジレ　空手の稽古をしてるのよ。

モリス　そいつはいい！　今晩セントラルパークに行って、強姦魔に技をかけたらいい。（フィリップに手を差し出す）君がフィリップだね？

ショット　部屋の向こうにいるヒラリーを、言葉もなく見つめているフィリップ。ズームアップ　ベッドの上で、背筋をぴんと伸ばし、起き直ってフィリップを見つめているヒラリー。

モリス　そうさ、もし君がフィリップでないとしたら、事は思ったより複雑ってわけだ。（フィリップの手を握って振る）

フィリップ　こりゃ失礼！　初めまして。（フィリップは、ヒラリーのほうを振り返る）

ヒラリー　（消え入るような声で）ハロー、フィリップ。

フィリップ　ハロー、ヒラリー。

デジレ　（ヒラリーのところに歩み寄る）ヒラリー――わたしがデジレ。（ヒラリーは立ち上がる）起きないで。

ヒラリー　（靴を履きながら、言い訳をするように）ちょっと横になっていたもので……

ヒラリーとデジレは握手をする。

デジレ　空の旅はどうだったの？

モリス　凄かった！　別の飛行機と衝突するところだった。

デジレ　（ぐるっと向きを変える）わたしたちもよ！

モリス　（ぱっくりと口を開ける）君たちも衝突するところだったたって……？

フィリップ　そう、ニューヨークにちょうど入る時にね。ああいうことが何回起こるのか、考えてしまうなあ。

モリス　（真面目に）今日の午後は一回しか起こらなかったはずだと思うね。

フィリップ　つまり……？

モリス　（うなずく）僕らは空中で紹介されそうになったわけさ。

フィリップ　いやあ！

ヒラリー　（ベッドに素早く坐る）なんて恐ろしい！

デジレ　そうなったら、たくさんの問題が解決しちゃったでしょうね、もちろん。わたしたちのちょっとしたドラマの、目覚しいフィナーレってわけよ。

ヒラリー　やめて！

モリス　でも、僕らは助かった。たぶん神様は、結局のところ、僕らのことは怒っていないんだろうよ。

フィリップ　神様が怒っているなんて、誰が言うんだい？

モリス　そう、ヒラリーが……

フィリップ　（ヒラリーに向かって）君がか？

ヒラリー　（抗弁するように）もちろん違うわ。神様を恐れてるのはモリスよ。あの人は、それを認めないだけ。わたしはただ、物事のけじめをつけたいだけ。

デジレ　そうよ。わたしたちがここに来たのは、そのためよ。

フィリップ　（ヒラリーに向かって）子供たちは、どうしてる？

ヒラリー　みんな元気よ。メアリーが面倒を見てくれてる。あなた、太ったわね、フィリップ。

フィリップ　うん、少しね。

ヒラリー　そのほうが似合うわ。

モリス　（デジレに向かって）そのパンツスーツはいかすね。双子《ツイン》はどうしてる？

デジレ　元気よ。みんなにも飲み物を作ってよ。

モリス　いいとも。（急いで酒を注ぐ）ヒラリー？　フィリップ？　スコッチでいいかい？

ヒラリー　わたしは要らないわ、モリス。

モリス　部屋のことだけど。デジレと僕がこの部屋にしようか？
デジレ　わたしがあなたと同室するなんて、誰が言ったの？
モリス　（肩を竦める）分かった、ハニー。君とフィリップが、もう一つの部屋にしたまえ。僕らは、ここに泊まろう。
ヒラリー　どっちにしても、かなり早まった決め方じゃない？
モリス　（両手を広げる）分かった。君の考えは？

場面転換

屋内シーン　ホテルの青い一室——夜。

フィリップとモリスが、それぞれのツインベッドの中にいる。パジャマ姿のフィリップは眠っているように見える。胸をはだけたモリスは目を開けていて、一方の手を頭の下に、もう一方の手を上側のシーツの下に入れている。

モリス　女たちの言うなりになるんじゃなかった。

（間）

滑稽な話だ。

（間）

ホテルの部屋にいると、ひどくむらむらしてくるんだ。

（間）

フィリップ。

フィリップ　うーん？

モリス　デジレとはどんな具合だった？

フィリップ　とてもよかった。

モリス　寝床の中でって意味だけど。

フィリップ　とてもよかった。

モリス　でも、重労働だろう？

フィリップ　そうは言わないね。

（間）

モリス　あー、あれに、あー、ブローさせたかい？

フィリップ　いや。

モリス　（溜め息をつく）僕もさ。

（間）

フィリップ　やってくれって、頼もうとも思わなかった。

（間）

フィリップは不意に起き直り、すっかり目を覚ます。

フィリップ　ヒラリーに頼んだことはあるのかい？

モリス　あるとも。
フィリップ　で、どうなった？
モリス　どうもならなかった。
フィリップはほっとし、またベッドに横になり、目を閉じる。
（間）
モリス　彼女は、僕が何を言ってるのか分からなかったよ。

場面転換

屋内シーン　ホテルの一室。ピンクの室内装飾——夜。
デジレとヒラリーが、それぞれのツインベッドの中で眠っている。二人のあいだのベッドサイド・テーブルの上には電話がある。電話が鳴る。デジレが手探りして受話器を取り上げる。
デジレ　（半分眠りながら）　ハロー。
モリスとデジレのインターカットのクローズアップ。
モリス　ハロー、スイートハート。
デジレ　（うんざりして）なんの用？　眠ってたのよ。
モリス　あー……フィリップと僕とで考えてたんだ（フィリップのほうを見やる）、もっと快適な部屋の割り振りがあるんじゃないかってね……
デジレ　たとえば、どんな？

モリス　たとえば、君たちの一人が僕たちの一人と入れ替わるというような……
デジレ　つまり、わたしたちのどちらかが？　あなたたちのどちらかと？　あなたたちは、なんの好みもないの？
モリス　（具合悪そうに笑う）君たちに任せるさ。
デジレ　卑劣な人ね。（受話器を置く）
モリス　デジレ！
モリスは、受話器をガタガタ言わせる。
（暗い調子で）ビッチめ！

場面転換

屋内シーン　ホテルのピンクの一室――夜。
ヒラリー　誰だったの？
デジレ　モリスよ。
ヒラリー　なんの用？
デジレ　わたしたちのどちらか、だって。どっちでもかまわないって。
ヒラリー　なんですって？
デジレ　フィリップもよ。モリスは悪い影響を及ぼすんじゃないかしら。
ヒラリー　（起き直る）フィリップと話したいわ。

デジレ　いい、いま？
ヒラリー　すっかり目が覚めちゃってるの。
デジレ　お好きなように。（向こうを向く）
ヒラリー　あなたも一人でモリスと話したくないの？
デジレ　ご免よ！

場面転換

屋内シーン　ホテルの廊下――夜。

ガウンを羽織ったヒラリーが左手のドアから出てきて、ドアを少し開けたまま廊下を横切り、右手のドアをノックする。ドアが開く。ヒラリーは中に入り、ドアを閉める。しばらくして、右手のドアが開き、ガウン姿のモリスが現われ、ドアを閉め、廊下を横切り、左手のドアを開け、入ってから閉める。

場面転換

屋内シーン　ホテルの青い一室――夜。

ヒラリー　（そわそわと）話しに来ただけよ、フィリップ。

場面転換

屋内シーン　ホテルのピンクの一室――夜。音　ドアがガチャリと閉まる音。

デジレ　（抑揚のない声で）わたしに指一本でも触れたら、ザップ、後悔するわよ。

暗転《ブラックアウト》

場面転換

屋内シーン　青い一室――早朝。

ベッドの上で抱き合って寝ているフィリップとヒラリー。

場面転換

屋内シーン　ピンクの一室――早朝。

カメラが、ゆっくりと部屋の中をパンする。部屋は乱雑をきわめている――椅子はひっくり返り、ランプは蹴倒され、寝具はベッドから剝ぎ取られている等々。モリスとデジレの姿は見えない。が、やがて二人が裸のまま、二つのツインベッドのあいだの枕と寝具の山の中で、もつれ合うようにして床に横たわっているのが分かる。二人は、ぐっすり眠っている。

場面転換

屋内シーン　ホテルのコーヒーショップ――朝。

モリス、デジレ、フィリップ、ヒラリーが、朝食を終えようとしている。彼らは仕切り席にいて、テーブルを挟んで、男女向かい合っている。

モリス　さて、これからどうするかな?　この二人のおのぼりさんに、町を案内してあげるとするか、デジレ?

デジレ　今日は暑くなりそう。気温は九十度台に上がるって、ラジオでは言ってた。

ヒラリー　真剣な話し合いをしなくちゃいけないんじゃない？　わたしたちは、そのために遥々ここまで来たんですから。これからどうするつもりなの？　将来について。
モリス　どういった方法が選べるか、考えてみよう。冷静に。（葉巻に火を点けようとする）まず、僕らは、それぞれの連れ合いと一緒に、それぞれの家に帰る。

モリスは葉巻に火を点けてから、点き具合を調べる。ヒラリーはフィリップを見る。フィリップはデジレを見る。デジレはモリスを見る。

デジレ　次の方法は？
モリス　僕らみんな離婚して、互いに再婚するんだ。こう言えば分かるだろうけど。
フィリップ　僕らはどこに住むんだい？
モリス　僕はラミッジで教授になって、そこに定住することもできる。君もユーフォーリアで仕事に就けると思うけど……
フィリップ　あまりはっきりしないなあ。
モリス　あるいは、君はデジレをラミッジに連れて行き、僕はヒラリーを連れてユーフォーリアに戻ってもいい。（**ヒラリーが立ち上がる**）どこに行くんだい？
ヒラリー　こんな子供じみた話なんか聞きたくもないわ。
フィリップ　何が悪いんだい？　話をしようって言い出したのは、君じゃないか。
ヒラリー　わたしの言う真剣な話って、こんなんじゃないのよ。あなたたちは、劇にどんな結末をつけようかって論じ合っている、二人の脚本家みたいだわ。
モリス　ヒラリー、ハニー！　選択の道がいくつかあるんだよ。僕らは、あらゆる可能性を考えてみなくちゃいけないのさ。
ヒラリー　（坐りながら）分かったわ。デジレとわたしがあなたたちと離婚して、再婚しないって可能性を、あなたたち、考えたことがあるの？
デジレ　そう、そのとおり！
モリス　（考え込みながら）なるほど。もう一つの可能性は、グループ結婚だ。知ってるかい？　二組の男女が一つの家に住んで、資産をプールする。なんでもが共有財産さ。
フィリップ　あれも含めてかい、あー……
モリス　あれも含めてさ、もちろん。
ヒラリー　子供たちはどうなるの？
モリス　子供たちにとっては大変いいんだ。子供たちは、みんなで遊ぶのさ、親たちが……
デジレ　互いに交わってるあいだね。
ヒラリー　そんな不道徳な話、これまで聞いたこともないわ。
モリス　しっかりしたまえ、ヒラリー！　僕ら四人は、もうすでに長距離スワッピングの世界記録保持者なんだ。そいつを一つ屋根の下でやっちゃ、どうしていけないんだい？　そうやれば、家庭的安定性《スタビリティー》プラス性的多様性《バラエティー》が得られようってものさ。僕らみんなが欲しがってるのは、それじゃないのかい？　ゆうべ、君たち二人がどんな具合だったか知らないけれど、デジレと僕は、本当に――

デジレ　分かったわ、分かったわ、もうたくさんよ。

フィリップ　確かにそれは面白い考えだな。

デジレ　理論的には、わたしも共鳴するわ――つまり、核家族をなくす第一歩としては、いろいろな可能性に満ちている。でも、モリスがいいって言うことには、どこかに必ず落とし穴があるのよ。

ヒラリー　（モリスに向かって辛辣な調子で）学問的興味のある問題なんだけど。このいわゆるグループ結婚で、もし二人の男が一人の女を同時に愛しちゃったら、どういうことになるの？

デジレ　あるいは、二人の女が一人の男と寝たいと思ったら？

（間）モリスは、考え込むように顎を撫でる。

フィリップ　（にやりとする）分かるさ。のけ者になった一人が、ほかの三人を眺めるのさ。

モリスとデジレが大笑いする。ヒラリーも、思わず釣り込まれる。

ヒラリー　でも、ちょっと真面目になりましょうよ。今度のことの結末は、どうなるのかしら？

場面転換

屋内シーン　ホテルの青い一室――午後。

ドアが開き、モリス、デジレ、ヒラリー、フィリップが入ってくる。彼らは、マンハッタンのいろいろな店の名前が印刷されている包みや買い物袋を抱えている。彼らは暑くて汗みどろのようだが、くつろいだ様子をしている。各人、椅子やベッドに、どしんと坐る。

モリス　やってのけたなあ。

デジレ　ほんと、ニューヨークの酷暑がどんなだったか、忘れてたわ。

フィリップ　エアコンっていうのは実にありがたい。

モリス　氷をもらってこよう。

モリスは出て行く。フィリップは突然起き直る。

フィリップ　デジレ。

デジレ　なに？

フィリップ　今日はなんの日だか知ってるかい……デモ行進の日だよ！

デジレ　行進？　ああ、そう、あのデモ行進ね。

ヒラリー　なにそれ？

フィリップ　（興奮して）教育テレビが中継してるんだ。

フィリップはテレビのところに行って、スイッチをひねる。

デジレ　あれは今朝あったんでしょう？　もうすっかり終わっちゃってるわ。

フィリップ　ユーフォーリアでは、まだ午前中さ。太平洋標準時だよ。

デジレ　そうだわ！（ヒラリーに向かって）プロティノスのごたごたのこと、お聞きになった？　人民公園をめぐってのの。

ヒラリー　ああ、あれね。ねえ、フィリップ、あなた、今学期のラミッジの大騒ぎを経験し損なったわね。坐り込み《シットイン》とかなんとか。
フィリップ　ラミッジで、本当に革命的なことが起こるとは、どうも考えられないなあ。
ヒラリー　例の暴力スノッブにはならないでね。連中は、なんであれ、人が殺されなければ大したことじゃないって考えてるんだから。
デジレ　「暴力スノッブ」ね。いい言葉だわ……
フィリップ　そう、実際問題として、今日プロティノスで、ごく簡単に人が殺されるってことはあり、い、うるな。
デジレ　情状を酌量してあげなくちゃいけないわ、ヒラリー。フィリップは、人民公園とかそういったことに深く関わってたんですからね。この人は投獄までされたのよ。
ヒラリー　あらまあ！　わたしには言わなかったじゃない、フィリップ。
フィリップ　（次第に温まるテレビの上にかがみ込みながら）たった数時間だけさ。それについて君に手紙を書こうと思ったんだけど……それは、ほかのこととも関連してたのさ。
ヒラリー　へえ。
　テレビの画面に西部劇の映画が出る。フィリップは、いくつかチャンネルを切り換え、プロティノスのデモ行進を中継している局を見つける。
フィリップ　おっ！（テレビの音を調節する。音　歌声、歓声、バンド等）

モリスが氷とソフトドリンクを持って入ってくる。

モリス　ありゃ、なんだい？

デジレ　プロティノスの大デモ行進よ。

モリス　ほんとかい？

テレビ解説者の声　そして、大デモ行進が結局は平穏のうちに終わるのは確実のようであります……

モリスは、飲み物を作りながら興味深げに見つめる。テレビの画面のクローズアップ。デモの参加者の列が、フェンスで囲われた人民公園の前を通り過ぎる。プロティノスでは暖かく、晴れ渡った朝である。群衆は、お祭り気分で陽気だ。デモの参加者は、二本の竿のあいだに渡した長い旗、小旗、花、芝土を手にしている。フェンスの中では、州兵が休めの姿勢で立っている。カメラはズームし、群衆のさまざまな表情を捉える。トラックの上で演奏するロックバンド、やはりトラックの上で演技をするトップレスダンサー、ホースの水を浴びながら踊る人々、腕を組んで行進する人々等。これらの人々の中に、いくつものお馴染みの顔が見える。こうした画面が映し出されているあいだ、テレビ解説者の声と、モリス、フィリップ、ヒラリー、デジレの言葉が聞こえる。

テレビ解説者の声　今日は、プロティノスの通りに血が流れるだろうと、多くの人々は心配しましたが、いまのところは、いい感じです……デモの参加者は、石の代わりに花を投げています……ハリケーン用フェンスの網の目に花を挿しています……人民公園の前の歩道に芝土を置いています……

デモの参加者は、そうやって自分たちの考えを表明しているのです……
フィリップ　ほら、チャールズ・ブーンがいる。それから、メラニーだ！
モリス　メラニー？　どこだ？
デジレ　片腕にギプスを嵌めた、あの男の隣よ。
ヒラリー　とっても可愛らしい娘さん。
テレビ解説者の声　これまでのところ、フェンスによじ登ろうとした者はいません。ご覧のように、州兵は休めの姿勢で立っています。デモ隊に手を振っている者もいます……
フィリップ　それから、ワイリー・スミスだ！　覚えているかい、ヒラリー、僕がやつのことを書いたのを？　画面の端の野球帽をかぶったやつだ。やつは僕の小説作法クラスにいたんだ。クラスでは、ただの一語も書かなかったけど。
テレビ解説者の声　オキーン郡保安官と、学生たちが「青い意地悪」と呼んでいる部下たちの姿は、どこにも見えません……
デジレ　あら、あのトップレスダンサーを見てよ！
フィリップ　ありゃ、キャロルとディアドリじゃないか、え？
デジレ　そのようね。
テレビ解説者の声　デモの列はもう三十分も続いていますが、その終わりは、まだ見えません。
フィリップ　それから、カウボーイと南軍兵士がいる！　きっと、プロティノスの誰もがデモに参加してるんだ。

テレビ解説者の声　こうした画面が、すべてを語っていると思います。

ヒラリー　(いささか思いに沈んだように) 自分もあそこにいたいみたいな口ぶりね、フィリップ。

デジレ　きっとそう思ってるのよ。

フィリップ　いや、そうでもないんだ。

フィリップはテレビの音量は下げるが、画像はそのままにしておく。カメラはバックして、四人が飲み物を手に、テレビのまわりに集まっているところを映し出す。

フィリップ　「そは、老人の住むべき国にあらず……」(W・B・イェイツの詩の一句)

モリス　しっかりしたまえ、フィリップ。敗北主義はいただけないよ。

フィリップ　僕は、あそこにいたら、詐欺師だろうな。

デジレ　説明してよ。

フィリップ　あの若者たちは (テレビの画面を指す) 心《しん》から人民公園のことを思ってるんだ。彼らにとっては、それは恋愛みたいなものなんだ。チャールズ・ブーンとメラニーのことを考えてみたまえ。僕は公的《パブリック》な問題について、あんなふうに感じることは決してない。そう感じたいと思う時もあるけれど。正直に言うと、僕にとって政治とは遠い出来事であり、ニュースであり、娯楽と言ってもいいものなんだ。テレビみたいに、点けたり消したりできるものなんだ。僕が本当に関心を抱いているのは、勝手に点けたり消したりできないものは、ああ、セックスであり、死であり、頭髪がなくなることだ。私的《プライベート》な事柄だ。僕らは、私的な人間なんだ。そうじゃないかい、僕らの世代は？　僕らは、私的な生活と公的な生活とを截然《せつぜん》と分ける。そして、重要な物事は、僕らを幸福にしたり不幸にしたりする物事は、私的なんだ。僕らにとって、愛は私的だ。財産は私的だ。性器《パーツ》は私的だ。だからこそ、急進的な若者は、通りでファックすることを要求するんだ。そいつは、単なる安っぽい急襲戦術《ショック・タクティックス》なんかじゃない。そいつは真面目な革命的提案なんだ。君たちは、ビートルズのあの歌を知っているだろう、「レッツ・ドゥ・イット・イン・ザ・ロード」を……？

デジレ　阿呆臭《ブルシット》い。

フィリップ　え？

デジレ　まったくのブルシットよ、フィリップ。あなたはプロティノスのアングラ文化に洗脳されちゃったのよ。『ユーフォリック・タイムズ』を読み過ぎちゃったのよ。革命が起こったら、一体誰が通りでファックされるのよ、わたしに言ってみてよ。

フィリップ　誰がって？

デジレ　誰がかと言えば、女が、よ。好むと好まざるとにかかわらず。聞きなさいよ。人民公園のあたりでは、毎晩何人かの女の子がレイプされてるのよ。ただ、『ユーフォリック・タイムズ』はレイプって言葉を認めないんで、みんな分からないのよ。人民公園運動を手伝いに行く女の子は、みんなセックスの罠に嵌められてしまうのよ。もし女の子が乱交に応じないと、ブルジョワ的とか堅苦《アップタイト》しいとかと非難されるし、警察に訴え出ても、警察は、そんなところにいるだけでも、どんなことをされたって仕方がないって言うのよ。女の子は、仮に意に反してやられないとしても、男たちが政治について喋々《ちょうちょう》しているあいだ、一所懸命、鍋でシチューを作ったり、洗い物をしたり、子供の面倒を見たりしているわけよ。そんなのを革命って言うの？　笑わせないでよ。

ヒラリー　謹聴《ヒア》、謹聴《ヒア》！

フィリップ　うん、君の言うことは正しいかもしれない、デジレ。僕が言いたいのは、世代の断絶《ジェネレーション・ギャップ》が実際にあるってことさ。それは、公的事柄対私的事柄をめぐるものだって、僕は思うんだ。僕らの世代は——僕らは、不可侵の自我という古い自由主義的な教養を信奉している。それは、写実的小説の偉大な伝統であり、小説というものが扱うすべてなんだ。私的な生活が前景にあり、歴史は、舞台裏のどこかで、どろどろ言っている、遠い砲声なんだ。ジェイン・オースティンでは、どろどろすらも言っちゃあいない。そう、小説は死につつあり、僕らも小説と共に死につつある。僕がユーフォリック・ステートの小説作法のクラスでなんの成果も挙げられなかったっていうのも不思議じゃない。小説というのは、彼らの経験を表現するには不自然な媒体なんだ。あの若者たちは

（画面を指す）小説ではなく、映画を生きてるんだ。

モリス　いやあ、しっかりしたまえ、フィリップ！　君はカール・クループにかぶれちまったんだ。

フィリップ　うん、彼の言うことには大いに意味がある。

モリス　やつが切り売りしてるのは、ごく粗雑な歴史主義じゃないか、本当に。それと、悪しき美学さ。

ヒラリー　お二人の話は、ほんとに大変面白いけど、もうちょっと実際的なことが話し合えないかしら。わたしたち四人が、あすにでもどうするっていうような。

デジレ　そりゃ無理よ、ヒラリー。男の連中の話しぶりが分からないの？

モリス　（フィリップに向かって）小説のパラダイムというのは、媒体がなんであれ、本質的には同じさ。言葉であれ、映像であれ、構造的レベルでは、なんの相違も生じない。

デジレ　「構造的レベル」「パラダイム」。男たちは、なんてああした抽象的な言葉が好きなんでしょ。「歴史主義」だって！

フィリップ　（モリスに向かって）それがすっかり真実とは思わないね。たとえば、結末《エンディング》という問題を考えてみたまえ。

デジレ　そうよ。みんなで考えてみましょうよ！

フィリップ　君は『ノーサンガー・アビー』の、あの一節を覚えているね。いまにもハッピー・エンドになるぞって、自分の読者が予測してしまうんじゃないかと心配だと、ジェイン・オースティンが言ってるところさ。

モリス　（うなずく）「目の前の、終わりの近いことを物語る、残り少ないページから、私たちはみな一緒に、完全に幸福な結末へと急いでいることが分かる」というところだね。

フィリップ　そのとおり。そう、それは、小説家がどうしても読者に悟らせてしまうことじゃないのかい？　つまり、自分の本が間もなく終わりになるってことだが。最近じゃあ、それはハッピー・

エンドじゃないかもしれないが、小説家は、終わりの近いことを物語る、残り少ないページを誤魔化すことはできないんだ。

ヒラリーとデジレは、フィリップの言うことに耳を傾けはじめ、彼が注目の的になる。

つまり、僕らは小説の終わりが近いことを予期して、心の中で身構える。本を読み進んでいき、あと一、二ページしか残っていないことに気づき、本を閉じる用意をする。だが、映画の場合は、そうしたことを知る手掛かりがない。映画が昔よりずっと自由な構成になっていて、ずっと曖昧で複雑な感情を表現している近頃では、とりわけそうだ。どの齣《こま》が最後のものになるのか知る手掛かりはないんだ。映画は、まさに人生が進行するように進行する。登場人物はさまざまな行動をとり、さまざまなことをし、酒を飲み、喋る。僕らは彼らを眺めている。そして、予告もなしに、何も解決されぬまま、何も説明されぬまま、なんの決着もつけられぬまま、監督が選んだ時点で、映画は、すっと……終わることができる。

フィリップは肩を竦める。カメラは止まり、彼は身振りをしている最中《さなか》、凍りついたように動かなくなる。

終

解説

作者デイヴィッド・ロッジは一九三五年、イギリスのロンドン南東部のブロックリーで、彼自身の言うところによると「中産階級の下」のカトリック教徒の家に生まれた。父はダンスバンドのサキソフォン奏者、クラリネット奏者だった。ちなみに、ロッジの母方の祖父はアイルランド人、祖母はベルギー人である。ロッジはロンドン大学で英文学を学び、バーミンガム大学教授を長年務めたあと、一九八七年に早期退職し、筆一本の作家生活に入った。現在までに十五の長篇小説、一つの短篇集、十一の評論集、五つの戯曲（そのうち二つが共作）を発表している。一九九七年にフランスの芸術文化勲章シュヴァリエを、一九九八年に大英帝国勲章を受章した。

『交換教授』はロッジの五作目の小説で、一九七五年度のホーソーンデン賞（四十一歳未満の作家によるその年の最高の文芸作品に与えられる賞で、イギリスでいちばん古い歴史のある文学賞）と、ヨークシャーポスト紙小説賞の二つの賞を受賞し、ロッジを一躍有名にした、「ブレークスルー・ブック」である。

一九六八年のフランスの五月革命勃発に触発され、シカゴ大学、コーネル大学、サザン大学等全米の大学で紛争が相次いで起こり、イギリスでも小規模ながら学生紛争のあった一九六九年、共に大学で英文学を教えるアメリカ人の教師モリス・ザップと、イギリス人の教師フィリップ・スワローが交換教授となって半年間互いにポストを取り換える。やがて二人は文化的メンタリティーだけではなく、なんと妻をも「交換」することになる……。こうした筋立ての『交換教授』は、やはり大学を舞台にしたキングズリー・エイミスの『ラッキー・ジム』以来のコミック・キャンパス・ノヴェルの傑作として、多くの批評家から絶讃された。コルム・トビーン、カーメン・カリル共著『一九五〇年以降の英語で書かれた最良の小説二〇〇』に『交換教授』は入っている。

ロッジは、なぜコミック・ノヴェルを書くのか。カトリックの避妊禁止から生まれる悲喜劇をテーマとし、三人の子持ちでカトリック教徒の大学院生の一日の悪漢小説風な冒険を描いた三作目の小説『大英博物館が倒れる』に触れ、ロッジは次のように言っている。「この作品は笑劇《ファルス》の要素と多種多様なパロディーを一つにしたものである。私は今後、コミック・ノヴェルをもっと書こうと思う。コミック・ノヴェルなら、自由に創意を凝らして文体の効果を工夫することができるからである」。また、一九八一年に再刊された『大英博物館が倒れる』に寄せた序文の中でロッジは、一九六三年にバーミンガム・レパートリー劇場のために諷刺喜劇をマルコム・ブラッドベリーとジム・ダゲットと共作して何を得たかを記している。「この『四つの壁のあいだで』に取り組んだ経験から、いままで自分が持っているとは知らなかった諷刺的、ファルス的、パロディー的なものを書こうという強い意欲を、みずからの中に発見した。その結果私は、手際よく作られた写実的小説の束縛的規範から解放された」。もちろん、ロッジの小説はいわゆる前衛的なものではなく、みずから言うように、「作者自身が経験したり観察したりしたものを表現するのにふさわしい形式と、そうしたものに内在している公的な意味とを探り出そうとする写実的フィクションの伝統に属している」のである。つまり彼は、写実的小説の枠内にとどまりながらも、コミック・ノヴェルの手法を用いることによって従来の写実的小説の幅を広げようとしているわけである。彼はかつて、文芸誌『ニュー・レヴュー』のアンケートに答え、最近のイギリスの優れた小説では「リアリズムは拒否されていないけれども、といって素朴で無邪気な形で使われてもいない……リアリズムは他の書法――神話形成的、シュールレアリスム的、告白的、ドキュメンタリー的書法――と競い合う形で使われている」と言った。『交換教授』が物語として無類に面白いばかりではなく、「メタフィクション」にもなっているのは、小説の形式自体に対するロッジの、こうした熾烈な意識のゆえである。具体的な例を一つ挙げれば、フィリップ・スワローが屋台の古本屋で買った『小説を書こう』という通俗的入門書は、『交換教授』の筋の展開に実に愉快な形で絡み合っていく。

コミック・ノヴェルの手法のもう一つの利点は、生の（性の、と言ってもいい）不条理を表現するのに有効だということである。ジル・ネヴィルが『交換教授』を評して、ロッジは「日常性の靄《もや》を通して不条理の明確な輪郭を見る能力を持っている」と評しているが、「不条理の輪郭」は喜劇的書法によって、しばしば鮮明に浮かび上がってくる。ロッジが敬愛するイーヴリン・ウォーがコミック・ノヴェルの傑作を書いているのも、生の「不条理の輪郭」を捉えようとしたからだろう。

ロッジは、彼の代表的な三つのコミック・キャンパス・ノヴェルを収めた『キャンパス・トリロジー』（二〇一一）に寄せた序文で、『交換教授』を書くに至った経緯を記している。バーミンガム大学講師だったロッジは一九六四年、ハークネス・フェローシップ奨学金を貰い、妻と一緒にアメリカで一年間過ごし、一九六九年、カリフォルニア大学バークレー校に交換教授として半年赴任した。そして、まさにその年、アメリカ各地の大学で学生運動が起こった。学生たちは同校の敷地の一部を「人民公園」にしようとしたが、大学当局は警察の力を借りてその運動を弾圧し、ついには州兵が出動する騒ぎになった。ロッジは、この経験をもとに小説を書こうと思い立ったが、イギリスの作家がアメリカでの経験を書いた小説はすでにあるので(代表的なものはマルコム・ブラッドベリーの『西方に行く』)、イギリスに来たアメリカ人学者をも登場させることで新機軸を打ち出すことにしたのである。そして舞台の「モデル」は、アメリカはカリフォルニア大学バークレー校、イギリスはバーミンガム大学である。「ピサの斜塔を模した塔」は、実際にはシエナの大聖堂の鐘塔を模したもので両大学にあり、パタノスターという「循環エレベーター」は、かつてバーミンガム大学にあったが、いまは、事故が何度かあったので撤去された。さらに、ロッジ自身が言うところでは、スワローは、容貌と業績の少なさを除けば、「自分自身によく似ている」。モリス・ザップは、ロッジが二度のアメリカ滞在で出会った多くのユダヤ系学者をモデルにしている。

作者からの私信によれば、原題の Changing Places には「少なくとも三つの意味」がある。すなわち、「交換される立場、人が別の人間に変わる場所、変わりゆく場所」である。本訳書では最初の意味だけを生かして『交換教授』とした。また副題の **A Tale of Two Campuses** は、チャールズ・ディケンズの **A Tale of Two Cities**(『二都物語』)をもじったものである最後に、訳者のたび重なる質問に煩を厭わずお答えくださった作者と、早稲田大学名誉教授ポール・スノードン氏、白水社編集部の方々に厚く御礼申し上げる。

二〇一三年六月

訳者

なお本書は、一九八四年に出た二巻本のUブックス版を改訳し、一巻本にしたものである。

著者紹介
デイヴィッド・ロッジ（David Lodge）
1935年、イギリスのロンドン南東部のブロックリーで、本人によれば「中産階級の下」のカトリック教徒の家に生まれた。ロンドン大学で英文学を学び、バーミンガム大学教授を長年務めたあと、早期退職し、筆一本の作家生活に入った。現在までに15の長篇小説、1つの短篇集、11の評論集、5つの戯曲を発表している。97年にフランスの芸術文化勲章シュヴァリエ、98年に大英帝国勲章を受章した。本作は75年度のホーソーンデン賞とヨークシャーポスト紙小説賞をダブル受賞した。

訳者略歴
高儀進（たかぎ・すすむ）
1935年生まれ。早稲田大学大学院修士課程修了。翻訳家。日本文藝家協会会員。
訳書に、ロッジ『大英博物館が倒れる』『どこまで行けるか』『小さな世界』『楽園ニュース』『恋愛療法』『胸にこたえる真実』『考える…』『作者を出せ！』『ベイツ教授の受難』ほか多数ある。

本書は1984年にUブックス上下巻として小社より刊行された。

白水uブックス　185

[改訳] 交換教授　二つのキャンパスの物語

著　者　デイヴィッド・ロッジ
訳者©　高儀　進
発行者　及川直志
発行所　株式会社 白水社
東京都千代田区神田小川町 3-24
振替　00190-5-33228　〒 101-0052
電話　(03) 3291-7811 (営業部)
　　　(03) 3291-7821 (編集部)
　　　http://www.hakusuisha.co.jp

2013年8月25日印刷
2013年9月15日発行
本文印刷　株式会社理想社
表紙印刷　三陽クリエイティヴ
製　　本　加瀬製本
Printed in Japan

ISBN978-4-560-07185-4

乱丁・落丁本は送料小社負担にてお取り替えいたします。

白水 u ブックス

u140 ミルハウザー／柴田元幸訳 バーナム博物館（アメリカ）
u142 グルニエ／須藤哲生訳 編集室（フランス） ※旧『夜の寓話』を改題
u143 ダイベック／柴田元幸訳 シカゴ育ち（アメリカ）
u145 フランス／水野成夫訳 舞姫タイス（フランス）
u146 シュヴァリエ／木下哲夫訳 真珠の耳飾りの少女（イギリス）
u147 ヘス／金原瑞人訳 イルカの歌（アメリカ）
u148 クレイス／渡辺佐智江訳 死んでいる（イギリス）
u149 ルッス／柴野均訳 戦場の一年（イタリア）
u151 セプルベダ／河野万里子訳 カモメに飛ぶことを教えた猫（チリ）

カフカ・コレクション 全8冊

u152～u159 池内紀訳

u160 ウィーラン／代田亜香子訳 家なき鳥（アメリカ）
u161 ペナック／末松氷海子訳 片目のオオカミ（フランス）
u162 ペナック／中井珠子訳 カモ少年と謎のペンフレンド（フランス）
u163 ペロー／ドレ挿画／今野一雄訳 ペローの昔ばなし（フランス）

初版グリム童話集 全5巻

u164～u168 吉原高志・吉原素子訳

u169 バリッコ／鈴木昭裕訳 絹（イタリア）
u170 バリッコ／草皆伸子訳 海の上のピアニスト（イタリア）
u171 ミルハウザー／柴田元幸訳 マーティン・ドレスラーの夢（アメリカ）
u172 ベイカー／岸本佐知子訳 ノリーのおわらない物語（アメリカ）
u173 ユアグロー／柴田元幸訳 セックスの哀しみ（アメリカ）
u174 デイヴィス／岸本佐知子訳 ほとんど記憶のない女（アメリカ）
u175 ウィンターソン／岸本佐知子訳 灯台守の話（イギリス）
u176 ウィンターソン／岸本佐知子訳 オレンジだけが果物じゃない（イギリス）
u177 u178 ギンズブルグ／須賀敦子訳 マンゾーニ家の人々 上・下（イタリア）
u179 ミルハウザー／柴田元幸訳 ナイフ投げ師（アメリカ）
u180 トマ／飛幡祐規訳 王妃に別れをつげて（フランス）
u181 シュヴァリエ／木下哲夫訳 貴婦人と一角獣（イギリス）
u182 マンガレリ／田久保麻理訳 おわりの雪（フランス）
u183 ベケット／安堂信也、高橋康也訳 ゴドーを待ちながら（フランス）
u184 ボーヴ／渋谷豊訳 ぼくのともだち（フランス）
u185 ロッジ／高儀進訳 交換教授―二つのキャンパスの物語（改訳）（イギリス）

◎デイヴィッド・ロッジの作品◎

ベイツ教授の受難

言語学の元教授ベイツは、難聴のため、妻や耳の遠い父親とも話がかみ合わない……。ベイツは女学生から甘い誘惑を受けるが、その顛末は？ ロッジ節が炸裂する、笑いと涙の感動作！（高儀進訳）

恋愛療法

ロレンス・パスモア。58歳。テレビ台本作家。膝の痛みと欝のダブルパンチを食らい、各種セラピーのハシゴをするうち、なんとキルケゴールにのめり込んでゆく。心の癒しというテーマをコミカルに描く。（高儀進訳）

作者を出せ！

現代小説の礎を築いた巨匠ヘンリー・ジェイムズは、劇作家としての成功を夢見ていた。喝采か、罵声か、作家を襲う悲運とは？『小説の技巧』の著者の「語り」が冴える、無類の面白さ！（高儀進訳）

絶倫の人
——小説H・G・ウェルズ

「未来を創った男」の波瀾万丈の生涯。才能と矛盾を抱えた作家の素顔とは？破天荒な女性遍歴、人気と富をもたらした数多の名作、社会主義への傾倒……オマージュに満ちた傑作長篇。（高儀進訳）（２０１３年９月下旬刊）

小説の技巧

オースティン、ジョイスからサリンジャー、オースターまで古今の名作を素材に、小説の書き出し方、登場人物の命名法、文章反復の効果等作家の妙技を解明し、小説味読の楽しみを倍加させる。（柴田元幸、斎藤兆史訳）